LA CULTURA ESPAÑOLA
Y
LA CULTURA ESTABLECIDA

135-146

ENSAYISTAS - 137

OTRAS OBRAS DEL MISMO AUTOR
publicadas por
TAURUS EDICIONES

Crítica y meditación («Ensayistas», núm. 8). (Agotado.)

Memorias y esperanzas españolas («Ensayistas», núm. 64).

Moralidades de hoy y de mañana («Ensayistas», núm. 95).

El futuro de la Universidad y otras polémicas («Ensayistas», núm. 108).

La ética de Ortega (3.ª edición) («Cuadernos», núm. 1).

Implicaciones de la filosofía en la vida contemporánea (2.ª edición) («Cuadernos», núm. 47).

El cristianismo de Dostoiewski («Cuadernos», núm. 100).

La cruz de la Monarquía española actual («Cuadernos», núm. 118).

JOSE LUIS L. ARANGUREN

LA CULTURA ESPAÑOLA
Y
LA CULTURA ESTABLECIDA

TAURUS EDICIONES, S. A.
Plaza del Marqués de Salamanca, 7, MADRID-6
ISBN: 84-306-1137-1
Depósito legal: M. 34.982 - 1975
PRINTED IN SPAIN

PROLOGO

Quedan todavía muchos lectores por el mundo que viven el fetichismo de la obra original, escrita, desearían, exprofesamente para ellos y, mejor, para cada uno de ellos, el libro con un único destinatario, él o, con mayor frecuencia, ella. Es claro que a los escritores no nos es posible proceder como los artistas, y no ya «réplicas», ni siquiera «múltiples» podemos poner, como tales, en el mercado de los libros. Mas ¿qué pensar de aquella aspiración?

Yo distinguiría. La pretensión de que el autor hable conmigo, contigo, se dirija a ti, a mí, me parece muy legítima. Y a ello provee la dedicatoria, dedicatoria puesta a mano, de modo personal, no convencional, para uno u otro amigo, también para el casi totalmente desconocido lector que se acerca a nosotros pidiéndonosla. Yo he firmado en las Ferias del Libro y creo que casi siempre, pese a las prisas, he dedicado de verdad mis libros, si no a la persona real que me lo pedía, sí a la que, en labor de imaginación a marchas forzadas, yo pensaba que era, que podía ser. Muchas veces, sin duda, prevaleciendo sobre lo que individualmente fuera, lo que representaba: el joven, estudiante universitario o que no ha logrado serlo, frustrada por las urgencias de la vida y la injusticia social una vocación intelectual; el ama de su casa o la mujer dedicada a una profesión burocrática, que no se encierra en la casa y la profesión; el señor mayor que quiere seguir estando al tanto de lo que «se» piensa; el antiguo alumno o alumna que, con el libro al brazo, recuperará un trozo de su vida en la Universidad; el viejo compañero de colegio a quien ya sólo es posible comunicar conmigo —hemos cambiado tanto los dos— a través de una lectura a ratos y a saltos, pero a quien importa todavía o únicamente ya la huella de mi firma; la persona modesta que, juntando unos pocos ahorros, se acerca a la Feria para comprar los libros a los que con aquéllos llegue; y, en fin, los casi niños aún, a quienes el prestigio de un nombre oído en casa o al profesor de Enseñanza General Básica mueve a pedir a sus padres que, para iniciar su biblioteca personal, les compren unos pocos libros firmados por sus autores. Pero siempre o casi, espero, agregando a esta rápida tipificación, un toque personal, por mínimo que en ocasiones haya sido y por pronto que luego lo haya olvidado.

Sí, eso está bien. En una época de despersonalización y búsqueda del *best seller* por el mero hecho de serlo, el contacto real entre lector y autor, por efímero que sea, ayuda a ambos a seguir respectivamente, y de verdad, siéndolo. Pero lo único auténtico que, salvo excepciones, el segundo puede dar, firmado, al primero, es su gesto de buena disposición, de apertura a eventual amistad. Quienes tenemos ya bastantes años y una cierta experiencia en el álbum —eran otros tiempos, pero todavía no muy lejanos— que aquella señora distinguida nos pasaba para que, honrándonos, también nosotros pusiésemos algo en él, con frecuencia encontrábamos el verso leído ya en otro álbum semejante, o incluso publicado; el «pensamiento» profundo, estilo benaventino, mil veces proferido por el ilustre autor. Y conozco a más de una persona defraudada al comprobar que Rilke, en las cartas a sus admiradoras, tal vez hasta amantes, les decía a todas lo mismo. Y es que en el fondo, si, en el mejor de los casos, tenemos algo que decir, es siempre «lo mismo» o casi: en la conferencia, en el periódico, en el libro. La diferencia consiste en el «envase». Hay quienes gustan de «refundir» lo ya dicho y presentarlo de otro modo. Otros somos incapaces de volver sobre lo ya hecho, y al juntarlo bajo la amistosa presión de los editores para su publicación en libro, propendemos a su mera recopilación. La conciencia de haber respondido a una *necesidad* literario-intelectual, nos tranquiliza. Si a más de eso pensamos que tal serie de artículos —ésta misma que aquí presento y que, casi íntegramente, se publicó, al principio en *La Vanguardia,* luego en *Triunfo* y al final de nuevo en *La Vanguardia* e *Informaciones* de Madrid— se concibió, desde el principio, con una cierta unidad, reposamos en la tranquila convicción de que eso basta y de que, con la inmediatez de lo escrito sin ulteriores arreglos, damos al lector las piezas con las que él mismo puede componer, como con un *meccano* —permítaseme que ponga el ejemplo de un juego de mi infancia— el libro a su gusto.

Sin embargo, esta vez he decidido proceder de otra manera. Si denominé «Diario» a la serie de artículos que aquí se reúnen, ¿por qué no tomar tal expresión en serio? Desde el punto de vista de la contabilidad, ello exige trasladar a un Libro Mayor las partidas del Diario. Desde mi punto de vista, releer mi diario y, casi como si se tratase del de otro, transportar lo que en él se dice a otro libro, menor, que lo ordene, comente y, quizá, prolongue. El género de la «glosa» o «comentario» tiene, es verdad, antecedentes demasiado ilustres, pero, en sí mismo, es modesto. Comentarse a sí mismo no lo es. Si, con todo, se me quiere absolver de un posible pecado de autocomplacencia, piénsese, benevolentemente, en que me comento para ceder, al menos en parte, a aquel fetichismo, al que me refería al comienzo, que demanda algo «original», es decir, inédito. Todavía puedo dar una justificación más profesional: la de que, a través de la reflexión sobre lo que ya desde el principio fue pura reflexión, quede un poco más claro que todo el tiempo, mientras escribía los artículos que aquí vuelvo a dar, estuve pensando en la cultura española.

PRIMERA PARTE

CRITICA

1. REFLEXIONES SOBRE LA CULTURA ESPAÑOLA

Las cosas son casi siempre más complejas de lo que se suele pensar. Por ejemplo, en política. Existe el sistema o aparato estatal, pero contra lo que muchos de sus adversarios desiderativamente piensan que ocurre, no se levanta, aislado, solitario, sobre un vacío en torno suyo. El *Establishment* es sustentado activa o, cuando menos, pasivamente, de modo conformista, por muchos de los socioeconómicamente *établis* o establecidos, de los que administrativamente dependen de él, de los «acomodados» o, dicho de otro modo, de los que han encontrado «acomodo» en la nueva —y más bien vieja— sociedad establecida. Quizá éstos, si son interrogados, y aun espontáneamente, se opongan, por modo verbal, al presente estado de cosas. Pero su comportamiento real colabora a su sostenimiento porque *pueden esperar,* no tienen mucha prisa en que las cosas cambien y ninguna en que cambien demasiado.

Por eso me gusta dar a la palabra inglesa *Establishment,* que ahora todo el mundo usa aquí, sin saber bien lo que originariamente quiere decir, un uso más amplio que el de régimen o sistema y que, políticamente abarca, como acabo de decir, a todos los «establecidos», a todos los que «se acomodan». Mas, como el título anuncia, no es de política, sino de cultura, de lo que hoy me propongo hablar.

El origen de la palabra *Establishment* es eclesiástico: *Establishment* o establecimiento de la Iglesia anglicana como iglesia del Estado, cuya «cabeza» era, y es, el rey de Inglaterra. Creo que fueron los iniciadores de la «nueva izquierda» inglesa —más intelectual que política en sentido estricto— quienes comenzaron a emplear la palabra *Establishment* secularizándola, es decir, no refiriéndola ya exclusivamente al establecimiento eclesiástico anglicano, sino, en general, a toda la cultura más o menos institucionalmente establecida en el Reino Unido.

Ahora bien, éste es el sentido de *Establishment* que me interesa aquí, el de *cultura establecida.* Con una diferencia fundamental entre la circunstancia británica y la circunstancia española. Allí la cultura establecida constituye un soporte del sistema establecido. Aquí no. Aquí se da una tensión entre el *Establishment político* (que, por su parte, tiene a su servicio un aparato pseudocultural, mucho más que auténticamente cultural) y el *Establishment cultural.*

Pero se preguntará el lector, ¿qué entiendo, a punto fijo, en concreto, por nuestro *Establishment cultural* o *cultura establecida?* Es muy fácil de señalar: la escuela de Menéndez Pidal, los continuadores del espíritu de la Institución Libre de Enseñanza, Junta para la Ampliación de Estudios y Centro de Estudios Históricos, el orteguismo y la *Revista de Occidente,* las Reales Academias en su núcleo esencial (no, claro, en sus adherencias pseudoculturales), y hasta los «hijos», ya que no los «nietos», de la generación del 98. Eso es para mí la cultura establecida en España. (El lector catalán puede identificar fácilmente por sí mismo la correspondiente *cultura establecida en Cataluña*).

Cultura establecida que, ni que decir tiene, merece todos mis respetos y respecto de la que me siento en enorme deuda intelectual. Pese a que no pertenezca al *Establishment* político, la llamo «establecida» porque es la última que ha funcionado como tal, y porque no ha podido ser reemplazada por otra, pese al Régimen que, por lo demás, tampoco se ha esforzado —ni le era fácil— a este nivel de la auténtica cultura creadora.

Mas, por otro lado, cultura establecida respecto de la cual yo querría ejercitar una cierta crítica o, si se prefiere, autocrítica; unas «dulces objeciones», para reiterar la expresión ya famosa y acuñada aquí, en Cataluña. El reproche que yo haría a nuestro *Establishment* cultural es semejante al que, con respecto a la parte del que se exiló, se desprendía de mi viejo estudio sobre «La evolución espiritual de los intelectuales españoles en la emigración»: vivir en la nostalgia. De hecho, también la cultura establecida pasó aquí por un período de persecución pública, semiclandestinidad y exilio interior. El exilio interior, especialmente cuando se comienza a salir de él, y ve que lo que aportó no ha podido ser reemplazado, proporciona una cierta autocomplacencia. Nostalgia y autocomplacencia de ese «medio siglo de oro» (en realidad, tercio más bien) son, pienso, las características de nuestra cultura establecida. Y, como consecuencia, una cierta detención cultural. Piénsese, por ejemplo, en lo tarde y confusamente que han entrado en España la lingüística estructural y la generativo-transformacional, en la visión unilateral de nuestro medievalismo, en el «castellanismo», al que me referí, aquí mismo, cuando escribí sobre don Américo Castro, en la, a la larga, contraproducente mitificación de Ortega, en el retraso en la recepción de la filosofía crítica, la filosofía analítica, la sociología contemporánea, etc.

La cultura establecida ha sido en suma, a mi parecer, demasiado «sistemática» (contra lo que le reprochaban sus toscos objetores), no tan crítica como habría sido de desear, demasiado «metafísica» (Ortega fue un gran metafísico, pero no para ahí la cosa: la comprensión de la historia de España y del «problema de España» han sido metafísicas y, por desgracia, sin *interlocuteurs valables,* únicamente con tonterías a lo *España, sin problema*), demasiado satisfecha de sí misma y, por tanto, poco autocrítica, desatenta a lo que venía detrás. Sé muy bien que esto ha sido mucho más culpa de la circunstancia española —y, digámoslo claro, de la circunstancia política— que de la cultura establecida misma. Pero es un hecho. Hace unos pocos días hablaba yo de esta ausencia de crítica y autocrítica en una casa —el Instituto Internacional, de Madrid— que, simbólica y materialmente, ha albergado todo o casi todo lo que esa cultura establecida ha sido. Y ejemplificando con lo que, simultáneamente a mis conferencias, estaba ocurriendo en otro edificio próximo, el Instituto Alemán, con su curso juvenil sobre Nietzsche (símbolo de inmoralismo, ateísmo, nihilismo), hacia notar, de acuerdo con Jesús Aguirre, que, en el plano de la cultura, que nada tiene que ver con el de la sobreestructura o corteza política, hemos pasado bruscamente de la «metafísica» con poca crítica a la voluntad de «destrucción» de la cultura establecida, a una suerte de desarraigada, con puntos de irrealista, «revolución cultural» juvenil.

Por eso escribo este artículo. Como muchas veces he dicho, mi papel, si alguno tengo, es el de luchar contra la incomunicación de los «establecidos» y los «rebeldes», y esforzarme para que no se produzca la solución de continuidad cultural entre los unos y los otros. Que para eso es menester llevar a cabo una «desamortización» o liberación de la *cultura establecida,* es cosa de la que estoy profundamente convencido.

2. CULTURA Y ORTODOXIA

Mi artículo «Reflexiones sobre la cultura española» terminaba de modo tal —enunciando la necesidad de llevar a cabo una desamortización o liberación de la cultura establecida —que demandaba una continuación, una explicitación. Pensaba escribirla, y aún diría que estaba pensándolo justo cuando conocí la carta del incógnito «Juan del Agua». No podía haber llegado más oportunamente. Venía a facilitarme la tarea de escribir este artículo.

Por de pronto con su malentendido inicial. Creo que yo decía bien claro que la «cultura establecida» no debe absolutamente nada, sino al contrario, al Régimen establecido. Sin embargo, me encuentro con que «Juan del Agua» sale con la «novedad» de que tal cultura «no ha tenido nunca apoyo oficial». Cierto que no, pero inmediatamente cae en un desliz, al añadir que «no tiene vigencia». Vigencia política no, pero vigencia social, claro que la tiene. Como que el Régimen —también lo decía yo a su tiempo— no ha sido capaz de reemplazarla por otra. La cultura liberal-establecida sigue siendo la que había, la que propugna «Juan del Agua», por discrepante que sea del Régimen. Es imperdonable que tan superorteguiano objetor haya sufrido semejante lapsus, y reduzca toda vigencia a la vigencia política.

Tras el más o menos deliberado malentendido, viene la bien deliberada siembra de confusión. Como ejemplos de relativa detención cultural citaba yo el retraso en la recepción española de la lingüística estructural y la generativo-transformacional, el tardío conocimiento de la filosofía crítica, la filosofía analítica y la sociología actual. «Juan del Agua» sustituye tales ejemplos por los del «estructuralismo, criticismo, marxismo y neopositivismo», que serían, según yo, las «formas más avanzadas del pensamiento», fórmula esta última que ni siquiera empleé. Claro, le es más cómodo atribuirme ideologías procedentes del siglo XIX y/o controvertidas, que atenerse a datos verificables.

Y para que no falte nada, al malentendido y la confusión agrega la autocomplacencia en la —ya pasada— persecución, la retórica presentación sacrificial y, como su «premio», la nota optimista que, no tan sorprendentemente como podría pensarse, le acerca al Régimen. «Juan del Agua» y «sus» intelectuales lo «han sacrificado todo». Bueno, yo también, caramba, he sacrificado algo, pero nunca diré que todo, primero porque no es verdad, y aun cuando lo fuese, por pudor. ¿Es verdad que vamos camino de convertir el tercio o el medio siglo de oro en todo un siglo de oro? Ojalá, pero yo no lo veo. Lo que veo es repetición —escuela, escolástica—, por un lado, rechazo en bloque, por el otro, y trabajo, modestamente honrado, en medio. Nos encontramos, como dice bien «Juan del Agua», en una situación de crisis, que no es precisamente la propicia para siglos de oro.

Mi contradictor diríase que se quita años cuando dice que ha nacido entre 1939 y 1953, manera, por lo demás, bastante barroca de referirse a la propia edad. En efecto, todo lo supuestamente nuevo es, según él, viejo por lo menos de ochenta años, todo se encuentra ya en «sus» intelectuales. O sea, y para resumir, todo se encuentra en Ortega, pues «el fundamento de mis inexactitudes» procede de ahí, de mi «incompresión de la filosofía de Ortega», concluye «Juan del Agua», enseñando así la oreja.

Yo creía haber escrito con comprensión y admiración de Ortega. Resulta que no. Resulta que incluso el significado «real» de ésta mi confesión es muy ambiguo. Para «Juan del Agua» no vale sino la adhesión total e incondicional. Quien no la preste está «contra» Ortega. El aventajadísimo e injustamente desconocido discípulo de Julián Marías que revela ser mi objetor, añora una escolástica orteguiana. «Todo está ya en Santo Tomás», decían antes. «Todo está ya en Ortega», dice él, y lo que no, o es falso o es trivial.

Mi intención era y es mediar entre la *cultura establecida* de los viejos liberales y la *tendencia a la destrucción de la herencia cultural* de los jóvenes universitarios. Y para venir a lo que «Juan del Agua» toma tan a pecho, a mi modo de ver, tan unilateral es negar en redondo a Ortega como afirmar que Ortega es la fuente de toda «innovación». (De todos modos, desde mi punto de vista, el empleo de la palabra «innovación» —véase aquí mismo el artículo «A vueltas con la religión»— es un error. Se trata, ciertamente, de una simple cuestión terminológica. Para mí «innovación» es palabra mucho más débil que «creación») .

De la lectura de la carta en cuestión resulta claro que «Juan del Agua» no tiene nada que ver con la juventud española de hoy. Que esto le ocurra porque haya envejecido en la emigración a Pau o, como me inclino a sospechar, porque tiene bastantes más años de los que, vagamente, dice, es cosa que no importa sino a los creyentes en la forma «ortodoxa» de la teoría de las generaciones.

Lo que a todos nos importa es esclarecer si la lectura de Ortega —y me restrinjo a él porque en él ha centrado o descentrado la cuestión mi contradictor— nos sirve o no hoy. Yo creo que sí. Pienso que ella es necesaria para «civilizar» un pensamiento liberal-conservador casi inexistente, y del que «Juan del Agua», si no fuese tan dogmático, podría ser digno representante. Y en cuanto a los que no somos liberal-conservadores, su lectura libre, no sujeta a la letra, pienso que debe seguir siendo estimulante y fecunda. Por el contrario, empeñarse, en una época tan destructora como la nuestra, que ni en el cristianismo ni en el marxismo (ortodoxos) cree ya, en imponer la fe orteguiana, no me parece ni siquiera peligroso, sino simplemente vano. Porque de eso se trata en la carta, de fe, de ortodoxia. No de cultura. Y menos de crítica de la cultura.

Decía al principio que «Juan del Agua» me ha dado casi hecho el artículo que me proponía escribir explicitando mi pensamiento. Este consiste en habérselas con la «cultura establecida» de modo exactamente opuesto al reverencial suyo. Nada ilustra mejor que los ejemplos. El de «Juan del Agua» como «contramodelo», es perfecto. Imposible decir mejor lo que *no* puede conducir a la liberación de la «cultura establecida».

3. LA REVISTA DE OCCIDENTE (1923-1936) Y ORTEGA

El tema de la cultura española, de su liberación del peso inerte, «tradicionalmente» del pasado —hay, junto a los tradicionalistas del pasado lejano, los pedisecuos del bastante cercano—, de su vitalización y, sin la menor pretensión de «dirigista», de su conjetura en el porvenir, no puede darse por terminado, ni mucho menos, con los artículos anteriores. Naturalmente, tampoco puedo reducirlo a mera polémica. Si a «Juan del Agua» pudiese quitarle las comillas, con mucho gusto seguiría hablando con él. Pero no puedo. Un análisis de contenido, un análisis estilístico (hasta los tics verbales aparecen en la carta, en la segunda más aún que en la primera), por someros que sean, hacen reconocer inmediatamente que se trata de un pseudónimo. El hecho de que orteguiano tan conspicuo haya esperado para revelarse como escritor y pensador a que yo haya criticado el orteguismo aumenta, si cabe, mi seguridad. (En la *Revista de Occidente* habrían sido recibidas sus colaboraciones con los brazos abiertos.) Hasta el dislate de que, pasando por alto mi calificación, «aventajadísimo e injustamente desconocido discípulo de Julián Marías», afirme que le dirijo «improperios» (para ser exacto, no se atreve a decir que «superorteguiano» y los demás calificativos que le aplico, sean improperios, sino —sutilísima distinción de su escolástica— que yo los empleo como tales), muestra que no es el joven completamente inédito por el que se pretende hacer pasar, y que ya podría darse por contento con salir tanto «en los papeles», sino el profesional perteneciente al «irritabile genus» de los escritores consagrados. Por todo ello no puedo continuar la discusión con quien, para mí no hay duda, es un ente de ficción. Si se quita la máscara, por supuesto que sí. Pero a estas alturas —y a cualquier otra— resultaría un poco ridículo. Lo que sí temo, en cambio, es una nueva «carta al Director», que se quedará sin respuesta. Si pretende hablar nada menos que «en nombre de la juventud», ¿cómo no ha podido movilizar contra mí a un solo joven conocido y ha tenido que sacarse de la manga este «Juan del Agua» y situarle, para colmo de precauciones, fuera de España? Dejemos, pues a un lado las mascaradas y vayamos a lo nuestro.

No porque yo crea —ya lo precisé en el primero de estos artículos— que la «cultura establecida», en el sentido que he dado a esta expresión, consista exclusivamente en la representada por la *Revista de Occidente,* sino porque ya se ha visto —es el ala más ortodoxa de ésta la única, hasta donde yo sé, que se ha dolido públicamente— y, sobre todo, porque muy oportunamente para mi propósito, acaba de publicarse un excelente libro sobre ella, al que cabe añadir dos textos míos de aparición igualmente reciente, es por lo que en la revisión pormenorizada de la «cultura establecida», voy a empezar por el orteguismo. Fiel al imperativo periodístico de la actualidad seguirá a este artículo otro, no ya sobre el libro del Padre Díez-Alegría, sino sobre la nueva situación en que sé que él ha sido puesto, y que me parece simbólicamente muy importante. Filosofía y religión, pues, pero vistas desde la perspectiva de lo que en *La crisis del Catolicismo* denominé «heterodoxia» o, si se prefiere, disolución del concepto tradicionalmente recibido de «ortodoxia».

El libro a que he hecho alusión es la tesis doctoral, publicada en castellano por *Taurus* *, de Evelyne López Campillo (su nombre de casada dirá algo y mucho al lector español de cierta edad, buena memoria y afición a la oficiosa prensa «yellow»). Tras una primera parte que sitúa la fundación de la *Revista de Occidente* en su época y en la vida del fundador, la aportación fundamental consiste en el estudio de su contenido. Objetivo limitado, pero preciso, exento, o casi, de todo juicio de valor, aunque no de simpatía y, por lo mismo, tanto más útil para nosotros aquí.

A la autora le importa destacar desde el principio, como resultado de su hallazgo, que la *Revista* no fue un órgano al servicio de la expresión del pensamiento de Ortega (aunque, naturalmente, Ortega publicara en ella textos suyos muy importantes) ni tampoco del pensamiento germánico. (En esto último yo discreparía un poco: globalmente considerada no, aunque las colaboraciones alemanas predominasen sobre los otros países extranjeros, pero filosóficamente sí. Que «la importancia de la filosofía orteguiana se privilegia[se] en la revista con relación a esta misma filosofía alemana» es enteramente comprensible). La *Revista de Occidente* fue mucho más española (y muy poco catalana: en el índice onomástico, mirando un poco por alto, es verdad, no he visto más nombres catalanes que los de

---

* *La «Revista de Occidente» y la formación de minorías (1923-1936).* Prólogo de Jean Bécarud. Madrid, Taurus, 1972, 319 pp. (Colección «Persiles», número 58).

D'Ors y José Pijoán, que no entusiasmarán a los catalanistas; y es sabido que D'Ors se separó pronto y por completo de ella), y también mucho más juvenil de lo que suele pensarse. Durante casi diez años fue la revista madrileño-europea por excelencia, aunque sea verdad, como afirma el prologuista del libro, mi amigo Jean Bécarud, que a raíz de la instauración de la República, *Cruz y Raya* expresase mejor las «exigencias de aquella época» y, a la vez, acertase a «echar raíces en una tradición nacional restaurada en su autenticidad».

La autora precisa, con razón, que la *Revista de Occidente* quiso ser una revista «cultural», fórmula hoy anacrónica, pero no entonces. Una revista cultural, cuyo mundo estaba «pasando a ser el de las "ciencias humanas", y esto constituye una de las razones del interés actual de esta revista». Por lo demás, Ortega, y asimismo sus colaboradores, podían expresarse políticamente en diarios y semanarios, medios de comunicación más adecuados para ese menester que la revista mensual. Se podrá pensar que a partir de 1931 a nadie le era lícito permanecer *au-dessus de la mêlée,* pero a mí me parece que, dentro del modelo «revista cultural» pura, lo que se publicó sobre los estudiantes y sobre la Reforma agraria, o sobre el racismo y el nazismo fue suficiente. De la Rusia Soviética no se habla mucho, pero sí algo, lo que no era poco entonces en una revista netamente no-marxista. Y que no se tratase de Marx cuando a nadie se le pasaba aún por las mientes escribir «ensayos académicos materialistas», fue enteramente normal. La *Revista de Occidente* fue una revista cultural europea de su tiempo, no del nuestro, y es discutible si del período 1931-36

A la autora le interesa particularmente, como mujer moderna, el tema de la sexología y señala perspicazmente que «sentimos en Ortega, Simmel, Jung y Marañón una reticencia a considerar los problemas de las relaciones intersexuales fuera de los cuadros de una moral al fin y al cabo bastante tradicional»; pero, a la vez, subraya la apertura de la revista a posiciones más avanzadas. Con respecto a este mismo tema, en el trabajo último y más largo, «La liberación de la mujer», del libro *Erotismo y liberación de la mujer,* que acaba de publicar *Ariel Quincenal,* he tomado como punto de partida para su estudio precisamente a Ortega, en su doble, ambivalente y, en cierto modo, contrapuesta posición; y lo he hecho porque a Ortega no sólo se le sigue leyendo (aun cuando no por los jóvenes, salvo los fictivos), sino que se le *debe* seguir leyendo.

Pero sin beatería, como, sin duda, quería él que se leyese. Por eso, casi a la vez, en otros dos lugares, en el primer número de la revista *Sistema* y en el libro *Moralidades de hoy y de mañana* (Taurus), acabo de publicar un estudio sobre «Ecología y comunicación en el pensamiento de Ortega y Gasset». Ecología y comunicación, dos temas actuales hoy, de los que, bajo éstos o parecidos títulos, se ocupó ya Ortega al modo que era de esperar: con suma agudeza y con las limitaciones propias no sólo de su época, sino también de su formación.

Y, ahora, para terminar, me pregunto: ¿Puede confundirse una actitud como la mía, tan actualizadora como respetuosamente crítica, con el «embarullamiento», la «irresponsabilidad» y la «trampa»? Es la realidad, es la historia, que no se detiene, no yo, quienes acercan al Régimen o alejan de él. Para mi pseudónimo contradictor —líbrenos Dios— «el sentido de "liberación" es ya todo un programa...». Estas son sus palabras. Me es imposible imaginar a Ortega suscribiéndolas. Claro que Ortega no fue orteguiano y, menos, ortodoxo...

4. A VUELTAS CON LA RELIGION

He leído un libro, *La innovación religiosa,* que me ha gustado mucho. De su autor, Juan Estruch, cuyo nombre nunca había oído antes, sólo sé lo que en el libro mismo se dice: que ha ampliado sus estudios en la Universidad de Lovaina y que actualmente es profesor de Sociología en la Universidad Autónoma de Barcelona. Estruch ha cumplido perfectamente su doble propósito de escribir un libro de «auténtica sociología» en lenguaje accesible a los no dedicados a la sociología. Libro que, a diferencia de otros, no pretende pasar por más original de lo que es. Expresivamente nos dice el autor que ha bebido abundantemente en bares públicos, el «Bar Weber» o el «Café Berger», por ejemplo, pero también en las casas de sus amigos de Lovaina.

Naturalmente, no voy a «contar» la obra. Aparte de alguna observación teorética, me importa recoger lo que en él se dice que, seamos sociólogos o no, nos importa a todos los que tenemos que ver con el cristianismo, con la religión en general.

Para despachar primero lo de interés sociológico y no específicamente, diré que la búsqueda del «marco teórico de referencia», llevada a cabo, forzosamente, en pocas páginas, no por ello deja de constituir una síntesis tan clara como suficiente del «sistema cultural». Lo único que yo le reprocharía no es tanto seguir a Parsons —a Parsons se le puede seguir para mal o para bien, y él lo hace para bien—, sino tomar a Parsons como punto de partida absoluto. Pero esta objeción habría que hacérsela a todos los sociólogos estrictamente dichos. Creo que, tal como ha intentado Habermas, con respecto a otra orientación diferente, es menester proveer a la sociología de una fundación epistemológica. Y en el caso de Estruch, tal fundamentación parece tener que ser, interdisciplinar y superdisciplinariamente, la Teoría general de los Sistemas. Dos palabras habrían bastado para que esas diversas perspectivas, «sistema social» y «sistema de la personalidad», a las que el autor se refiere junto con la del «sistema cultural», por él preferida, aparecieran congruentes, y no dando la impresión de marcos de referencia entre los que, un poco arbitrariamente, se puede elegir, sin que nada tengan que ver entre sí.

Pero como ya he dicho, mi intención no es hacer una lectura técnica, y menos aún metasociológica, sino subrayar en este libro unos cuantos temas de general interés religioso. Por de pronto la tajante distinción entre la sociología religiosa (eclesiástica o pastoral) y la auténtica sociología de la religión. La primera toma las técnicas sociológicas como instrumento útil al servicio, según Estruch dice muy bien, de un *management,* en este caso el de la burocracia eclesiástica, como en otros el de la tecnocracia política o la industrial. A este propósito, Carlos Moya, entre nosotros, en su trabajo «Empirismo vs. Teoría», recogido en el libro *Sociólogos y Sociología,* ha definido el status de la «profesionalización». Estruch, frente al interés de estos «profesionales organizados», al servicio de este o el otro *Establishment,* o simplemente al del mercado, caracteriza inequívocamente su trabajo así: «No es un ensayo religioso con recurso a categorías sociológicas, sino un ensayo de teoría sociológica de la religión.»

La palabra «innovación», que aparece en el título, que se ha convertido más bien en gris desde el punto de vista expresivo y, por tanto, en desanimadora, está, sin embargo, bien elegida. En efecto, nos dice el autor, según una pequeña encuesta que, por lo demás, todos estaríamos dispuestos a corroborar, la palabra «innovación» se asocia a «progreso» y a «técnica» o «tecnología». De ningún modo a «creación» o «creatividad». Y tal es la modesta «innovación religiosa» hacia la que hoy, no sin grandes resistencias internas, se orientan las Iglesias: mera «innovación de adaptación», *aggiornamento* (palabra y concepto que critiqué abundantemente en *La crisis del Catolicismo*), ajustamiento a los nuevos tiempos, a la nueva sociedad. Parvedad de aliento creativo que no puede extrañarnos en una época de crisis de la cultura establecida y, dentro de ella, de las religiones institucionalizadas.

Tal es, en efecto, nuestra situación. Una situación dentro de la cual el comportamiento religioso creador, en la medida en que existe, es *deviant* o, como yo le llamé, estructuralmente «heterodoxo». (Viable tras la relativización religioso-cultural del concepto de ortodoxia, del de autoridad eclesiástica, etc.) La «solidaridad parcial» y la «participación crítica» de que habla Estruch, parecen ser las actitudes que, ante la incapacidad creativa padecida en nuestro tiempo por las Iglesias, han de extenderse en el porvenir inmediato. En definitiva seguimos ante la pregunta que se formuló Schelsky hace quince años: ¿Es institucionalizable la *Dauerreflektion,* la problematización, la interrogación crítica continuada, permanente? El cristiano que ha llegado a su mayoría de edad en cuanto hombre, es el que vive problemáticamente su cristianismo. A la Institución no le compete —probablemente no le es posible siquiera— constituirse en la fuente misma de los problemas. Pero debe estar atenta, abierta a ellos. Y de la relación dinámica de tensión entre los grupos de vanguardia, a la vez crítica y creativa, y la Institución eclesiástica, podría surgir una Iglesia rejuvenecida desde dentro de sí misma. Porvenir humanamente hablando improbable, aun cuando no imposible.

5. MIRANDO HACIA ATRAS CON MELANCOLIA

El documento titulado «La Iglesia y la comunidad política» parece que ha disgustado a la autoridad secular, pero lo que es seguro es que a nadie ha entusiasmado. Refleja perfectamente la nueva actitud de la Jerarquía eclesiástica española. Ha sido escrito, como en él se dice, por «encargo pontificio» —«el Papa nos lo exige»— para ponerse a tono —más vale tarde que nunca— con la interpretación más moderada, la que ha prevalecido en Roma, del Concilio Vaticano, y —paternalismo que no cesa— «para iluminar las conciencias de unos y de otros». Las «denuncias proféticas» que en él se hacen no son ni denuncias, pues todo queda envuelto en algodones; ni proféticas, pues todo es de clavo pasado. Y el concepto mismo de «denuncia profética» es previamente sometido al criterio de la Jerarquía, a quien incumbe «juzgar si una determinada denuncia profética es conforme con la doctrina y con la misión de la Iglesia».

A la vez, casi, que este documento ha aparecido otro completamente diferente, el libro *¡Yo creo en la esperanza!,* del Padre José María Díez-Alegría. Quiero decir en seguida que me enorgullezco de ser viejo amigo del Padre Díez-Alegría; y que él, un poco más joven que yo, junto con el Padre Ceñal y el Padre Llanos, un poco mayores, son los tres jesuitas de nuestra edad por quienes siento el mayor afecto y, si no resultara impúdico decir estas cosas, los tres hombres en quienes más he sentido la santidad viva, supuesto que esto se dé de verdad entre los mortales. Son muy diferentes: el Padre Llanos ha sufrido muchas amarguras, se ha desengañado de casi todo, y la huella de su lucha ha quedado impresa en su rostro y en sus escritos. El Padre Ceñal ha sufrido posiblemente no menos —hace muchos años escribí una «Despedida» a quien era enviado a tierras lejanas, probablemente por nuestra causa—, pero más calladamente, demasiado, yo diría. El Padre Díez-Alegría es de otro temple: niño permanente, ingenuo, alegre, optimista, había de ser él quien confesase creer, por encima de todo, en la esperanza. Al Padre Llanos le conocí más tarde, pero el Padre Ceñal fue mi compañero de colegio y el Padre Díez-Alegría, de los primeros años de carrera. Por eso, pero no sólo por eso, miro hacia ellos con nostalgia.

Estoy seguro de que al Padre Díez-Alegría, igual que a mí, nos gustó la religiosidad que a María Angeles García de Enterría le sigue gustando, la piedad bajo cúpula azul de cielo de los misterios litúrgico-cultuales. Sin embargo, llegado el momento, ha creído su deber optar en favor de la religión ético-profética, pero de verdad, no con la «prudencia» del documento al que antes nos referíamos. Me gusta mucho la aparición en los periódicos de una mujer teólogo, por la que personalmente siento la mayor estimación. Me gusta menos que, en medio de la simpatía, un poco cautelosa también, de su artículo, caiga en ciertos clichés de empolvadas teologías, así, «reconozcamos ante todo que su cristología es fuerte...; algo débil, sin embargo, aparece su eclesiología». Mas ella misma se contesta. Aparte de que la Iglesia de Cristo no es encarnada plenamente por ninguna iglesia visible, según el autor, lo que él se ha propuesto escribir no es un tratado teológico, sino una confesión de su fe cristiana, y el libro ha sido publicado en una colección que se titula «El Credo que ha dado sentido a mi vida».

Repito que siento nostalgia de la grata, cálida, confortable religiosidad cultual. Y estoy a punto de agregar que echo un poco de menos en mi amigo la vocación mística. Pero no, ésta es visible, sólo que, herencia ignaciana, la mística del Padre Díez-Alegría es activa y militante.

No entiendo bien —y entiendo demasiado bien— por qué se ha atacado este libro, o, mejor, por qué se ha recomendado el silencio jesuítico en torno a él. ¿Quedan muchos cristianos modernos con una fe tan sana y fuerte como la suya? Cree, al modo de Barth, sin el menor contagio de desmitologización, en Jesucristo y en su resurrección, cree en la posibilidad de que la Iglesia visible llegue a ser, de verdad, la Iglesia de Cristo y, como «mediación», cree en el culto litúrgico y la vida sacramental. Su crítica de la Iglesia *establecida* se hace a partir de los textos bíblicos y no un tanto extrínsecamente, como en el libro de José Porfirio Miranda, que él cita, donde la Biblia es leída directamente a la luz del marxismo. Sus páginas sobre la desmitologización, en el sentido que él la entiende, sobre la articulación de la esperanza escatológica y la esperanza histórica, y sobre el Jesús histórico y el problema político, son muy profundas y pueden servir de punto de partida a una nueva y fecunda teología española. En fin, sus líneas sobre la infalibilidad de las definiciones ex cathedra son más bien conformistas, y el capítulo sobre el celibato como carisma y el sexo, con el que se puede o no estar enteramente de acuerdo, a mí me parece moderado. Cuanto dice sobre la permanencia en la Iglesia, y no, de ningún modo, por «táctica», mientras a uno no «le echen», yo lo suscribiría plenamente.

Por supuesto, después de todo esto queda, intacto, el problema de nuestro tiempo, el problema de la fe. El Padre Díez-Alegría cree «sólo en Jesucristo». ¿Es poco? A nuestros contemporáneos les parece demasiado. Jesucristo fue, sin duda, un hombre admirable, pero ¿Dios, vencedor de la muerte con su Resurrección? Bueno, contesta nuestro amigo, no importa. La «profundidad desnuda de la fe» acontece mucho más hondamente que en el acto intelectual de un «sí» o un «no». Donde se avanza hacia la justicia y el amor al prójimo, «allí está en marcha el reino de Dios», y quienes lucharon por la justicia, «aunque en su existencia histórica hayan sido ateos o radicalmente secularizados, se encontrarán un día con un Cristo verdadero que les dice "¡Venid!"», pues fueron hombres buenos. Sí, sin duda lo fueron. Pero comprendo su «irritación» cuando, a la fuerza, se les hace cristianos, cristianos incógnitos, incluso para sí mismos; cuando se les impone esa «superestructura», quieran o no, y se pretende así saber sobre ellos más que ellos mismos. El psicoanálisis según el cual el paciente tenía que cargar con un complejo de Edipo porque así lo aseguraba su médico, aunque él no tuviere la menor sospecha de ello, es sustituido por un psicoanálisis y socioanálisis religiosos de signo contrario, sumamente consolador, de promesa de vida eterna. Muchos hombres de nuestra época no pueden aceptar ese consuelo, no creen en la vida eterna. El Padre Díez-Alegría, sonriente, tranquilo, desbordante de bondad, transido de esperanza, no se inmuta, se la promete y les bendice. Verdaderamente querría regalarle la caja de bombones que tanto parecen gustarle (a mí no). Como no sé dónde está, le envío este artículo, testimonio de un afecto tan profundo como nostálgico. A otro nivel, me parece que escrito movido por un sentimiento semejante al de aquel otro, de hace muchos años, sobre el Colegio de Nuestra Señora del Recuerdo.

Antes de terminar quisiera hacer alusión al tema, sobre el que he de volver —pues la respuesta a «Juan del Agua» fue demasiado circunstancial y limitada—, sobre lo que puede ser una cultura española no-establecida. En lo religioso, en este libro lo tenemos. A su lado quiero poner a otros jesuitas, Daniel Berrigan, autor del libro *La noche oscura de la Resistencia,* y otro amigo, no por más joven menos querido, Juan José Coy, que ha publicado en la *Revista de Occidente* una muy fina nota sobre él. San Juan de la Cruz es leído por Berrigan y releído por Coy a una nueva luz que, profética, sigue siendo mística también.

6. LA COMPAÑIA DE JESUS Y EL PADRE DIEZ-ALEGRIA

Me propongo hoy, tras haber leído, con nostalgia casi infantil, el libro del Padre Díez-Alegría, considerar la importancia, a mi juicio muy grande, de su resolución, y la no menor de la nueva situación que aquélla le ha creado, y que calificaba en mi artículo último de simbólica.

Antes, sin embargo, quisiera añadir una palabra para deslindar claramente mi crítica de las que, al parecer, han abundado. Para mí el libro *¡Yo creo en la esperanza!* es «ingenuo», pero en el mejor sentido de la palabra. Ni se ha querido, ni la colección donde la obra se ha publicado lo hacía pertinente, presentar una teología «profesional». Frente a las sutilezas de la vieja escolástica, que visten la fe con los más rebuscados atavíos, el Padre-Díez-Alegría, como el niño del cuento, se ha atrevido, como nadie, a mirar al rey desnudo y a decir en voz alta que lo está. Es una estupenda lección que sólo un niño grande, como él lo es, nos podía dar.

Que no sea el suyo un libro formalmente teológico no obsta, según señalé, a que sirva de punto de partida para una teología muy española y aun ignaciana —pero no «jesuítica»— activa, militante, empeñada en los asuntos de este mundo —no, como ahora es moda, en sus «negocios»— y esperanzada, con fe histórico-escatológica en otro mejor. Su repulsa total de los convencionalismos y los eufemismos, de aquel modo de hablar con cláusulas tales como «Menos bien nos parece...», «Quizá habría sido preferible no dejar de agregar...», etcétera, era algo que la Iglesia estaba necesitando urgentemente. Como «estilo», y no sólo estilo, el directo y resuelto de nuestro amigo me parece, precisamente por ignaciano, más genuinamente español que los barrocos retorcimientos del lenguaje con los que se elude el claro, inequívoco comprometimiento. Una cultura religiosa no-establecida tiene que empezar por liberarse de los Poderes establecidos. El Padre Díez-Alegría lo ha hecho de manera tan sencilla como ejemplar.

Que midió de antemano la gravedad del paso que con su libro daba es indudable. Faltaba a la rigurosa «obediencia» jesuítica y, con su actitud frente al Vaticano, probablemente también al famoso «cuarto voto» de la Compañía. Ahora bien, ese concepto establecido de la obediencia y ese cuarto voto, hoy vemos muchos que son incompatibles con la libertad del cristiano. La época del Absolutismo culturalmente ya pasó, aun cuando la represión por el Poder se prolongue, tanto en el orden eclesiástico como en el civil. No trato de atacar por atacar a la Compañía de Jesús. Mis mejores amigos religiosos a ella pertenecen y yo sólo conservo gratos recuerdos de mi educación, lejana ya pero muy larga, en sus colegios. No es una cuestión personal sino de principios. En *La crisis del Catolicismo* ya traté el tema de la presente crisis de Autoridad y de la puesta en cuestión del Magisterio eclesiástico, al que hoy se le piden buenas razones, y sólo tras ellas se aceptan sus prohibiciones y condenas.

El Padre Díez-Alegría es el primer jesuita que desde la Gregoriana nada menos, sin pensar siquiera en «salirse» de la Compañía, intentando hacer un sitio para su posición dentro de ella y, de este modo, luchando para posibilitar su necesaria evolución, ha reivindicado su auténtica libertad cristiana. Jesús Aguirre, comentando el acontecimiento, me escribe: «Del asunto Díez-Alegría, lo menos importante es el libro, que tanto en el nivel de la experiencia como en el de la teoría me resulta ingenuo. En cambio, esta situación de exclaustración temporal puede acostumbrar a la gente a situaciones intermedias, antidogmáticas por tanto. Bueno es que en España se pueda responder a ciertas preguntas (me refiero a las de índole religiosa) con un "ni sí ni no".» Ya he dicho por qué no comparto la primera parte de su juicio. Sí en cambio estoy completamente de acuerdo con la segunda, y voy a explicar por qué.

En realidad ya lo hice en el citado libro, *La crisis del Catolicismo*. ¿Son muchos los cristianos, los católicos intelectualmente adultos que, enfrentados a solas consigo mismos, puedan decir hoy, como en fin de cuentas dice el Padre Díez-Alegría, que creen con fe plena y con plena paz? Nuestra fe, en el mejor de los casos, se ha tornado problemática y asediada. Negar esta situación espiritual colectiva es cerrar los ojos a la realidad. El Padre Díez-Alegría no la niega. Al contrario. Según mostré en el artículo que anteriormente le dediqué aquí mismo, más bien peca (si a eso se puede llamar pecar que, evidentemente, no) del lado opuesto: convierte en cristianos, quieran o no, a todos los que aman al prójimo y luchan por la justicia, a todos los hombres de buena voluntad. Personalmente, y según expresé en el citado libro, prefiero visualizar el catolicismo, y a mayor abundamiento el cristianismo, como «estructuras abiertas», a las que se puede pertenecer de diferentes maneras, no pertenecer en absoluto e incluso, lo que ahora nos importa más, en las que, sin pertenencia, se puede, en mayor o menor grado, «participar».

Estamos ante el problema de las «situaciones intermedias», al que se refería Jesús Aguirre. Hay una porción de cuestiones a las que sólo los fanáticos pueden contestar, rotundamente, con un «sí» o con un «no». (Recomiendo al lector que, si le es posible, lea el libro, viejo ya pero que no ha perdido actualidad, de Adorno y sus colaboradores, *The Authoritarian Personality.* Aparte de esclarecerle este punto, si es liberal le resultará muy reconfortante: el resultado de la investigación es que hay una correlación biunívoca entre liberalismo e inteligencia, fanatismo y pobreza intelectual.) Y, paralelamente, en el plano existencial, hay una porción de situaciones que consisten en no estar enteramente dentro, pero tampoco enteramente fuera de la Iglesia constituida.

El Padre Díez-Alegría está inequívocamente dentro de la Iglesia de Cristo. ¿Está dentro de la Compañía? El tiempo y la Compañía lo dirán [1]. Quiero esperar por el bien de ésta, por su posible apertura, que se le permita seguir dentro y, a la vez, fiel a sí mismo. Al decisivo paso dado por él, correspondería aquélla con otro no menos trascendente. Por eso hablaba del valor enormemente simbólico de lo que está puesto en juego y que quienes no aman la libertad no pueden comprender.

---

[1] Ya lo han dicho. Ha quedado fuera. (Nota de 1975.)

7. REQUIEM POR EL JESUITISMO

Estas líneas quisieran equilibrar un poco la sana radicalidad del libro que prologan. El modo de procurarlo va a ser, sin embargo, un tanto peculiar y hasta paradójico. La tesis de mi querido amigo Juan José Coy puede resumirse muy perentoriamente así: Se entona un requiem por el jesuitismo, porque debe morir y lo único que está haciendo es sobrevivirse a sí mismo. El jesuitismo ha de morir para que de sus cenizas resucite lo genuino de que procedía y que él adulteró, es decir, lo ignaciano. Juan José Coy es un jesuita muy poco «jesuítico», pero, en cambio, entusiásticamente «ignaciano». Yo quisiera hacer aquí un poco de justicia histórica a la Compañía de Jesús, en el sentido de afirmar su continuidad, sin más infidelidades que las humanas, históricamente inevitables, con el espíritu de San Ignacio. Y, por el otro lado, reconociendo la enorme personalidad de éste —una de las más grandes en el nacimiento de la época moderna— proclamar lo lejos que un cristianismo *actual* tiene que estar de él. Con la afirmación de que el «jesuitismo» ha de ser reformado, muchos jesuitas de hoy estarán conformes, aun cuando, por supuesto, la mayor parte de ellos la matizarían con términos bastante «jesuíticos». No hace falta decir que soy bastante escéptico en cuanto a la radicalidad de esta reforma cuando, por fin, llegue a hacerse. Lo que me importa decir aquí es que tal reforma no puede consistir, aunque lo pretendiese, en «volver a las fuentes», en volver a San Ignacio. San Ignacio fue un hombre de su época. No puede volver a serlo de la nuestra, so pena de transformarse en «otro» San Ignacio. Aquí habría que decir algo semejante a lo que en pintura con aquello de «pintar como Velázquez». Sí, pero no como él pintó en su época, sino como pintaría hoy.

¿Cómo «pintó», como se representó San Ignacio un catolicismo que respondiese al «desafío» de su tiempo? Activo y enérgico —lo que sigue valiendo hoy—, también, *more militari,* luchador, rápidamente movilizable para el combate, pronto convertido en *contrareformador,* disciplinado, obediencial, *perinde ac cadaver* —el Absolutismo papal fue la prefiguración, inventada por la Compañía de Jesús, prolongando la intención de San Ignacio, del Absolutismo real—, voluntarista por supuesto, pero siempre conforme a la decisión superior. La primacía de ese tipo de voluntad —dominio estoico de sí mismo— y la primacía de la conciencia —exámenes particular y general de conciencia, contabilidad de los pecados y de las buenas obras— fueron los rasgos de una espiritualidad que, frente a la «ociosidad», urgía la «ocupación» constante, tanto de la conducta como del pensamiento, reflejado en la prosa, atestada de meditaciones figurativas, como ha subrayado perspicazmente Roland Barthes. Y, por cierto, permítase el inciso, ya era hora de que alguien se ocupase del estilo de San Ignacio, cuyos *Ejercicios,* como dijo Ortega, han sido, con el *Manifiesto* de Marx, los dos pequeños libros más influyentes de la historia moderna. (El *Libro rojo* de Mao todavía no puede presentar títulos tan acreditados.)

Desde Gothein, por lo menos, estamos habituados a ver en San Ignacio al hombre reservado y complicado, oportuno y sagaz, de quien el «jesuitismo» presentaría una caricatura todo lo desfigurada que se quiera, pero en la cual puede reconocerse inmediatamente el original. Ignacio de Loyola y Juan Calvino —el acercamiento de estos dos grandes «modernos» es ya tópico— no fueron sencillos ni quizá muy simpáticos, pero en ninguna parte está dicho que la sencillez pura, y menos la simpatía, sean los valores humanos supremos.

A mi modo de ver, no hubo ruptura entre el «jesuitismo» y el «ignacismo», aunque aquél, como toda realización, deformase la pureza ideal de éste. (Mucho menos, en el plano humano, único del que estoy hablando, de lo que la Iglesia católica, apostólica y romana ha deformado el cristianismo primitivo.) Más aún: yo diría que la virtud *histórica* por excelencia de la Compañía de Jesús, la que ha podido trascender la sujeción literal a una posible rigidez ignaciana, ha sido su flexibilidad, su capacidad de cambio y de marchar en la dirección de los tiempos.

En resumen, yo discreparía de la diferencia que Juan José Coy establece en el subtítulo de este libro entre la «verdad» y la «imagen» de la Compañía de Jesús. Tanto histórica como sociológicamente, la *verdad* de la Compañía de Jesús es, con todos sus defectos, la *imagen* histórica que ella ha desplegado y que, a mi juicio, no posee menor capacidad de respuesta a las exigencias cristianas de hoy que un «ideal», o «esencial», ahistórico ignacismo. Tal como veo yo las cosas, el dilema jesuita es continuar la línea «jesuítica», o bien llevar a cabo una reforma radical que, mucho más que ignaciana, ha de ser cristiana actual. Ahora bien, la línea «jesuítica» (modernización superficial desprovista de creatividad religiosa) no tiene porvenir. El Opus Dei la ha continuado antes y mejor. Y los clásicos «amigos de los jesuitas», que Juan José Coy describe bien en el último capítulo, están siendo reemplazados por los «Amigos del Opus Dei», «Amigos de la Obra», «Amigos del Estudio General de Navarra», etc.

La vitalidad de una institución, la que quiera que sea, se mide por su capacidad de autocrítica. El libro de Juan José Coy, de publicarse sin mayores contratiempos, demostrará que si alguna Orden religiosa tiene un porvenir auténtico —lo que es dudoso— ésta será, sin duda, la Compañía de Jesús.

8. EL INTERES DE LA IGLESIA Y LA IGLESIA INTERESANTE *

CUESTIONES DE PALABRAS

Empiezo estas reflexiones con un juego de palabras: el juego con la palabra «interés». Interés de la Iglesia significa, por una parte, el que, humanamente, mueve a la Iglesia en tanto que organización, jerarquía o aparato, como grupo de presión, es decir, grupo de interés. Es un hecho que la Iglesia, haciendo valer su influencia espiritual sobre los fieles, a lo largo de los siglos ha defendido y hecho reconocer, ha impuesto sus intereses, intereses en sentido amplio materiales, muchos de ellos estrictamente económicos. Pero para influir sobre sus fieles ha necesitado y necesita tener interés para ellos o, en lenguaje moderno, ser «interesante». Las expresiones «tener interés» y «ser interesante» no son rigurosamente sinónimas. Incluso la primera, no digamos la segunda, resulta demasiado débil para hacer referencia a la situación en un régimen de cristiandad. La Iglesia entonces constituía el horizonte mismo de este mundo en su frontera con el otro. Y hasta literalmente, hasta físicamente, era imposible la vida —recuérdese la Inquisición— fuera de la Iglesia. La Iglesia lo penetraba todo. Los valores vigentes eran todos cristianos; los pensadores, sin excepción, hacían profesión de su religión; lo que entonces se tomaba por ciencia era entendido y juzgado desde la fe; la buena conducta era la del caballero cristiano, y hasta las guerras eran «cruzadas» o, después, guerras de religión. Lo que entonces ofrecía la Iglesia era mucho más que «interés»: era la vida eterna en el Más Allá y su expectativa la esperanza, el anticipo de la felicidad, aquí.

---

* Versión ampliada de un artículo escrito para la revista alemana *Dokumente* sobre el tema general *¿Continúa la Iglesia siendo interesante?* (De ahí el título del trabajo.)

Con la secularización moderna, y especialmente a partir de la Ilustración, la revolución industrial y la revolución liberal, las cosas cambiaron. A la Iglesia, al perder su poder espiritual de sugestión, se le planteó el problema de tener que suscitar interés. Un no cristiano, Augusto Comte, fue el primero en ver claramente el interés puramente humano de la Iglesia como organización. Tras él surgió lo que podríamos llamar un «positivismo cristiano», que vio el gran interés que para el poder económico y político tenía aliar a su causa el poder espiritual de la Iglesia y su capacidad de aquietamiento y conformidad de las clases trabajadoras con su «condición» de dominadas. Y hay que decir que la Iglesia, hasta bastante después de Marx, se prestó, sin restricción alguna, a representar este papel de aliada al poder civil.

Antecedentes

Por lo que se refiere a España, el apego eclesiástico al absolutismo del *Ancien Régime* —así, durante la guerra carlista, el apoyo casi total de la jerarquía a los tradicionalistas frente al legítimo gobierno liberal— le enajenó la voluntad de los representantes del «progreso». La Iglesia fue dejando gradualmente de tener «interés» para todos, excepto para los reaccionarios de la extrema derecha.

Por eso mismo, tampoco estuvo en condiciones de hacerse «interesante», ni lo pretendió siquiera en lo más mínimo. Su oscurantismo y su insensibilidad hicieron imposible que surgiese aquí un catolicismo estético-romántico, a lo Chateaubriand o Novalis, menos aún liberal, como el de Lamartine. La rutina cultual impidió nada semejante al movimiento litúrgico-romántico de Solesmes o, luego, a fin de siglo, a un catolicismo esteticista, en el estilo de Huysmans, o de sólido valor estético, como el representado por Claudel. Y su conservadurismo vedó la aparición de un catolicismo liberal y de un catolicismo social, como los franceses del siglo XIX, como el de Maritain ya en el presente siglo. Es verdad que durante la República (1931-1936), aprovechando la preeminente participación católica —Alcalá Zamora, Miguel Maura— en el nuevo régimen, surgió un movimiento católico de vanguardia, en cierto modo paralelo al de *Esprit* en Francia, representado por la revista *Cruz y Raya,* de gran calidad intelectual y literaria. Pero un movimiento tan minúsculo, que fue sofocado entre las dos enormes fuerzas contrapuestas, la anticlerical y la del partido cristiano de la CEDA, que movilizó prácticamente a todos los católicos, excepto los vascos y los catalanes, en una dirección por completo «ininteresante» y vergonzantemente contagiada de talante fascista. Estallada en 1936 la guerra civil, la jerarquía eclesiástica española, de modo prácticamente unánime, se puso, de modo colectivo, de parte del bando nacionalista.

Los primeros años de la posguerra

Los intelectuales que al terminar la guerra permanecieron en España se encontraron todos católicos, unos por adhesión, más o menos matizada, a un Régimen en cuyas posibilidades de apertura creían; otros como refugio frente a un estado de cosas que no les satisfacía. Ha sido el último, bastante efímero, momento católico de la España contemporánea. Lo que en diversas ocasiones he llamado representantes del «falangismo liberal» —Laín, Tovar, Ridruejo— y quienes en mayor o menor grado colaboraron con ellos —Ruiz-Giménez, Rosales y Vivanco, Zubiri, Marías, Maravall y yo mismo— y asimismo las primeras promociones formadas en el ideario entonces vigente, presentaron un catolicismo intelectual y literariamente mucho más importante que todo lo habido a lo largo del siglo XIX y en el primer tercio del XX. Por otra parte, las ramas obreras de Acción Católica, HOAC, JOC, jugaron en pequeña escala un papel de sindicatos cristianos independientes de los oficiales, y de ellas surgieron algunos de los líderes actuales del movimiento obrero opuesto al Régimen. Yo diría que esos quince años, veinte si se quiere, han sido los primeros y los últimos de la época moderna en que en España se ha dado un catolicismo dinámico, renovador, abierto, intelectualmente inquieto, y unas minorías obreras sinceramente religiosas y decididamente anticonformistas. Incluso aquélla fue, en la Universidad, la hora del FLP, grupo de raíz —aunque no de confesión— que yo no dudaría en calificar de católica y, en un momento determinado, el más activamente luchador contra el Régimen establecido.

El presente español

Desde la estabilización económica del Régimen (1960), la elevación del nivel de vida gracias a las masas turísticas extranjeras, la exportación al exterior de la mano de obra española y el neocolonialismo económico de empresas de capital mayoritariamente extranjero establecidas en España, nuestro país se ha convertido en el «nuevo rico» del consumismo y, por ende, del más craso materialismo. Consumir más y más y, cuando esto no es todavía posible, vivir en la expectativa de hacerse consumista es lo que da sentido a la vida de la mayor parte de los españoles de hoy, aquello en lo que ponen el «bienestar». Que los artífices de este consumismo español hayan sido, como «ministros económicos» de inclinaciones tecnocráticas, miembros de la asociación católica Opus Dei, es ciertamente paradójico, por lo menos a primera vista. El descrédito intelectual de la asociación entera, su mayoritario antiliberalismo político y su ausencia de sentido social están haciendo del catolicismo español una *denomination* para el uso y consumo «religioso» de la nueva alta burguesía, que, no contenta con el consumismo de los bienes de este mundo, le superpone el de los sobrenaturales.

Los jóvenes, a causa del *generation gap,* de su repulsa de la «guerra fría» que prolonga la contienda bélica de 1936 a causa también de la penetración cultural de Occidente y de la atracción de las diferentes confesiones temporales de fe marxista y neomarxista, se alejan del cristianismo, y no sólo de la Iglesia, lo que no es óbice para que se acojan en ella como a asilo en sagrado, *sanctuary,* lugar de refugio frente al poder civil. No creo, sin embargo, que esta protección —mínima— que reciben y la comprensión profunda de los llamados «curas jóvenes» lleven camino de devolverles la fe, pues están ya viviendo en otra, como ella, escatológica, ya que la cerrazón del horizonte político español no permite albergar la menor esperanza medianamente realista de cambio. El reino de la justicia en este mundo, como proyecto político utópico, es la «creencia» en que tienden a instalarse.

La nueva actitud de la jerarquía eclesiástica

Muy recientemente ha ocurrido en España una relativa «liberalización» de la jerarquía, un *aggiornamento* para ponerse de acuerdo con las directrices vaticanas, una evolución, que contrasta con la involución política. ¿Qué pensar de tal hecho? Es posible que lo que voy a decir suene a paradójico. Pienso que, aparte simpatías, y las mías son inequívocas, la posición hasta hace poco «integrista» de la jerarquía cumplía una función objetivamente positiva, como he escrito en otro lugar: la de dificultar ese pleno «bienestar» en cuanto que perturbaba la «buena conciencia» de la religiosidad convencional a que antes aludíamos. La actitud cerrada, intransigente, creaba por otra parte dificultades con el Vaticano, soliviantaba a los católicos que quieren ser, a la vez, hombres de nuestro tiempo, y sublevaba a los «curas jóvenes». Por el contrario —continúo repitiéndome—, la nueva línea esparcerá «bienestar espiritual» por todo el país, será un «tranquilizante», armonizará todas las tendencias, aburrirá, es cierto —nada menos «interesante» que ella—, pero, en cambio, apagará todos los fuegos.

Se ve, pues, que no creo mucho en el porvenir de la «contestación» de la Iglesia, y también esto lo he dicho ya. A los «curas jóvenes» —de los cuales cada vez habrá menos— les será mucho más difícil discrepar de obispos comprensivos; y, o bien se irán adaptando, o se irán marchando o, en fin, se inscribirán, junto con los católicos laicos inconformistas, en una oposición política, cultural y moral o específicamente confesional, como el llamado «progresismo católico».

EL PROBLEMA IGLESIA-ESTADO

Que la jerarquía está intentando un prudente, discretísimo «despegue» del Estado es evidente. Pero una cosa es el «querer» y otra el «poder». Pensemos en el problema fundamental, el del Concordato. Se ha desplegado bastante retórica, especialmente por el clero joven, en contra de la fórmula concordataria, anticuada y desprestigiada. Pero a la hora de la verdad, ¿le es posible a nuestra Iglesia prescindir de ella? La rigurosa separación del Estado se ha presentado siempre, históricamente, a iniciativa, más aún, por decisión unilateral de éste, en nombre del laicismo. En una situación tal —piénsese, por ejemplo, en la correspondiente, en su tiempo, de Francia— los católicos, al ver a la Iglesia dada de lado y sentirla «despojada», se comprende que se unieran en torno a ella y estuviesen dispuestos a sacrificarse para subvenir a sus necesidades. Y lo mismo habría ocurrido si el régimen político español de la Segunda República hubiese adoptado una decisión semejante. Pero hoy aquí tal iniciativa no puede venir sino de la Iglesia. La creciente secularización en el estilo español de vida, el desinterés *real* por las cuestiones religiosas y el carácter «ininteresante» de la Iglesia no son precisamente las mejores circunstancias para una reacción psicológica de los católicos españoles que les moviese a tomar sobre sí el sostenimiento económico de la Iglesia. ¿Por qué, se dirían, esta renuncia de la Iglesia a sus derechos, transfiriendo el presupuesto de culto y clero al apretado presupuesto familiar? La jerarquía eclesiástica se da cuenta, claro está, del problema, que no es único, con ser ya, de por sí, gravísimo. Pensemos, por ejemplo, en otro. El Estado quiere implantar —utópicamente, demagógicamente— la gratuidad de la educación general básica. Para aproximarse a ella, sin lograrlo del todo, por supuesto, necesita contar con la enseñanza privada, en su mayor parte a cargo de las órdenes religiosas. Evidentemente tiene que subvencionarlas, es decir, reinfeudar, a través de ellas, la Iglesia al Estado. Como, por su parte, tales órdenes ni pueden ni quieren negarse a tal subvención, el Concordato es imprescindible y, con él, la continuidad de la vinculación de la Iglesia al Estado.

El problema de la Iglesia como estructura

Es curioso que, con tanto como los «católicos progresistas» escriben hoy desde un punto de vista influenciado por el marxismo, falte una crítica radical de la Iglesia como organización y apenas se escriban sino simpáticas propuestas «ingenuas», en el estilo de las del Padre Díez-Alegría.

Desde un punto de vista estructural, formal (es decir, prescindiendo del contenido y sentido de la actividad llevada a cabo), la organización «Iglesia» (y, por supuesto, no sólo la Iglesia católica, todas las Iglesias) funciona igual y desde muchísimo tiempo antes que las empresas llamadas multinacionales o, si se prefiere un ejemplo más «espiritual», que las universidades modernas, organizadas de modo empresarial (así la Universidad de California, que firma contratos —pequeños concordatos— con el Estado Federal). Augusto Comte y tras él Max Weber vieron esta paradigmática «modernidad» de la estructura «Iglesia». El imperialismo —imperialismo espiritual, ni que decir tiene, pero desde el punto de vista puramente formal tanto da— («evangelización», «misiones», etc.) precedió con mucho, puesto que su modelo fue la Roma imperial, al esfuerzo de los pioneros, apoyados por el gobierno de Inglaterra, del imperialismo británico. El tránsito del gerundivo al sustantivo, es decir, de la Oficina o Agencia (¿por qué no llamarla así?) *de propaganda Fide,* a los Ministerios de Propaganda (después eufemísticamente denominados de Información) es obvio. Y el mismo Max Weber hizo ver que la burocracia fue una invención eclesiástica muy anterior asimismo a la burocracia estatal; e igual debe decirse de su regulación legal interna, es decir, en el caso de la Iglesia, el Derecho canónico.

Tal es, nos guste o no, y quiera o no la jerarquía hoy, la estructura real —repito que desde un punto de vista formal y funcional, sin entrar en la consideración de las diferencias entre los fines «eternos» y los fines «temporales»— de las Iglesias en general y de la Iglesia católica muy en especial. Estructura que no se modifica con «píos deseos», con retóricas renuncias a los «medios carnales» y con invocaciones solemnes al Espíritu. La base —económica— es posible que no determine la superestructura, pero desde luego la condiciona fuertemente.

El porvenir de la religión en España

Puesto que la Iglesia no puede cambiar radicalmente en cuanto organización, ¿significa lo que se acaba de escribir que, más o menos lentamente, el cristianismo, la religión vayan a desaparecer de España? No. Lo que sí creo que ha de ocurrir es un cambio en la estructura de pertenencia a la Iglesia, la transformación de ésta de estructura cerrada en *estructura abierta.* ¿Qué quiero decir con esto? Para contestar un tanto simplificatoriamente, que a diferencia de la situación anterior, tradicional, en la que no cabía estar sino *dentro o fuera* de la Iglesia, hoy se tiende a reconocer que se puede estar en la Iglesia en distintos modos y medidas. Las situaciones espirituales a medio camino entre otra posición, la que quiera que sea, y la «oficial» de Roma no sólo se multiplican, sino que, hasta cierto punto, se estabilizan. En esas situaciones límite la alternativa «o dentro o fuera» se torna borrosa y problemática. Una porción de católicos parecen hoy, si se les mira desde el punto de vista tradicional, «fuera» de la Iglesia; pero ellos se consideran «dentro». La situación en la que, con respecto a la Compañía de Jesús, se encuentra actualmente el Padre José María Díez-Alegría tiende a repetirse con respecto a la Iglesia misma, y así lo han reconocido recientemente el propio Díez-Alegría, el Padre Llanos y José María González Ruiz. Es un modo nuevo de «comunión» con la Iglesia, más libre, más en su frontera misma, hasta el punto de que en España, como en todas partes, se extienda una nueva actitud, la de *participar* en la Iglesia sin *pertenecer* formalmente a ella.

Estas nuevas actitudes y esta apertura de la antes cerrada estructura de la Iglesia no son, ciertamente, las que más convienen a los *intereses* (jurídica y políticamente protegidos) de la Iglesia. La hacen, en cambio, más «interesante», palabra que, aplicada al orden religioso, no acaba de gustarme. Y sobre todo, aunque no convenga a aquellos intereses, sí que es del *interés* de ella, considerada más allá de su aspecto organizatorio.

9. LA NO-PARTICIPACION DE LOS JOVENES EN LAS RESPONSABILIDADES DE LA IGLESIA

La doble faz del problema

El problema que nos incumbe tratar aquí presenta dos aspectos y ambos, creo yo, deben ser examinados, por separado y en su interrelación. Uno de ellos consiste en la ancestral resistencia de la Iglesia —probablemente de *todas* las Iglesias— a dar participación a los jóvenes en sus responsabilidades. El otro, de origen no ancestral sino actual, consiste en la resistencia y aun la negativa de los jóvenes a asumir responsabilidades —necesariamente menores y muy limitadas— dentro de la presente estructura de la Iglesia. Evidentemente, y como ya se ha sugerido, uno y otro aspectos están estrechamente relacionados entre sí: la actitud juvenil de distanciamiento es consecuencia de la configuración que la Iglesia ha cobrado a través de los siglos, al mantener apartados a los jóvenes, en cuanto jóvenes, de toda participación activa y responsable en ella.

Vejez de la Iglesia

La Iglesia, en tanto que constituida y establecida, ha sido siempre, más aún, yo diría que tiene que ser siempre, por ley sociológica, una asociación en mayor o menor grado, arcaizante, tradicional, que mira en cuanto *estructura* —no, claro, en cuanto *esperanza*— hacia atrás, al pasado, y no adelante, hacia el futuro. La Iglesia como organización participa de la inercia de todas las instituciones, aparatos, organizaciones. Estas envejecen rápidamente, se cierran sobre sí mismas y sobre el depósito de la tradición que custodian, se ordenan jerárquicamente y tienden a perpetuarse en su gobierno por el sistema de la cooptación. Desde un punto de vista institucional —no sacramental— se tenía toda la razón al visualizar a la Iglesia como la Jerarquía eclesiástica, entendida ésta en sentido lato, es decir, comprendiendo también a los simples sacerdotes. La Iglesia en tanto Jerarquía eclesiástica excluye de su seno no solamente a los jóvenes, también a los laicos y a las mujeres. Es iglesia o Asamblea de obispos o vigilantes —la actitud de guardia, custodia o vigilancia no es juvenil— y de presbíteros o ancianos, los más viejos, varones todos y sacerdotes, consagrados por sus mayores, los jerarcas, a Dios, y «ordenados» como tales. Los demás, laicos, mujeres y, a mayor abundamiento, jóvenes, constituyen, deben constituir la Iglesia discente y obediente, el rebaño de ovejas conducido por el buen Pastor. La Iglesia no surgió, sería inconcebible, en una época como la nuestra de vigencia social de la juventud, sino, por el contrario, en un tiempo patriarcal, de culto a la sabiduría alcanzada a través de la larga experiencia de muchos años de vida. La Iglesia además, por si fuera poco, se constituyó públicamente como tal bajo el Imperio romano, de cuyo adulto, viril y jerárquico estilo se vio penetrada. La Iglesia, en tanto que institución y organización, *es así.* ¿Significa esto que, como el hombre según Séneca, nació ya lo suficientemente vieja como para morir, y si no ha muerto es porque arrastra a través de los siglos una congénita vejez? Una Iglesia anquilosada *ab initio,* cerrada impenetrablemente sobre sí, en el supuesto imposible de que hubiese subsistido durante dos mil años, habría sido absolutamente inoperante, reliquia sin sentido de remotísimo pasado, culturalmente inexistente. ¿Por qué no ha sido así? Porque pese a su cerrada estructura ha sido permeable y capaz de *renovación.*

Renovación de la Iglesia

¿Cómo ha ocurrido ésta? ¿Cuál ha sido su dialéctica? Durante siglos, hasta que su decadencia dio lugar a la Reforma protestante, del seno mismo de la Iglesia en tanto que comunión, muchísimo más que de la Iglesia jerárquico-institucional, han ido surgiendo movimientos que apenas sin metáfora podemos considerar siempre como juveniles, movimientos y aun épocas innovadoras, que tendían a renovar, dar vida y contenido nuevos a la Iglesia estatuida. Estos movimientos, frecuentemente considerados en principio sospechosos —el papel de la supuesta «heterodoxia» ha sido vital para la Iglesia, y el *oportet haereses esse* debe ser tomado al pie de la letra— terminaban por ser aceptados y bendecidos. Es verdad que esta aceptación y bendición acarreaban su anexión y, consiguiente, su relativo, mayor o menor «envejecimiento» —el caso del franciscanismo es ejemplo máximo de juvenil desmadre y de anexión ulterior con la consiguiente *perte de vitesse* y de final *rentrée dans l'ordre* con la eliminación de los irrecuperables—, hasta que una nueva «ola» traía renovación, y así sucesivamente. Los mecanismos de la asimilación han sido siempre los mismos. Análogamente a como se dice que la Derecha —la Derecha inteligente— es quien realiza los programas políticos de la Izquierda, la Jerarquía inteligente, los viejos comprensivos —eminente ejemplo bien reciente: Juan XXIII— incorporan las aportaciones de los «heterodoxos», cuya ortodoxia total o, al menos, parcial, se acaba por reconocer. (En el caso últimamente citado, entre otras ortodoxias, para no hablar de ortopraxis, la de la «théologie nouvelle», anteriormente condenada.)

La Iglesia y los jóvenes

Esta ha sido y me imagino que ésta va a seguir siendo (salvo un cambio radical en la estructura eclesial, del que hablaremos más adelante) la dialéctica histórica de la Iglesia. Los jóvenes juegan en ella un papel muy importante: el de presentar *propuestas* que, una vez examinadas muy despacio y tras la cuarentena, a veces de cuarenta o muchos más años, nunca simplemente días, de ser consideradas como proposiciones «escandalosas» cuando menos, terminan por ser aprobadas por la Iglesia, por la Jerarquía eclesiástica. Papel, pues, repito, el de los «jóvenes», de edad o de espíritu, fundamental para la vida de la Iglesia. ¿Ha surgido alguna vez, del seno mismo de la Jerarquía, alguna propuesta renovadora? Naturalmente, no tengo presente el detalle de la historia entera de la Iglesia, pero, en principio, y sin exagerar o apenas —algunos obispos alejados de la Curia romana por supuesto sí— yo diría que no. Papel, reitero, capital..., pero sin participación real en las responsabilidades decisorias.

Es verdad que vivimos una época que, al revés de las anteriores, es de prestigio de la juventud. La Iglesia no puede ignorar estos seculares «signos de los tiempos» y así hace cada vez más abundante uso de la retórica de la *Jeunesse de l'Eglise.* Pero, por debajo de ella, cada vez está en más vigilante, episcopal guardia frente a los movimientos juveniles que se llaman a sí mismos religiosos y que aparecen sospechosos de revolucionarismo (volveremos sobre esto), frente a los jóvenes sacerdotes que se unen a aquéllos en el intento de subversión de las estructuras políticas y socieconómicas establecidas, o que procuran *ad intra* la abolición de la confesión auricular, del celibato sacerdotal, etc., y, en general, frente a los laicos, participantes en el giro de secularización que se ha impreso a la vida contemporánea.

Los jóvenes y la Iglesia

Si la Iglesia jerárquica sospecha de los jóvenes —luego veremos con qué parte de razón con respecto a algunos de ellos—, teme sus iniciativas y, por un lastre inercial de siglos, a causa de su carácter estructuralmente «episcopal» y «presbiteral», no puede atribuirles otro papel positivo sino el que hemos visto en el apartado anterior, los jóvenes, por su parte, han perdido el viejo espíritu de sumisión, e incluso el interés por la Iglesia, tal como aparece constituida. Es lo que vamos a ver a continuación.

En los viejos tiempos de la infancia de algunos de nosotros, ser un joven católico equivalía a pertenecer sumisamente a la Congregación de San Luis Gonzaga («los Luises») u otra semejante, a ser «piadoso» (palabra muy pasada hoy de moda) y más bien encogido, falto de iniciativa, incuestionablemente obediente e «hijo» de la Santa Madre Iglesia. Esta era la actitud que se apreciaba y esperaba. Ahora bien, los jóvenes ya no son así. No son así con respecto a la familia —el llamado *generation gap*—, de la que se emancipan muy pronto y contra la que se alzan; no son así con respecto a la sociedad, en la que no se integran o lo hacen a regañadientes, porque no les queda otro remedio, pero en total disconformidad con su estilo de vida; y naturalmente no son así con respecto a la Iglesia, cuya estructura se les aparece como la más anacrónica, la más anticuada de todas las establecidas, contemporánea de la familia patriarcal y de un *Ancien Régime* de viejo absolutismo paternalista. Los jóvenes se consideran, a todos los efectos, mayores de edad y más aún, portadores de los nuevos valores, frente a la caducidad de las formas familiares, sociales y eclesiásticas establecidas. Los mismos adultos han perdido fe en sí mismos y lo que representan, y la antigua mística de la sabiduría de los ancianos ha sido reemplazada por la nueva mística de la juventud como clase o cuasiclase —heredera del prestigio marxista del proletariado— privilegiada, redentora, mesiánica. Este sentido social o, mejor dicho, comunitario, de los jóvenes les une para actuar, como tales, en *peer-group,* en grupo. Los jóvenes que en otro tiempo, y según veíamos en el apartado anterior, con sus «propuestas» conseguían renovar la Iglesia, no se presentaban entonces en tanto que jóvenes, no exhibían su juventud sino su mensaje como título de legitimidad. En cambio, hoy el mensaje se funde y confunde con la juventud misma de quienes lo proclaman. Constituye una voluntad juvenil de cambiar la estructura y la vida de la Iglesia, pues dentro de ella se sienten desplazados, fuera de lugar, desajustados, alienados.

Por otra parte —o por la misma— la Iglesia, en su estado

actual, ha dejado de interesar a los jóvenes. Su interés —demasiado apegado, según les parece, a lo temporal y al orden estatuido— no coincide con el que ellos preconizan, y en ese sentido y en aquel otro, más superficial, pero muy importante en una época como la actual de vida «intensa» y excitante como una gran aventura, la Iglesia, con sus prácticas y doctrinas monótonas, repetitivas, rutinarias, aburridas, ha cesado para ellos de ser «interesante». Libros como *The Feast of Fools. Essay on Festivity and Fantasy,* de Harvey Cox *, obras teatrales y películas como *Godspell* y *Jesus Christ Superstar,* y el «concilio de los jóvenes» de Taizé, con la exclamación de su prior en el día de la apertura, «... La fête commence à nouveau. Et que la fête soit sans fin!», percibiendo claramente esta realidad, intentan recuperar no sé si para la Iglesia, pero al menos para el cristianismo, aquella fuerza perdida de apelación a la libre imaginación de la juventud.

Espíritu de fiesta y alegría, mas también de lucha. La juventud actual, para la cual la fe en el más allá es inseparable del combate por la justicia en este mundo, reprocha a la Iglesia jerárquica, pese a algunas de sus recientes declaraciones, siempre abstractas e inoperantes, su incapacidad para la denuncia y condena de la explotación del hombre por el hombre, de los regímenes policíacos al servicio de los poderosos, de la fiebre de enriquecimiento sin límites a expensas de la miseria de las masas, de la destrucción lenta, pero progresiva de la tierra y sus habitantes.

La parte de razón de la Iglesia

Los jóvenes, como acabamos de ver, se desinteresan de la Iglesia en su forma actual, a sus ojos precisamente nada actual; pero la Iglesia jerárquica, por su parte, desconfía y sospecha de ellos, les teme. ¿Por qué? Es difícil comprender el punto de vista de la Iglesia romana y ser justos con él, cuando ella misma se ha prestado y hasta ha defendido, aun cuando fuese con un signo político distinto, lo que ella, al radicalizarse ese signo hacia la Izquierda, se apresura a condenar: la politización de la Iglesia. La Iglesia bendijo la alianza del trono absolutista y el altar católico y condenó el liberalismo y la democracia. Más tarde ha fomentado la creación de partidos confesionales, los que se conocen con el nombre de democracia cristiana, que con frecuencia reciben inspiraciones en sentido lato políticas de la misma Santa Sede. Pero ahora rechaza el progresismo católico. ¿Por qué? ¿Es más sospechoso éste de utiliza-

* Edición española: *Las fiestas de locos. (Para una teología feliz.) Ensayo teológico sobre el talante festivo y la fantasía.* Traducción de Rafael Durbán Sánchez. Madrid, Taurus, 1972, 220 pp. (Colección «Ensayistas», núm. 82).

ción del cristianismo, de lo que lo fueron el cristianismo constantiniano, el feudal, luego el catolicismo absolutista y, en fin, el catolicismo burgués? ¿Era más cristiano el «si no existiera la religión habría que inventarla» para aquietar las subversiones y utilizarla como «opio del pueblo» que, invocando el cristianismo, luchar por la liberación política y cultural, social y económica de ese mismo pueblo? Evidentemente, no. El peligro está, más bien, en que en un tiempo de secularización como el nuestro, el sentido *religioso* se conserve sólo metafóricamente, por decirlo así, y se transfiera *enteramente* a la salvación en este mundo, y una fe y una esperanza escatológicas sí, porque se sitúan al final de los tiempos, pero dentro todavía de ellos —porque más allá de ellos nada habría ya— sustituyan a las auténticas fe y esperanza cristianas. Para continuar siendo de verdad cristiano es menester mantener a la vez los dos polos, el histórico y el metahistórico de la tensión, de la esperanza y de la fe en la liberación del hombre. Porque ¿qué es ser religioso, cuál es la función *primaria* de la religión, liberar al hombre en este mundo, o bien reconocer una trascendencia, lo que, dicho en el lenguaje marxista clásico, crasamente reduccionista, no significaría *más que* la satisfacción vicaria, ilusoria, fantástica de las necesidades reales? Que la autenticidad de la fe y la esperanza en la liberación total y definitiva se manifieste y autentifique a través de la voluntad de liberación del prójimo, que al amor a éste sea indivisible del amor a Dios es indudable, y por eso se puede y probablemente se debe tener simpatía emocional (valga la redundancia) por el progresismo cristiano, pero intelectualmente pienso que los confusionismos deben ser evitados.

Sobre un posible cambio en la estructura eclesial

Es evidente, a mi parecer, que el apartamiento de los jóvenes cristianos de la Iglesia procede, fundamentalmente, de la estructura jerárquico-burocrática de la Iglesia, de su cerrada institucionalización, de su carácter eminentemente «episcopal» y «presbiteral», en el sentido etimológico en que tomamos anteriormente estas palabras. La Iglesia en su estructura actual carece de toda capacidad de convocatoria de la juventud. Se enajenó al proletariado en el siglo pasado, tan pronto como éste adquirió conciencia de clase, porque sus aspiraciones fueron comprendidas tarde y mal por la Iglesia; y se ha enajenado durante el presente siglo a una juventud que, a lo largo de él, ha adquirido conciencia de cuasiclase, que la Iglesia no ha comprendido, ni tan siquiera después del Concilio Vaticano II. El carácter autoritario y, en el mejor de los casos, paternalista, magisterial a ultranza, definidor *ex cathedra* o *quasi ex cathedra* —mitificación del Magisterio ordinario—, dogmático, cerrado, distribuidor de condenaciones y excomuniones, pretendidamente poseedor de un *corpus* teológico inmutable, de un *corpus* teológico-moral que, especialmente en lo referente al estilo de vida y a la moral sexual se encuentra en oposición con los *mores* cada vez más extendidos entre la juventud; y ligado al Orden establecido, frente a las aspiraciones juveniles de reforma política radical, de reforma cultural que, aun sin llegar a los extremos de la «contracultura», se oponen a los excesos en sentido contrario de la «sociedad tecnológica», perfecta puesta al día del antiguo burocratismo administrativo, inventado, como vimos, por la Iglesia: todo esto produce la imposibilidad de una participación real de la juventud en las responsabilidades de la Iglesia.

Sin un cambio radical de esta estructura, sin un tránsito de la «estructura cerrada» actual a una «estructura abierta» [1], es imposible la recuperación eclesial de la juventud. Pensar otra cosa es quimérico: ni la Jerarquía eclesiástica puede dar participación real a la juventud, ni la juventud puede aceptarla, sin dejar una u otra de ser lo que son. La juventud, no era todavía, en otro tiempo, lo que ahora es y no puede ya dejar de ser. ¿Podrá llegar a ser la Jerarquía totalmente diferente —mucho más coordinadora que subordinadora— de lo que ahora es? He aquí la cuestión de la que pende la posibilidad de una participación real de los jóvenes en las responsabilidades de la Iglesia. Si ésta se reconstituye en forma pluralista, con diversas posibilidades de *ser* católico y de *estar* en la Iglesia; si se abre un cauce amplio a la participación autónoma de la juventud en el seno de una Iglesia de tendencias diferentes; si aunando la función que dentro del cristianismo anterior a la Reforma protestante asumieron las Ordenes y los movimientos religiosos con la que, con respecto a la Reforma, han representado las «sectas», y reteniendo de éstas lo que tenían de provocativo, inconformista, exaltado y vivaz, se les reconoce un imprescindible lugar en la Iglesia, Iglesia juvenil; si junto a las «virtudes» que han sido el patrimonio de la Curia senil de Roma, la «prudencia», la «reserva», la reticencia frente a la exaltación, la función profética y el impulso místico, y el hermético y abstracto lenguaje romano, mucho más parecido al diplomático que al de los *homines religiosi,* se da paso a las virtudes juveniles, de contenido, tono y acento completamente diferentes; si, lejos de todo exclusivismo excluyente, porque el único juez es el Señor, se reconoce un lugar en la Iglesia a todo aquel que afirme —que «confiese»— ser católico, porque conforme a su conciencia lo sea, cualquiera que sea su posición con respecto a

[1] Con respecto a esto y todo el apartado, puede verse el libro del autor *La crisis del Catolicismo,* Madrid, Alianza Editorial, 1970, «El libro de bolsillo», núm. 184.

Roma; si se lleva a cabo una descentralización, una desromanización de la Iglesia y su revitalización y rejuvenecimiento, que de ninguna manera habría de excluir, por su parte, otras maneras, menos o nada juveniles de ser católicos; y si, en fin, la crítica y la contestación son integradas en la Iglesia, y la situación de crisis es asumida por ésta, porque ya son imposibles los «católicos a machamartillo» y todos los cristianos llevamos siempre con nosotros a un no-cristiano, sólo entonces se hará posible una verdadera participación de los jóvenes en las responsabilidades de la Iglesia y un auténtico, eclesial «concilio de los jóvenes» será viable, y aun necesario, junto a las Asambleas de los sacerdotes— «presbíteros» y los Concilios de los obispos-vigilantes.

De lo contrario, el número de los «cristianos sin iglesia», de los Jóvenes de Jesús, el Evangelio y la Liberación escatológica aumentará innumerablemente, al margen de una Iglesia convertida en Asilo de los ancianos de espíritu.

10. EL SAMBENITO DE LOS ESPAÑOLES

Hay dos modos de hacer novela o teatro históricos: el que se propone reconstruir fielmente —y, con frecuencia, arqueológicamente— el tiempo pasado, la circunstancia de la trama y la trama misma, y el que, moviéndose con libertad en la historia, reconformándola plásticamente, se sirve de ella para presentar, representar una cuestión, un debate que nos concierne (por ejemplo, y por citar uno reciente y desconocido en España, el *Hölderlin,* de Peter Weiss). Este tipo de teatro, que está en boga desde Bertolt Brecht, también lo estuvo en otras épocas —siempre de crisis—, la de Schiller, la de Shakespeare, el visto, especialmente, a través del conocido libro *Shakespeare, nuestro contemporáneo.*

El lector se preguntará por qué hablo de teatro cuando lo que me propongo comentar es una novela, o mejor «novelación». Como ya dije incidentalmente a propósito de *Historia de un otoño,* me parece que por ser la imaginación de Jiménez Lozano a la vez muy plástica y muy dramática, ambas obras contienen en sí una potencial obra de teatro que sería muy fácil de montar en escena. Pero estas representaciones dramáticas posibles y novelaciones ya reales no responden a ninguno de los dos tipos que describimos al principio. Jiménez Lozano no intenta ni reconstruir el pasado, ni actualizarlo, presentizarlo. ¿Cómo procede entonces? Nuestro autor no padece, ni por lo más remoto, el prurito de estar a la última. No sé si se libra de tal novelería gracias a vivir en un pueblecito, Alcazarén, o más bien —y es lo que me inclino a pensar— vive allí para no contaminarse de novelería alguna. Como quiera que sea, y por ser, más que historiador a la manera profesional, «sentidor» de la historia, se sumerge en ella, en ciertos períodos de ella, y los vive, en su problemática espiritual, como suyos. Así, en *Historia de un otoño,* hablaba o hacía hablar, desde lo más profundo de sí mismo, al «semijansenista» que lleva dentro, el que echa de menos, en nuestra época, conciencia y sentido del pecado. Y en *El sambenito,* al hombre de talante «ilustrado» que es. Quizá en el siglo XVIII viviría en el mismísimo Alcazarén algún ilustrado. Fue aquélla la época en la que, casi en cada pueblo —recuérdese el Riofrío de Avila, de Azorín— había algún ilustrado, sacerdote, boticario, hidalgo. Y los ilustrados se visitaban unos a otros, como nos cuenta Jovellanos en sus *Memorias.* Hoy temo que en Alcazarén no haya más ilustrado, ni casi más habitante, que José Jiménez Lozano. Por eso tiene que visitar casi a diario a los ilustrados —algunos de ellos, además, cazadores— de Valladolid, venir de vez en cuando a Madrid, para visitarnos a otros, no cazadores, pero que algo sabemos de caza, y enviar periódicamente unas cartas que indiscretamente se publican en *Destino,* de Barcelona.

Quedamos, pues, en que Jiménez Lozano habla de lo que siente. Unas veces, así en *Historia de un otoño,* de lo que casi nadie más que él siente ya. (El jansenismo, todavía vivo en Mauriac y, a su modo, en los existencialistas, parece haberse extinguido.) Otras, de lo que —sin tener él arte ni parte en elegirlo, porque él no escoge, lo lleva en sí sin podérselo arrancar, también como un sambenito— continúa y, al parecer, continuará siendo anacrónicamente actual durante mucho tiempo: la Inquisición.

Toda crisis profunda significa una ruptura y nueva configuración del «estilo de vida». El jansenismo representó probablemente la última gran batalla luchada por el cristianismo frente a la mundanización. La Ilustración, sobre todo la francesa, y, en España, la que representó precisamente Olavide, el tránsito a la secularización. Entre nosotros el movimiento ilustrado, a más de tardío, fue, en general, timorato, y se vio aliado con lo que seguía llamándole «jansenismo» —obispo Tavira, Jovellanos—, aunque lo que tuviese de éste apenas fuera sino oposición al ultramontanismo. Nuestros movimientos más progresivos a lo largo de la época moderna, el erasmismo, la Ilustración, el krausismo, la Institución Libre, fueron hondamente, y hasta se diría que puritanamente, moralistas. (La gazmoñería de Jovellanos es casi empalagosa.) El suelto libro de Luis Felipe Vivanco sobre Moratín * —un libro en el que se ve que su autor se ha divertido escribiéndolo, lo que no es, ciertamente, su menor elogio— muestra que algunos ilustrados españoles, rompiendo con la mogigatería, inauguraron un nuevo estilo de vida. Pero entre todos, el escogido para general escarmiento, porque era avanzado en todos los terrenos, fue el protagonista de *El sambenito,* Pablo de Olavide.

Sí, fue un nuevo estilo de vida lo que él inició y trató de instau-

---

* *Moratín y la ilustración mágica,* Madrid, Taurus, 1972, 251 pp. (Colección «Persiles», núm. 53).

rar en torno suyo. Su esposa, doña Isabel, lo dice muy bien en el libro:

«Pero doña Gracia era otra clase de mujer. Tú las habrás visto en tu país (Francia). Era bonita y delicada, pero, además, sabía leer, sabía música, entendía las discusiones de los hombres. Yo sólo aprendí a hacer encaje y recamados, las oraciones y el catecismo. Tú misma sabes cocinar mejor que yo y te vistes con más alegría. Para una dama española, parir, sufrir, morir, ése es su oficio y destino».

La lectura de los autos de acusación, interrumpida a trechos, y volviendo de nuevo, como inexorable cantinela, y también taimada, irrisoria defensa, es una pieza maestra. En ella transparece la obsesión del libertinaje y su hipócrita represión. También el nacionalcatolicismo, que identifica lo cristiano con lo español y vio en Olavide al contagiado del mal francés. En medio, como en la *Historia de un otoño,* la angustia del hombre que, en nombre de Dios, se ve condenado a condenar.

Don Pablo de Olavide, después de su proceso y ya en Francia, escribió, como se sabe, *El Evangelio en triunfo o El filósofo desengañado.* Mas, según la novelación de Jiménez Lozano, al morir, «en el fondo de la arqueta o bujeta de perfumes, forrada de raso rojo», fue encontrado un papel en el que venía a desdecirse de su «desengaño». ¿Era auténtico, de su puño y letra? Los testamentarios de Olavide, no sabiendo a qué atenerse, concluyen —y el autor, sin duda, con ellos— que «toda la vida de estos ilustrados es enigma y extraña ambigüedad e indecisión, y así la fe de los hombres de hoy es indecisa y agonizante». Los mejores hombres de entonces y los mejores hombres de hoy quieren verse liberados de inquisiciones religiosas o laicas, y, sin temor, buscar por sí mismos —o encontrar sin buscarlo— aquello que, de un modo u otro, les trascienda.

Hace poco Jiménez Lozano y yo colaboramos en un número extraordinario de *Triunfo* dedicado a los españoles. Tanto los erasmistas como los cristianos nuevos, los heterodoxos, los ilustrados, los krausistas, los republicanos, los anarquistas, los socialistas compatriotas nuestros, y Pablo de Olavide, José Jiménez Lozano y yo mismo, *también* somos españoles, completamente españoles.

11. CELEBRACION DE AGUSTIN GARCIA CALVO

Nos movemos hoy en literatura entre el estilo «informal» (como se dice con un anglicismo que presta a nuestra lengua el obvio juego con la palabra) y el estilo de la celebración. Escribiendo más bien según el primer modo, quisiera, sin embargo, dedicar este artículo a Agustín García Calvo, con ocasión de la publicación de su libro *Lalia* *

Mi relación personal con Agustín García Calvo —el hombre, para mí, con mayor originalidad, en cuanto a estilo creativo de vida, de todo nuestro mundo hispánico; el inventor de un modo *hippy* que se adelantó al americano, sin pérdida alguna de su raíz y peculiaridad españolas— fue tan breve como intensa. Le conocí a comienzos del curso 1964-65, su primero y último curso en la Universidad de Madrid. Me impresionó inmediatamente su modo de ser, que aparece tan bien reflejado, en sus muchos matices, en el libro que vamos a comentar, y verbalmente aceptó en seguida hablar en el seminario Eugenio d'Ors, que yo dirigía. Algunos días después, para concretar detalles, acudí a la secretaría de nuestra Facultad de Filosofía y Letras, tras haberle buscado en su despacho inútilmente, pregunté cuáles eran su domicilio y su teléfono. Por increíble que parezca a los profesores y alumnos de la Universidad de hoy, en la secretaría no constaban ninguno de esos datos porque —ésta es la explicación que se me dio, muy en su estilo: lo inverosímil es que se aceptara por aquella Universidad todavía falangista y me pregunto si en cierto modo no tendríamos que añorarla—, como hacía poco tiempo que se había trasladado a Madrid, todavía no tenía residencia, dormía cada noche en una casa diferente, sin poder anticipar nunca cuál sería su próximo albergue nocturno, y que así, su único domici-

---

* *Lalia. Ensayos de estudio lingüístico de la sociedad,* Madrid, Siglo Veintiuno de España Editores, 1973.

lio era su despacho y seminario de la Facultad. Dejándole una nota allí concretamos los detalles, y su conferencia, en la línea del contenido del presente libro, fue aguda, penetrante, anticonvencional y muy buena.

Poco después, él y yo nos vimos envueltos —nos envolvimos, mejor— en los sucesos universitarios de febrero de 1965, fuimos suspendidos de empleo y sometidos a expediente administrativo. Fue la breve etapa de nuestra muy estrecha relación. Venía con mucha frecuencia por casa, hablábamos de las incidencias del expediente, de los dislates que ocurrían con nuestro colega (¿colega?, creo que no, en ninguno de los sentidos de los posibles sentidos de la palabra), el inefable instructor de un expediente que nunca llegó a saberse si era individual o colectivo y que, con permiso del Consejo de Ministros y del Tribunal Supremo, yo casi me atrevería a calificarlo como el peor, técnicamente, de todos los instruidos a lo largo de la historia de la Administración española. Yo, que no sé lo que piensa García Calvo sobre esto, ya di públicamente las gracias a su fautor por el gran favor que, según considero, me hizo, preparándolo todo, tosca pero eficazmente, para la separación de la cátedra. Sin embargo, no hay bien que por mal no venga, la terminación de nuestro asunto trajo consigo la de nuestra relación. Yo, tan pronto como se me suprimió el honor de la escolta policíaca y se me devolvió el pasaporte, empecé a vivir tanto tiempo fuera como dentro de España. García Calvo, más batallador, siguió en la brecha hasta que un día se cansó y se marchó a Francia. Desde aquel memorable año 1965 no nos hemos vuelto a ver y ni siquiera hemos tenido la menor noticia directa el uno del otro. Hace dos años, el profesor Gabriel Jackson, de esta Universidad de California en San Diego, me dijo que se proponía invitar a García Calvo como *Regents lecturer,* que todo estaba ya arreglado, pero que, *pro forma,* me pedía una carta de recomendación. Con mucho gusto se la envié, pero García Calvo no sé por qué, no llegó a venir a California. Hace un año, unos jóvenes americanos que preparaban y realizaron una emisión radiofónica sobre España, por la estación más progresiva de Los Angeles, vinieron a verme a Santa Bárbara para grabar en cinta mi diálogo con ellos. Eran tres y entre ellos había una chica, Linda Krausen, que resultó ser amiga y admiradora —como tantas otras— de Agustín, a quien había conocido en París. Ella fue la última persona que me ha hablado directamente de él. Ahora, con la publicación del libro, es él mismo quien lo hace en su taurina dedicatoria: «Brindo este libro a ti y al público.»

Se trata de un libro que, sobre excelente, es enormemente personal, fiel retrato suyo. Los más genuinos rasgos de su individualidad van apareciendo sucesivamente en él. Para empezar, el pedantemente irónico epigrama, que sirve de lema al libro, y que es un bello canto a las palabras en libertad. En seguida el cortés tratamiento de «don» que García Calvo propina a quienes han hecho posible la publicación de la obra. Poco después, la grafía «Estalín», del trabajo primero. Más tarde, y por contraste con aquella solemnidad en el trato, encontramos el vocablo «jodienda» (pág. 362), y la invención, por analogía comunitaria, del «fumanda» (pág. 371), calcado sobre aquél. Asimismo, la anécdota de la vida militante del autor acerca de la letra de una canción de huelga (págs. 283-84), y aquella otra, que podría muy bien haberse dado igualmente en la vida real, de la visita del policía que debía detenerle en su guarida, y al que reconoce, y así lo dice, como compañero en los años de estudios en el Instituto, que solía ir por entonces a los bailes de criadas los domingos y que seguramente estará ya casado; reconocimiento y recuerdo que ponen nervioso al funcionario, que se ve sacado así de su «papel», por lo que le hace callar de una bofetada (pág. 179). La justa autoestimación se expresa en estas palabras que resumen el estilo de vida del investigador español «antiestablecido»: «... no que esté yo seguro de que este proceso no puedas hallarlo ya descrito en algún tratado o manual incluso, extremo que, escribiendo como estoy en esta buhardilla desguarnecida, no tengo vagar de comprobar ahora; pero en todo caso, bien sospecho que con tanta precisión como esta vez, jamás se habrá descrito» (págs. 307-08); «fatuidad» contra la que, aun no siéndolo, ya nos había prevenido al final de la presentación. El modo original, propio de novela o cuento de vanguardia, de invitar a formar una cinta de Moebeus, con las instrucciones adecuadas para hacerlo con las hojas correspondientes del libro mismo (página 227) y dar así la imagen simultánea de Mundo y Lengua al hermano y la hermana que preguntan, respectivamente, por el uno y por la otra, dualidad de caras que se fundirá en unidad «el mismo día que el hermano y la hermana duerman juntos, y al despertarse contra la mañana se sonrían con la misma sonrisa el uno al otro» (página 268). (No creo que sea desorbitado ver aquí una alusión «contracultural».) El humor correctísimo del trabajo dedicado al «razonamiento» de un más que desacreditado ex ministro, según el texto, grotesco, de la sección económica de *ABC;* diario al que vuelve a acudir para analizar otro texto, siniestro éste, demandando la guerra totalitaria en Vietnam, en uno y otro caso sin emitir el menor juicio de valor, que queda a cargo del lector. El giro personal, la introducción del yo de Agustín con el «te digo que te quiero» y la «falta de ti» en el trabajo estrictamente lingüístico titulado «Tú y yo». La interpretación del color morado en la bandera de la República como simbólico desagravio por los pecados de España (página 215), etc. Modos todos de hacer aflorar la persona del autor, sus compromisos político-sociales, su sentimiento del amor, su enfrentamiento con la realidad, su sentido de la existencia, a la vez lúcido y responsable, todo ello y mucho más en un libro, desde un libro que se pensaría incompatible con el personalismo; y sin caer, sino al contrario, según se ve, en la inserción, más bien tonta, de ejemplos de inocuo humor anglosajón, para ilustrar y hacer aún más aburridos, aburridos textos de análisis lingüístico. El modo como Agustín García Calvo logra sintetizar el estudio sociolingüístico y, a través de los ejemplos y las circunstancias, su modo personal de vivir en el mundo, nos es testimonio de su extraordinaria calidad de escritor, de hombre escritor.

La de lingüista y sociolingüista no es menor. *Lalia* es una obra excepcional dentro de nuestra bibliografía. Su tesis central es la de que la sociedad y la lengua, así como sus respectivos modos de estudio, lenguaje sociológico y metalenguaje gramatical, no son sino abstracciones parciales de un todo indisoluble, la realidad lingüístico-social, dentro de la cual las personas se constituyen a través de los pronombres personales, y de las cosas no tenemos ni más ni menos que las palabras con las cuales las significamos. O, dicho de otro modo, que la Naturaleza está dentro de la sociedad, es una idea de ésta; pero a la vez, «el lugar» de la sociedad es la lengua. Agustín García Calvo es un neosofista, liberada la palabra «sofista» del unilateral desprestigio con que se la ha considerado desde Platón. Tras la «convención» gramatical, inscrita en la lengua, se encuentra la convención ideológica, el fenómeno de la consciencia y del yo. Un acercamiento importante al nudo de la cuestión por el lado de Grecia y Roma, el griego y el latín, la lengua y la cultura, lo encontramos en el inteligente estudio «Apuntes para una historia de la traducción»; lo mejor, tal vez, que se ha escrito en castellano sobre el tema, y no olvido el ensayo de Ortega. «Cosas y palabras, palabras y cosas», es la *demonstratio* de esa unidad de mundo y lengua, las dos caras de una misma realidad que sea verdadera, y verdad que sea real. El trabajo «De la génesis del Fin y de la Causa» manifiesta el carácter «lingüístico» de éstas y su laboriosa acuñación a lo largo del proceso de desarrollo de las lenguas.

El estudio «Nos amo, me amamos» muestra, a través de la prohibición gramatical de estas expresiones, la convención fundamental de la reflexividad o identidad del yo, y la existencia junto a la «clave» (en el sentido análogo al musical: clave de sol, clave de fa) de la unidad, la de la clave de la pluralidad, clave del «nos». A veces parece levantarse esta interdicción o incompatibilidad, y García Calvo cita algunos ejemplos literarios e incluso subliterarios. Pero en realidad se trata de un distanciamiento temporal o visión del yo en el espejo del pasado. La «convención dominante» en nuestra lengua-cultura da la primacía al yo, que pone la continuidad por encima o por debajo del tiempo. ¿Pasa esto de ser una convención o es el yo idéntico consigo mismo? Las dos creencias, la de identidad y la del tiempo, son, a la vez, complementarias y contradictorias entre sí. De ahí la prohibición de que las dos claves sean usadas simultáneamente, es decir, que los sintagmas que dan título al trabajo sean gramaticalmente inadmisibles.

El artículo siguiente, «Tú y yo», desarrolla sustantivamente un punto tratado en el anterior, el de la prioridad del yo, de tal modo que el tú no es sino *alter ego,* transferencia o reproducción del primero, y, por tanto, en sí mismo, en «ti» mismo, esencialmente vacío. Vacío, sí, desde mí, como yo me vacío desde ti cuanto tú, desde ti, te conviertes en el «yo» y me reduces a un «tú». (Se mueve aquí el autor muy cerca del pensamiento del primer Sartre.) Agustín García Calvo termina el trabajo, a la manera personalizadora que ya vimos, con estas palabras: «... ya que por esencia estás vacío. Eso tú, sí, pero tu ausencia en cambio... Escribiendo estoy yo solo aquí en mi cuarto, y esta falta de ti, ¡cómo es real y grande!» (pág. 312).

En un punto secundario del libro no estoy de acuerdo con el autor. Es el de la calidad de los anuncios que recordará el lector, porque proliferaron en Madrid hace cinco años en forma de grandes carteles murales de propaganda de la cerveza llamada Gulder, muy pronto desaparecida del mercado. La asociación de un producto de consumo más bien común, como la cerveza, con símbolos de muy alta posición social (las ostras y el caviar, el yate y el avión particulares) es percibida por el autor como finamente irónica. Creo que tal connotación del mensaje, lindante con el sarcasmo, en la que habrían de confabularse fabricante y consumidores con «una misma consciencia de clase desclasada», cuyo resultado sería que se bebiese cerveza con resignación o con amargura, y en todo caso como protesta por la injusticia social, ni fue percibida por nadie o casi —exceptuando, desde luego, García Calvo— ni podría aparecer verosímil en tanto que emitida por quien en definitiva era fabricante y perteneciente a la clase de los empresarios. Mi lectura del mensaje, y la de aquellos que lo comentaron conmigo, fue la de la «cursilería» del anuncio. Para que asumiese el significado que García Calvo le atribuye, habría debido expresar ese sarcasmo mucho más explícitamente. Pero un sarcasmo tal se mordería la cola del consumismo, pues ¿cómo persuadir a los consumidores de que consuman no lo «bueno» que desearían, sino meramente lo «vulgar» que está a su alcance? O dicho de otra manera, ¿cómo compatibilizar simultánea y masivamente la actitud consumista y la de rebelión social? Un anuncio con la intención que le atribuye García Calvo sería disuasivo y no persuasivo, salvo para quien, más que consumidor, se hubiese hecho esteticistamente conspirador y jugase, tomando cerveza Gulder, a la revolución. O más que anuncio sería consigna para un público que, educado ya en el anticlasismo, recibiría didáctico aleccionamiento para comportarse con sarcasmo miniconsumista. Por supuesto, la respuesta en cuanto a la eficacia o no del anuncio tendría que haberse obtenido empíricamente mediante encuesta sociológica, y no por discusiones entre García Calvo y yo, ni menos inquiriendo cuál fue la «intención» del anunciante. Formalmente no parece que se hizo. Pero parece, en cambio, que realmente el público respondió a la encuesta-anuncio no comprando tal cerveza.

Para terminar, y dejándonos de escarceos publicitarios, volvamos a la sustancia del mismo libro, la identidad, en el límite, de mundo y lenguaje. ¿Es ésta la última palabra de García Calvo? No. Al final del libro, hablando de mística y magia, pregunta y se responde: «¿Quién dijo que de este mundo podía darse razón por medio del lenguaje? Este lenguaje mismo es el que no lo decía» (pág. 384). Agustín García Calvo, cerca de Wittgenstein, piensa que cuando los nudos del lenguaje se desatan y «a las cosas se las deja por ventura un poco sueltas, todas ellas son mágicas: este libro que tienes en la mano, esa mano con la que tienes este libro».

Como ya indiqué, hay en esta espléndida obra una incoada reflexión o vuelta sobre sí que la emparenta con ciertos procedimientos de la novela contemporánea. Antes encontrábamos en el libro al hombre que se dedica a otras cosas, aparte (¿aparte?) de escribirlo. Ahora, al cerrarlo, vemos al crítico que habla sobre él —expresamente o entre líneas— y va más allá de él.

Creo que no consta en nuestro país suficientemente, ni con mucho, la gran valía intelectual y la enorme personalidad de Agustín García Calvo. Esperemos que, gracias a la publicación de este libro, se reconozcan una y otra en círculos más amplios que el de sus fieles amigos y sus discípulos entusiastas.

12. EL TIEMPO PERDIDO

Quiero hoy hablar del testimonio del paso del tiempo, dado en sendos libros recientes, escritos por dos mujeres famosas —las más conocidas entre nosotros, aunque no las mejores— del mundo francés de las letras: Simone de Beauvoir * y Françoise Sagan **. En sí mismos, ni uno ni otro de los dos libros son muy buenos, y mejor, yo diría, el de Françoise Sagan. Ambos, sin embargo, tienen importancia para ver cómo y dónde los escritores —y con ellos, más pronto o más tarde todos— se van, nos vamos «quedando», dan por terminada su evolución espiritual o, cuando más, prolongan muy retardado el ritmo de ésta. Pues lo normal es que en las personas de edad la muerte literaria en los escritores, la muerte espiritual en todos, preceda a la muerte física.

Simone de Beauvoir, apuntándose el mérito de la franqueza, es muy explícita a este respecto. Desde 1962 —nos dice—, por mucho que el mundo haya cambiado, ella, en lo profundo, ya no ha cambiado, y su vida no se orienta hacia ningún objetivo, sino que, ineluctablemente, se desliza hacia la tumba. «Mi muerte ha comenzado desde hace mucho tiempo —agrega en otro lugar, con otro lenguaje, entre el de Séneca y el del existencialismo— y me he habituado a ver cómo me deja mi pasado. Es, sin duda, por resignarme a mi propia desaparición por lo que acepto también la de los otros», la de los amigos que terminan al fin por morir. Yo diría, no obstante el libro reciente de Elaine Marks, *Simone de Beauvoir: Encounters with Death,* que la experiencia más genuina que nuestra autora nos comunica no es la del encuentro con la muerte, sino la de la vejez y el envejecimiento. Si *Une mort très douce* se referiría a lo primero, *La viellesse* era un libro a la vez documental y reflexivo sobre la ex-

---

* *Tout compte fait,* París, *NRF,* Gallimard.
** *Des bleus à l'âme,* París, Flammarion Editeur.

periencia del envejecer. Aquí prolonga tal reflexión y nos hace confesiones importantes. En primer lugar, la de reconocerse una misma, ella misma, a través de todos sus cambios, lo que, en una época como la actual, de crisis de identidad del yo, nos la sitúa en una cierta lejanía. Es ella misma quien lo hace: según su sensación fue poco después de cumplidos los cincuenta años cuando sintió que había entrado en la vejez. Desde entonces, instalada en ella, ya ni siquiera envejece, se limita a esperar la muerte sin esperanza. Todo *élan* ha cesado, ya no mira hacia el porvenir y, libro más, libro menos, su obra será, nos dice, lo que ya ha sido

Para mí, esto es lo más importante del libro. La revisión de sus escritos, y más todavía el relato de sus lecturas, de las películas que ha visto, de los viajes que ha hecho, me resultan bastante aburridos. Ella misma nos dice que vive más bien apartada de los jóvenes y, de vez en cuando, su estilo mismo denuncia que, pese a su progresismo, pertenece a otra época. ¿Quién se atrevería hoy a escribir, con la más convencional expresión del francés clásico, que, por ejemplo, «mes autres camarades ne m'inspirèrent jamais que *des sentiments fort modérés*»? (El subrayado es mío, claro.) La continua resistencia interior a interesarse por disciplinas como la lingüística y la economía política es otra confesión que nos confirma en lo mismo. Lo que no obstó, naturalmente, a que participase en los sucesos de mayo de 1968, si no con entusiasmo, al menos con pleno sentido de lo que consideraba su deber. Siguiendo a Sartre, también ella ve la originalidad de aquella «revolución» en la lucha prioritaria por el poder, en vez del mantenimiento de la primacía de la reivindicación de la propiedad. Por el contrario, se mantiene firme en su ateísmo, que, formulado así, resulta hoy más anticuado que el más anticuado de los teísmos.

Es sabido, y generalmente reconocido, que Simone de Beauvoir ha sido, con *Le Deuxième Sexe,* la precursora del actual movimiento de liberación de las mujeres. Sin embargo, es menester agregar que en este punto, como, por lo demás, a lo largo de todo el libro, se muestra sumamente discreta, y más interesada en subrayar la originalidad del movimiento que su dependencia de ella. Ella, declara, se mantuvo en el plano teórico, en tanto que el feminismo, en el pleno sentido de la palabra, exige la lucha por las reivindicaciones propiamente femeninas. Hace años, en su tiempo, las tesis que ella defendió fueron las del «socialismo abstracto»; ahora comprende, siguiendo a Juliet Mitchell, que aquéllas han de ser completadas por las del «feminismo radical».

El libro se cierra con un último reconocimiento de la limitación de su propósito, que, para decirlo con palabras de Roland Barthes, no ha sido el de *écrivain,* sino meramente de *écrivant.* «No he sido una virtuosa de la escritura.» «He querido hacerme existir para los otros comunicándoles, de la manera más directa, el gusto de mi propia vida: y casi lo he conseguido.»

Yo no estoy completamente seguro de ello, pero, de todos modos, y en fin de cuentas —*tout compte fait*—, su testimonio de vida no ha ocurrido en vano. Lo que está bien, y basta.

En un momento de su libro, y a propósito de otro anterior, *Les belles images*, Simone de Beauvoir nos cuenta que, según ciertos críticos, se habría salido en él de sí misma: «Eso es el mundo de Françoise Sagan, no el suyo». A nadie se le ocurriría hacer una crítica semejante a Françoise Sagan, siempre fiel cuidadora de su pequeño jardín de flores entre marchitas, pero no del todo, y decadentes, pero no mucho.

Y, sin embargo, también el paso del tiempo se siente en este su último libro, de título casi demasiado bonito, como todos los suyos, «simbolismo», en la época de masas y poesía al alcance de todos. Es un libro mitad novela, mitad autobiografía del «alma». Un libro en el que la autora se burla un poco ingenuamente de su técnica y del manejo que se trae con su pareja de ya conocidos personajes que se van quedando, y se quedan definitivamente al terminarse el libro, bastante mustios. Aunque lo niegue, creo que en su hastío influyen los sucesos de 1968, el desengaño también de quienes hablan del «pueblo», de los espectáculos a él reservados, de los tópicos políticos. Y, por otra parte —o por la misma—, encontramos su mofa de los «Clubs Méditerranée», su interés —todavía— por los Ferrari y su fidelidad a «la Maserati»; su mirada retrospectiva, mitad nostálgica, mitad desilusionada, a «1964 (mon heure de gloire)», la serie de comentarios, por lo general, así lo siente ella, tontos, que necesita soportar acerca de su obra, su ligero distanciamiento del mundo saganesco del que, sin embargo, no le será fácil salir, el sentimiento de depresión y el peso de la soledad, incluso de sí misma (el libro se cierra con la conciencia de que su personaje tenía razón, de que era la última vez que iba a verles de frente, y quizá a ella misma también).

Françoise Sagan, como todos y cada uno de nosotros, pertenece a un mundo de transición, porque el mundo se encuentra siempre en transición, pero la mayor parte de sus habitantes no se dan cuenta, y ella sí; un mundo para el que la droga ha llegado demasiado tarde («Que je suis donc démodée»), por lo cual y «por una vez» se une a «la opinión de las autoridades» (¿a la de Nixon y su Administración, acérrimos enemigos de todas las drogas, también?). Un mundo que quiere recuperar la «espiritualidad». En el *morceau de bravoure* —siempre en el estilo intimista y sentimental «à la Sagan»— del libro, en su «mensaje» (las palabras que sirven de título), el que se reproduce en la parte de detrás de la cubierta, tras aludir a las previsiones estadísticas de quienes van a morir de modo lamentable, evoca otras posibles, las de quienes van a conocer un gran amor, las de quienes, a la hora de la muerte, tendrán, desde la cabecera de su lecho, una mirada para ellos, unas lágrimas por ellos. Y eso, frágil y precioso, es «lo que los cristianos llaman "el alma" (y los ateos también, aun cuando emplean otro término)».

Dos libros, los que hemos comentado, que, a diferentes niveles de edad, nos cuentan una decadencia personal, una desilusión íntima que pueden ser consideradas reflejo individual de una desilusión y una decadencia del mundo mismo en que vivimos. Simone de Beauvoir no intenta ya siquiera salir de su estado de ánimo de vejez. Françoise Sagan difícilmente se liberará ya de su manierismo. Hace falta ser muy joven o mirar a muy largo plazo para mantener viva la esperanza. Esta es la lectura, como se ve, más bien negativa, que yo he hecho de estos dos libros.

13. WITTGENSTEIN Y LA VIENA IMPERIAL

Me propongo hablar hoy de un libro[1] cuya lectura me resultó tan apasionante que a la primera ojeada, y tras ver de lo que trataba, me apresuré a recomendar su publicación en castellano.

El libro es particularmente interesante para el aficionado a la filosofía, claro está; pero a toda persona culta le ha de gustar, en primer término porque, sin «literatura», con gran sobriedad, evoca muy bien un mundo político-cultural, el del final de la era de los Habsburgo, tan fosilizado en sus estructuras, que sólo por inercia se mantenían, como inquieto, vivaz y enormemente «buscador» en los más diversos planos de la creación: planos todos ellos sumamente próximos. Los pensadores influían directamente sobre los artistas, dotados todos de gran conciencia en cuanto a lo que se proponían hacer; la obra de renovación llevada a cabo por los grandes músicos fue paralela a la de los grandes arquitectos, a la de los grandes novelistas y escritores en general, a la de los grandes médicos, a la de los grandes filósofos. Piénsese que la nómina, incompleta, de grandes nombres «vieneses» (en el amplio sentido de la expresión: por eso no incluyo en ella a Kafka), que no hago sinónima de austrohúngaros, y menos extendiéndola a ciertos checos, estaba compuesta por Hofmannsthal y Rilke, Richard Strauss y Max Reinhardt, Anton Bruckner y Gustav Mahler, Bruno Walter y Schönberg, Otto Wagner y Adolf Loos, Oscar Kokoschka y Robert Musil, Meynert, Breuer, Freud, Adler, Ernst Mach, los miembros del Círculo de Viena, el propio Wittgenstein, el jurista Hans Kelsen. E incluso, para presentar el otro lado de la medalla recordatoria, conmemorativa de la época, Adolf Hitler, Seyss Inquart, «Kakania», pues,

---

[1] ALLAN JANIK y STEPHEN TOULMIN, *Wittgenstein's Vienna,* Nueva York, Simon and Schuster, 1973. [Hay edición española: *La Viena de Wittgenstein,* traducción de Ignacio Gómez de Liaño, Madrid, Taurus, 1974, 373 pp.]

sin duda, como jugando con las iniciales alemanas de los títulos «imperial» y «real» de los Habsburgo, denominó al Imperio Musil; pero una podredumbre de la cual —contra la cual— brotó una fabulosa floración. Y lo que muchos ignorábamos y este libro subraya muy oportunamente, es que la *serre* de este gran parque fue la mansión señorial de la gran familia Wittgenstein, cuya centralidad a la vez financiera y cultural, y como punto de reunión de gran parte de los hombres citados es un dato esencial para comprender la Viena de la época y a Ludwig Wittgenstein mismo, dotado, como casi todos los miembros de la numerosa familia, de los más varios talentos... y de frecuente sino trágico. Tres de sus hermanos se suicidaron, él mismo pensó en poner fin a su vida y el libro contiene un capitulillo sobre el suicidio en Viena. Recordemos que entre los grandes suicidas figuraron Bolzmann, fundador de la Termodinámica e influyente maestro de Wittgenstein, el un día muy famoso Otto Weininger y el gran poeta Georg Trakl.

El libro posee, pues, este enorme interés general de presentarnos la Viena de la época en su haz y en su envés, en la articulación e interdependencia de todo ello, en la estrecha relación, nada de «especialistas», entre estos grandes contemporáneos de Wittgenstein. Pero, naturalmente, no se trata de un ensayo de historia cultural del final de una era. Por mucho que al lector pueda interesarle, sustantivamente, esta parte del libro, en su economía total, su función es la de servir de fondo y marco a la figura filosófico-humana de Ludwig Wittgenstein, que sólo desde ese fondo, y dentro de ese contexto —tal es la tesis del libro— puede ser cabalmente entendido. Se trata, pues, de la «devolución» a Viena de una gran figura suya, de un hombre y un filósofo que le pertenece y que, un tanto *abusivamente, había sido anexionado* a Cambridge y transferido en seguida a Oxford. Lo curioso, y lo que hasta cierto punto constituye una garantía de la objetividad de la interpretación, es que uno de los autores del libro sea un inglés, que llegó a ser discípulo directo de Wittgenstein en Cambridge, Stephen Toulmin, ahora profesor visitante de la Universidad de California en su campus de Santa Cruz. (Y conocido del lector español, cuando menos por su libro *El lugar de la razón en la Etica* que yo hice que publicase la Revista de Occidente y prologué).

Citamos antes una serie de nombres importantes de la antigua Viena, pero dejamos de mencionar los dos que, según los autores de la presente obra, habrían sido los decisivos en la permanente incardinación vienesa de Ludwig Wittgenstein; nombres, me parece, muy poco conocidos fuera de aquel ámbito cultural: Karl Kraus y Fritz Mauthner. De Kraus procedería la raíz ética de Wittgenstein. Kraus fue un campeón de la moral de la integridad y su lucha, de estilo kierkegaardiano, contra la hipocresía de su época, contra el sentido comercial del matrimonio burgués, su oposición al psicoanálisis («El psicoanálisis es esa enfermedad espiritual que él mismo pretende curar»), sus controversibles ideas, de origen schopenhaueriano, sobre la feminidad, su lucha contra el esteticismo de la *Jung Wien* (movimiento paralelo al *Jugendstil* berlinés, al *art nouveau,* cuya culminación aconteció con Gustav Klimt, cuyo arte se parecía al de Beardsley, hace unos pocos años tan de moda), contra el «teatro de espectáculo» montado en Salzburgo, por Max Reinhardt, con la estrecha colaboración de Richard Strauss y de Hofmannsthal y, en fin, naturalmente, contra Franz Lehár; todo ello le hizo ocupar una posición cultural en la Viena de su momento, tan central como discutida. Pero la verdad es que lo mismo Schönberg que Wittgenstein se proclamaron orgullosamente discípulos suyos.

Fritz Mauthner fue el autor, nada menos que en 1901, de la primera *Crítica del lenguaje,* y hay un lugar muy importante del *Tractatus* (40.031) en el que su nombre aparece: «Toda filosofía es crítica del lenguaje, aunque desde luego no en el sentido de Mauthner». Y, sin embargo, además de este precedente absolutamente decisivo, se encuentran ya en Mauthner temas, así el del lenguaje como actividad, juego y ambigüedad, que sólo con posterioridad al *Tractatus* serían plenamente desarrollados por Wittgenstein. Lo que, sin duda, le faltó a Mauthner fue rigor lógico.

Y este rigor lógico y metodológico es que el Wittgenstein fue a buscar a Cambridge, en Bertrand Russell (a través de Frege) y en sus *Principia Mathematica.* Nada menos, pero también nada más. Su problema lo llevaba consigo desde Viena. Y según Janik y Toulmin, también lo esencial de su respuesta. La reconsideración del *Tractatus* —capítulo central del libro— se hace a la luz de la formación física, procedente de Hertz y de Bolzmann, y del talante ético de Wittgenstein, muy influido por Kierkegaard y Tolstoi. La lectura del *Tractatus* ha padecido de toda suerte de malentendidos, y algunos de ellos procederían de la mala traducción de *Bild* por *picture,* frente a la cual los autores proponen la palabra, posteriormente acuñada en sentido científico, de «modelo»; pero cuyo concepto se encontraría ya en la «estructura matemática» de Heinrich Hertz (temprano, genial y malogrado contradictor de Ernst Mach) y en la Termodinámica estadística de Ludwig Boltzmann (a quien quizá también debería Wittgenstein su idea del «espacio lógico»).

Esta reinterpretación no carece, por supuesto, de fundamentos factuales. Por de pronto hay el testimonio del gran amigo y albacea literario de Wittgenstein, profesor G. H. von Wright, dado personalmente a Toulmin, según el cual, los dos hechos más importantes que es menester recordar sobre él son, en primer lugar, que era vienés y, en seguida, que fue ingeniero con un conocimiento muy completo de la física. Hay el testimonio del propio comportamiento de Wittgenstein en relación con el positivista Círculo de Viena, su difícil entendimiento con los hombres que lo componían, tratando de comunicar con ellos, lo que, sin duda, no fue una simple *boutade,* a través de la lectura de Tagore. Hay la puntualización del íntimo amigo de Wittgenstein, Paul Engelmann, que resume así:

> Una generación entera ha podido considerar a Wittgenstein como un positivista, porque tenía en común con los positivistas algo de enorme importancia: él trazó la línea que separa aquello de lo que se puede hablar, de aquello otro sobre lo que debemos permanecer silenciosos. La diferencia está sólo en que aquellos no tenían nada sobre lo que permanecer silenciosos. El positivismo mantiene —y en esto consiste su esencia— que podemos hablar sobre todas las cosas de la vida. *En tanto que Wittgenstein creía, precisamente, según su modo de ver, en aquello sobre lo que tenemos que permanecer silenciosos.*

Y hay, finalmente, su correspondencia con Ludwig Ficker, precisamente sobre el *Tractatus* y la pertinencia de su inclusión entre las obras editadas por éste, las que constituían objeto de su interés. Wittgenstein, para sacarle de su perplejidad le dice, entre otras cosas semejantes, esto:

> *El tema del libro es un tema ético.* Mi obra consta de dos partes: la presentada aquí más la que *no* he escrito. *Y esa segunda parte es precisamente la importante.* Le recomiendo que lea el *prefacio* y la *conclusión,* pues en ellos se contiene la expresión más directa del tema del libro.

Naturalmente, si Wittgenstein estaba absolutamente convencido de que lo verdaderamente importante no puede decirse, se comprende muy bien que no se molestase en deshacer malentendidos, que inmediatamente suscitarían otros nuevos. Que es lo que, efectivamente ocurrió, según los autores de este libro. El «segundo Wittgenstein» (que no sería tal, pues no habría habido en su pensamiento solución de continuidad) pronto fue asimilado y distorsionado por el grupo de Oxford con el que el Wittgenstein real habría tenido tan poco que ver como con los positivistas y el círculo de Cambridge. Ni el lenguaje y la reflexión sobre él podían ser, en cuanto tales, lo que importaba a Wittgenstein, ni Wittgenstein tuvo nunca la menor simpatía por la «filosofía profesional», ideal de los filósofos lingüístas de Oxford. Hasta las ideas consideradas como más genuinas del Wittgenstein que interesa en Oxford, pueden rastrearse ya en el mundo vienés: así Loos, hablando de la funcionalidad de la arquitectura llega a escribir que el significado, el sentido *es* el uso. En suma, que de la misma manera que Loos fue más complejo que la *Bauhaus,* y que Schönberg —a diferencia de Joseph Matthias Hauer— no redujo la música a sistema dodecafónico ni, en otro sentido, a la *Gebrauchsmusik* de Paul Hindemith, también Wittgenstein fue mucho más profundamente humano y moral que los lexicógrafos (hasta se interesó en Heidegger) filosóficos que se apoderaron de él.

El libro que he comentado era en sus primeros capítulos, como vimos, cultural, porque había de proveernos del marco adecuado para entender rectamente la filosofía de Wittgenstein. Al final, vuelve a serlo, porque se han desarrollado, en el mundo ulterior, nuevas Kakanias, así la tan putrefacta de los Estados Unidos y sus Watergates, la del superburocratizado y tecnocratizado Imperio comunista ruso, para no hablar de otros pequeños Shitlands. Sí, también nos da este libro una muy actual lección político-moral, y no es ése, ciertamente, el menor de sus méritos.

14. INOCENCIA, VIOLENCIA, PODER

No sé si el psicoterapeuta Rollo May, distinguido intelectual americano, autor del best seller y uno de los libros más importantes publicados en 1969, *Love and Will,* es conocido en España. El año pasado participó en el Symposium Internacional que tuvo lugar dentro del Congreso Nacional de Comunicación de Barcelona. Pero creo que su contribución pasó más bien inadvertida —lo que no es sorprendente, ni mucho menos, en los Congresos, y no sólo por la diferencia de lenguas, ni aunque su tema sea la comunicación, o por eso mismo —y consistió en un anticipo, referente a los símbolos del lenguaje y la violencia, del libro que hoy comento [1].

Este libro no se entiende bien sino tomando como punto de partida otro famoso y supongo, aunque no estoy seguro, que traducido al castellano: esa especie de plausible breviario de la concepción *hippie* de la vida (Consciousness III), escrito por Charles Reich y titulado *The Greening of America.* El fenómeno *hippie* y, en el plano de la literatura, el libro citado ha sido, para Rollo May, el último canto a la «inocencia», a la «pureza» americana y, en cuanto tal, ha señalado el final de una Era. (Entre paréntesis, permítaseme anunciar que, en breve, espero, publicará Juan José Coy un libro sobre *Complicidad e inocencia en la literatura americana,* cuyo origen fue su tesis doctoral que, ex catedrático, tuve, con todo, el honor de dirigir). Después de lo ocurrido a los Soledad Brothers, a Angela Davis y a los hermanos Berrigan, después de Vietnam y de Watergate, después de la elección de Nixon, su permanencia en el poder y los acuerdos internacionales que siguen firmándose con él, después de los escándalos de los otros países, ningún adulto, ni en América ni fuera de ella, puede sentirse «inocente».

---

[1] POWER and INNOCENCE, *A Search for the Sources of Violence,* Nueva York, W. Norton.

El primer problema para Rollo May es, pues, el de que lo sea la inocencia. Hay dos clases de inocencia. Una, la del poeta, la del artista, que acierta a preservar el fresco impulso creador del niño que se ha sido y que, en cierta medida, es bueno que se siga siendo, sin quedarse por ello en la permanente inmadurez, en la «buena conciencia» de la no-complicidad con todo el mal que acontece en el mundo. La arcádica inocencia del paraíso, de la desnudez pura, de la vida idílica, es un sueño que se desvanece. Y lo que queda es la pseudoinocencia de quienes quieren liberarse de toda responsabilidad y co-responsabilidad, volver en pequeños grupos, con los ojos vendados para el mal —y para el bien— al paraíso terrenal. (También queda, claro está, la pseudoinocencia, más bien «mala fe», en el sentido de Sartre, de las personas mayores que no quieren enterarse de los crímenes que se cometen desde el Poder, con tal de que éste defienda el supremo valor del «orden público»).

La pseudoinocencia ha sido el último refugio del puritanismo americano. Los nuevos inocentes se han desprendido de los prejuicios y gazmoñerías de la moral burguesa, pero, con ello, han querido desprenderse también de todo poder, vivir desnudos e inermes, sonrientes portadores de flores. Ahora bien, como se ha dicho, volviendo del revés la famosa aserción de Lord Acton: «Toda debilidad corrompe y la debilidad absoluta o impotencia corrompe absolutamente.» El conformismo es apatía e impotencia, y con su complicidad se cometen los grandes crímenes, desde el nazi del genocidio judío hasta el americano del genocidio vietnamita. Y el sutil conformismo de quien, invocando el amor, se desentiende del mal, nada hace por evitar aquéllos.

El libro constituye, como dice su subtítulo, una indagación de los orígenes psíquicos de la violencia. (El apasionante tema de la violencia es considerado solamente desde el punto de vista psicológico, no desde el sociológico, ni el político, y el autor recurre una y otra vez a su experiencia psicoterapéutica.) Es fácil condenar la violencia, pero la violencia es, con frecuencia, la sana reacción elemental para salir de la impotencia en que se yace. La vida no es sólo «poder», pero es, indeclinablemente, poder, afirmación de uno mismo, hacerse valer. También hay que distinguir aquí, como con respecto a la inocencia. Frente a la teoría, según la cual la agresión es siempre el resultado de una frustración, el autor afirma la existencia de una «agresión positiva», aunque no en el sentido unilateralmente biológico de Konrad Lorenz. Incluso hay un «éxtasis de la violencia». (El capítulo «Extasis y violencia» es uno de los más perspicaces del libro.) La violencia puede hacer trascender las convencionales fronteras del ego y, para bien o para mal, eso es otra cuestión, al «sacarle a uno de sí», fundirle en el grupo. Negar la fuerza de atracción, la «fascinación» de la violencia es, otra vez, cerrar los ojos a la realidad. Alguna vez he escrito, tratando de comprender la «mística» de los alféreces provisionales, cómo, sobre una vida ulterior prosàica, cotidiana, mediocre, gris, tiene que destacarse, para siempre, aquella ocasión en la cual el hoy registrador de la propiedad o inspector del timbre se sintió héroe entre los héroes. Sin llegar a tanto, modestamente, pero con la satisfacción de «haber estado allí», de vez en cuando encuentro jóvenes, pero ya no tanto, que, fuera de España, lo que añade emoción, me cuentan haber estado junto a nosotros en aquella manifestación estudiantil de febrero de 1965. Ciertamente, no fue aquél, en principio, un acto de violencia. Pero ¿es que son posibles actos verdaderamente humanos de pura violencia? Pesa aún sobre nosotros el tabú de la violencia, que sólo se despeja cuando ésta se produce en forma «ordenada», regimental, uniformada, es decir, respetable y al servicio del «orden público». La verdad es que, como he hecho o querido hacer notar en otros escritos, los «héroes violentos» de nuestro tiempo *se exponen* a la violencia en mucho mayor grado del que la ejercen; y que, leyendo al «Ché» Guevara o a Camilo Torres, advertimos hasta qué punto se decidieron, sin ilusiones, con un gran pesimismo a corto y medio plazo, a adoptar una actitud, en el fondo mucho más testimonial, es decir, *martirial* (martirio laico y activo) que directamente, «violentamente» encaminada a producir «ya» la subversión; actitud de «entrega» que les ha aureolado con ese prestigio romántico del que gozan a los ojos de la juventud actual.

Las cosas suelen ser más complicadas de lo que convendría a nuestra cómoda seguridad moral. Y si, como antes veíamos, y por paradójico que parezca, la inmatura inocencia, que no acepta su complicidad en el mal, es, en sí misma, una «invitación» al crimen (Rollo May ejemplifica esto, sobre todo, con el *Billy Budd* de Melville), por el otro lado, la «función del rebelde» —el rebelde es el tipo polarmente opuesto al pseudoinocente —es esencial a la sociedad, es esencial a la humanidad. Ser hombre, cabe decir, es ser capaz de rebelarse: rebelarse contra Dios (Prometeo, Adán y Eva comiendo el fruto del árbol que les sacará de la inocencia; Abraham y Job discutiendo con Jahvé en nombre de un «Dios sobre Dios»), rebelarse contra el «orden» establecido, así Sócrates y, en el plano religioso, Jesús, pero también, agrega Rollo May, que está muy lejos de ser un revolucionario, todo el que lucha por la justicia y rehusa «ajustarse». Y, en su peculiar manera, siempre, el poeta, el auténtico artista creador, que se rebela contra la Academia, contra la tradición inercial, contra el orden artístico establecido.

La moral que preconiza Rollo May no es utópica, es dialéctica. No podemos, como el pseudoinocente, proyectar el mal fuera de nosotros. Tenemos que pasar por él, sufrirlo y trascenderlo. Necesitamos de la autoridad —nuestro autor no tiene nada de anarquista— y, a la vez, debemos rebelarnos contra la autoridad establecida. Y también contra la cultura —rebelión cultural— de la cual, sin embargo, hasta en sus más denostados aspectos tecnoburocráticos dependemos. Toda rebelión busca un orden nuevo que provocará, en su día, nueva rebelión. Es imposible la instalación en el paraíso. «La vida moral es una dialéctica entre el bien y el mal» y la actitud más inmoral es la «arrogancia moral». Hoy estamos aprendiendo a desconfiar de una economía del puro desarrollo. Aún menos puede satisfacernos la ética del lineal desarrollo moral.

La violencia, ya lo vimos, no es el mal. Es síntoma de una situación de impotencia de la que se intenta salir. El mal es la impotencia, la reducción a esclavitud. Y el remedio, la «distribución del poder».

El impotente está incomunicado, mejor aún, usando la palabra eclesial, excomunicado. Aquél que ni siquiera puede hablar, sólo por la violencia puede salir de la excomunicación. La recuperación del lenguaje es la primera condición para la libertad. «Si hubiera podido hablar, no habría golpeado». A los oprimidos, démosles por lo menos la palabra.

15. LOCOS, SALVAJES, REBELDES

Me perdonará el lector que reincida en un tema, el de la «antipsiquiatría», ampliamente tratado aquí, a lo que se me alcanza. (Pasando la mitad del año lejos de España, me entero tarde y mal de lo que se publica en ella y, por lo mismo, ruego a quien me lea que no achaque a pedantería el que, quizá, cite por ediciones originales libros traducidos ya al castellano.) Mas, por una parte, me importa mucho subrayar la continuidad, expresa en el título, entre una teoría (restringida) de la esquizofrenia y la teoría (generalizada) del inconformismo social. Y, por otra parte, no concibo en general esta sección como una serie atomizada de reseñas aisladas de libros, sino como el resultado, más o menos sistematizado, de lo que en ellos he aprendido; y así, de vez en cuando, volveremos la vista atrás para tratar de ver lo que, juntos, nos dicen los libros leídos.

Es importante situar los de R. D. Laing [1] en la evolución histórica del concepto de locura, desde la *dementia praecox,* del doctor Morel (1860) y antes, hasta la consideración de la enfermedad mental, por Foucault (1965), en la perspectiva de la historia socioeconómica y cultural europea. El loco era —y sigue siendo— un individuo «denunciado» por su familia como tal, reconocido, de acuerdo con aquella «atribución» de locura, por el psiquiatra, diagnosticado, es decir, «sentenciado» y «condenado» al correspondiente tratamiento (en la cárcel-manicomio que hoy, eufemísticamente, se llama clínica o sanatorio), puesto, en fin, en excomunicación, para volver a emplear la palabra que el último día aplicábamos al impotente, y en reclusión de por vida.

Laing parte de la familia como «célula social», según decían y seguramente siguen diciendo los conservadores. Pues, en efecto, allí

[1] *The Politics of the Family and Other Essays,* Nueva York, First Vintage Books Edition, y (en colaboración con A. Esterson) *Society, Madness and the Family,* Londres, Tavistock.

es donde se decide el rol de cada cual. La familia no es simplemente un microgrupo objetivamente dado. En cada familia, cada miembro asume o se ve atribuido un papel y a la internalización de los roles y relaciones familiares es a lo que Laing llama, entre comillas, «familia». Cada familia es la imagen que sus miembros llegan a tener de ella, a través de toda una historia, secuencia y drama. Drama, es decir, «guión», argumento que es menester «representar». Drama o nexo de tensiones dinámicas producidas dentro de una determinada *situación* social. Esas tensiones pueden conducir a la asignación del papel de «esquizofrénico» a uno de los miembros de la familia, al pariente «elegido» como «víctima propiciatoria», como «lugar» de la descarga que restablezca el equilibrio emocional. Son esquizofrénicos aquellos a quienes familiarmente se les atribuye el papel de tales. Buscar el origen de la enfermedad llamada esquizofrenia es, dice Laing, como perseguir a una liebre siguiendo las huellas que de ella se encuentran... en la mente de los cazadores. Ahora bien, la cosa *funciona.* La antigua «camisa de fuerza» es un excelente símbolo de la situación. La víctima a quien se le pone encima esa «definición» familiar o diagnosis social de que está loca, tan pronto como se siente encerrado en ella, empieza a debatirse, a intentar arrancársela, a comportarse furiosamente —o resignadamente, como ausentándose—, es decir, a aceptar su papel de loco, a internalizarlo. (Laing llega a hablar de «hipnotización», de «sueño hipnótico».)

Cuando el psiquiatra es llamado, o se acude a él, rara vez interviene de veras, rara vez se enfrenta con la situación sociofamiliar en su totalidad de relaciones dramáticas. Acepta la definición que de ella le es dada por el miembro de la familia que lleva a cabo la «denuncia», sin advertir que tal «definición» no es más que una prejuiciada interpretación que forma parte integrante de la situación —que los miembros de la familia, demasiado «dentro» de ella, son incapaces de «ver»— y es su «mistificación». Los psiquiatras al uso lo que hacen es, pues, aceptar sin crítica la prediagnosis social-familiar, ajustarla al «modelo» médico vigente (diagnosis técnica, de entre el cuadro de las enfermedades mentales establecidas, tratamiento a la moda, etc.) y enmarcarla en su *institucionalización* (organizatoria, técnica, arquitectónico-ambiental, etc.). Loco es el «enloquecido» por la familia para, al precio de su eliminación, reconquistar el siempre precario «reajuste» del microgrupo.

La teoría del «desajuste» mental es generalizable. Hacíamos antes alusión al hecho de que el moderno estatuto de «loco» es una invención del siglo XVIII, del siglo de la Razón. Paradójicamente, fue por entonces —*Cartas Persas*— cuando empezó a ponerse en cuestión la perfecta racionalidad de nuestra civilización, frente a las «locas» supersticiones de los pueblos no-occidentales. El «comprometiso» final parece haber consistido en: *a*) el reconocimiento de otras «culturas», diferentes de la nuestra; *b*) el de la superioridad indiscutible de ésta, y *c*) la consideración como comportamiento *deviant* (desviado es poco decir, aberrante) de todo el que no se ajusta a las normas sociales establecidas dentro de la comunidad de que se trate. El pensamiento salvaje, trasplantado a la nuestra, se consideraría como loco. Y, por supuesto, tal es la más benigna calificación a que se hacen acreedores los rebeldes, los inconformistas, los que se sublevan contra el orden establecido. Este decide qué comportamiento es normal y cuál anormal. La violencia de la familia se concentra sobre uno de sus miembros, el desajustado, para salvar así el «orden» familiar. Paralelamente, en los macrosistemas, la violencia se hace recaer sobre toda la masa de gentes —con frecuencia, pueblos enteros— que quedan fuera del subsistema definidor de la situación [2].

La Antipsiquiatría pone de manifiesto que es la familia, en tanto que un todo unitario, la que funciona irracionalmente. Sí, pero puesta esa familia en su contexto —extensión de los estudios *intra*-familiares a los *inter*-familiares— advertimos que tal comportamiento familiar adquiere su propia «racionalidad». Así, a través de sucesivos, cada vez más amplios meta y meta-meta-contextos, se puede seguir el juego de irracionalidades transmutadas en «racionalidades», hasta llegar al sistema total mundial, de irracionalidad irreductible. La civilización actual lo es de cautividad y en cautividad. Cautividad no —o cada vez menos— en jaulas de barrotes; cautividad en «ideas», en «imágenes» (así la del bienestar por el consumismo), el «sueño hipnótico» del que antes hablábamos, productor de la perfecta «adaptación» (a la «cordura» o, cuando menos, a la «locura» como «papel»), la sumisión absoluta o, como llega a decir Laing, la «programación» en la obediencia. La teoría de Laing y de los otros antpisiquiatras abre la posibilidad de una comprensión *interdisciplinar*: el enlace, sin solución de continuidad, desde la psiquiatría, pasando por la psicología, la psicología social y la sociología, hasta la sociología política, la ciencia política... y aún más allá.

Laing nos dice no solamente, como hemos visto, lo que el psiquiatra no hace, sino también lo que debería hacer: en vez de aceptar, sin más, la «diagnosis» familiar, hacer su propia «*dia*-gnosis» o conocimiento de la situación real; es decir, ver *a través* de la «representación» social llevada a cabo por la familia en tanto que «familia». Y esto sólo puede conseguirse mediante una transformación radical en la función del psiquiatra que, hasta ahora, se limita a dar por buena, a «certificar» en sus términos, una «escenificación»

---

[2] Sobre lo que llamo «teoría generalizada» de Laing, puede verse su artículo en la obra colectiva *Ensayos sobre el Apocalipsis,* selección y prólogo de Luis Racionero, Barcelona, Editorial Kairós, 1973.

y que, en adelante tendría que *intervenir,* de verdad, en el drama que constituye cada familia, así como la vida entera en sociedad.

Hay un punto, sin embargo, que me parece digno de discusión. Merced a la referida «*dia*-gnosis» se acaba por descubrir —al parecer, según Laing, *siempre*— un pattern de recurrencia cerrada, incesantemente reiterativa:

> «El padre de la hija muere, la hija concibe un hijo *para reemplazar* al padre. La representación es lo real. Los actores vienen y se van. Tan pronto como mueren, otros nacen. Y cada recién nacido asume el papel que el recién muerto dejó vacante. El sistema se perpetúa así a través de las generaciones, el drama continúa, sin que los actores sean *nunca* el papel que representan.»

Pero ¿se trata entonces de un auténtico drama? En cierto sentido sí, claro: el drama escrito de una vez por todas para su repetitiva, ahistórica representación. La familia segregadora de esquizofrenia no sería capaz de ofrecer sino el mismo papel siempre. La locura sería así constitutivamente anticreativa (nada de «genio y locura»). ¿O bien habría, frente a la locura ahistórica, que la familia engendra, otra «locura», la que rompiendo el círculo, se torna verdaderamente rebelde y creadora?

16. ACTUALIDAD DE WALTER BENJAMIN

En un artículo sobre la juventud y los fascismos en el período entre las dos guerras mundiales, publicado en *La Vanguardia,* de Barcelona, expresaba yo mi extrañeza ante el hecho de que, durante la época del fascismo en España no se hubieran dado a conocer las obras del gran escritor, precursor del totalitarismo nazi y colaborador intelectual, en mayor o menor medida, del Régimen de Hitler, Ernst Jünger. Coetáneo suyo, sólo tres años mayor que él, y, pese a la radical divergencia ideológica, en muchos aspectos comparable a él, fue Walter Benjamin. Ambos pertenecieron a la *Jugendbewegung* o «Movimiento de la Juventud», de principios de siglo. Uno y otro fueron los dos grandes «intelectuales» de la época de Weimar, ni puramente pensadores, ni puramente escritores, sino *écrivants-écrivains* (por usar la distinción de Barthes, cuyo antecedente, como veremos, se encuentra ya en Walter Benjamin), las dos cosas a la vez. Atraídos ambos por Francia, como antes Stefan George y Rilke, ambos excelentes prosistas, más terso y «clasicista», con un gusto entre inhumano y enigmático Jünger, mucho más sugerente y rico en inflexiones e inquietudes Benjamin que, desde muy pronto, participó en la fundación de los «Estudiantes Libres», opuestos al «machismo» germánico de los *Korps-Studenten,* sus duelos y el orgullo de sus faciales cicatrices. Anarquista más bien al principio, marxista nada doctrinario después, sus estudios de sociología de la literatura y de la cultura y de crítica literaria son de una finura y sensibilidad realmente excepcionales.

Yo empecé a leer a Walter Benjamin hace diez años, en los libritos que, enviados como regalo desde Alemania, a medida que aparecían, por mi ya antiguo amigo Rafael Gutiérrez Girardot, fueron publicándose, tras la edición por los Adorno de los *Schriften,* por la Editorial Suhrkamp, de Frankfurt. Como es sabido, gracias a la feliz iniciativa y a la personal dedicación de Jesús Aguirre,

Taurus ha publicado ya dos volúmenes de *Iluminaciones*[1]. Pronto, en un tercer volumen[2], se verterá el trabajo más famoso entre los suyos, «La obra de arte en la época de su reproductibilidad técnica», junto con la «Pequeña historia de la fotografía», que está en muy estrecha relación con él. La idea central de ambos ensayos es la crítica de la concepción «fetichista» de la obra de arte, envuelta en el «aura» mágica de su unicidad, de su aparición única, aquí y ahora, desde no se sabe qué inaccesible lejanía. A la obra de arte se atribuía un valor cultural y de «exposición» (como, en otros tiempos, a «Santísimo»), ritos secularizados de una especie de mística «teología del arte». El haber hecho a las obras de arte susceptibles de perfecta reproducción técnica habría venido a destruir aquel «aura» y a cambiar su función. Ya no se trata de comulgar místicamente con ellas, sino de, una vez desacralizadas y puestas al alcance de todos, situarse ante ellas en una actitud semejante al «distanciamiento» que, con respecto a su teatro, demandaba Brecht. Asimismo, en la fotografía, la «técnica» del buen fotógrafo es comparable a la de un buen ejecutante o concertista, al convertir la cámara en su «instrumento» artístico. El fotógrafo, llega a escribir Benjamin, es al pintor, lo que el cirujano al mago. El mérito enorme de Benjamin, difícil de apreciar en todo su valor en una época de empalago tecnológico como la nuestra, fue, como se ve, su temprana reivindicación de la técnica, incluso y especialmente en contextos estéticos; por tanto su antielitismo.

Incluida en otro volumen aparecerá en castellano la «Crítica de la violencia»[3], publicada por primera vez en 1921 y enormemente perspicaz, que se enfrenta con el problema de modo muy actual: violencia considerada legítima frente a la supuestamente ilegítima, violencia fundadora y violencia conservadora del derecho, «ignominia de la policía» especialmente escandalosa en los regímenes democráticos, la «secreta admiración del pueblo por el gran criminal», la huelga revolucionaria, la «violencia mítica» y la «violencia divina» son diversos aspectos de la cuestión que el autor analiza muy agudamente.

---

[1] *Iluminaciones I* (Imaginación y sociedad). Prólogo, traducción y notas de Jesús Aguirre, Madrid, Taurus Ediciones, colección «Persiles», núm. 47, 1971, 221 pp. *Iluminaciones II* (Baudelaire: poesía y capitalismo). Prólogo y traducción de Jesús Aguirre, Madrid, Taurus Ediciones, colección «Persiles», núm. 51, 1972, 190 pp. Posteriormente ha aparecido *Tentativas sobre Brecht* (Iluminaciones III). Prólogo y traducción de Jesús Aguirre, Madrid, Taurus Ediciones, colección «Persiles», núm. 83, 1975, 152 pp. Se halla en preparación *Iluminaciones IV* (Burguesía y revolución).

[2] *Discursos interrumpidos I*. Prólogo, traducción y notas de Jesús Aguirre, Madrid, Taurus Ediciones, colección «Ensayistas», núm. 91, 1973, 206 pp.

[3] Se incluirá en *Discursos interrumpidos II* (La obra de los Pasajes), en preparación en la misma editorial.

«Las tesis de filosofía de la historia», escritas aún bajo la impresión del pacto germano-soviético, vuelven a recuperar hoy toda su actualidad, y el breve «Fragmento teológico-político», en el que hace ver cómo la idea del «reino de Dios» no puede ser *telos* o fin de la dinámica histórica, por lo que el orden de lo profano no puede construirse sobre ella y la teocracia carece de sentido político, aparecerán, así como algunos escritos más, entre ellos «Historia y coleccionismo», con su tan actual percepción del significado del «arte erótico», en el volumen de publicación castellana ya anunciada [4].

Quedan aún importantes trabajos suyos para futuras ediciones. Permítaseme aludir a algunos de ellos. Nada menos que en 1914-1915 escribió el estudio, comentario al modo del Heidegger de muchos años después, de dos poemas de Hölderlin, en búsqueda de su «forma interna» o, como él dice con fórmula increiblemente preheideggeriana, «das Gedichtete der Gedichte». En el ambicioso y profundo trabajo sobre «'Las afinidades electivas' de Goethe» [5] también adelanta ideas muy heideggerianas, tal ésta: «Cuando desaparece en el hombre la vida sobre-natural [6], aun cuando no cometa ningún acto inmoral, su vida natural se lastra de culpabilidad. Pues se convierte así en presa del simple hecho de vivir, el cual se manifiesta en el hombre como culpabilidad.» La crítica que en este ensayo hace de las doctrinas literarias del círculo de Stefan George, al que anteriormente había estado próximo, es seguramente la primera gran puesta en cuestión de las ideas, difundidas especialmente por otro judío, Friedrich Gundolf, el primero de los discípulos de George, en sus libros sobre Goethe, sobre Shakespeare y sobre el propio George, según las cuales la misión del Poeta-Héroe consistiría en labrar, valiéndose de su obra, su propia vida como «estatua», de tal modo que la «monumentalidad» de tal mitificación, hace ver Benjamin, vendría a abolir la distinción entre «vida» y «obra».

El trabajo «Historia literaria y ciencia de la literatura», publicado por primera vez en 1931, con su distinción entre el *Schreiber* y el *Schriftsteller* adelanta, como ha señalado Gandillac, la distinción de Barthes a que antes hemos aludido, y valora la importancia sociológica de la paraliteratura y la subliteratura. Y también son históricamente importantes sus comentarios al «teatro épico» y a la poesía lírica de Bertolt Brecht.

Sería imperdonable que, entre las obras restantes, dejase de comentar su *Ursprung des deutschen Trauerspiels,* que fue su memoria de cátedra, inconcebiblemente rechazada, debido a lo cual nunca consiguió llegar a ser profesor. ¿Cómo traducir el título? ¿«Origen de

---

[4] Estos tres últimos textos están incluidos en *Discursos interrumpidos I.*
[5] Que se incluirá en *Iluminaciones IV* (Burguesía y revolución).
[6] No en el sentido teológico, por supuesto, sino en el de vida verdaderamente humana, que trasciende el orden natural.

la tragedia alemana»? Benjamin distingue entre *Trauerspiel* o teatro trágico (moderno) y tragedia. El teatro trágico del Barroco alemán es, según él, una caricatura (*Zerrbild*) de la tragedia antigua. Ni las sagas ni la auténtica historia (*Geschichte*) alemana desempeñan papel alguno en él; menos aún el mito, el enfrentamiento del Héroe con el Destino. Si entiendo bien su pensamiento, hubo la tragedia clásica, la tragedia clasicista francesa (Racine) a la que, por lo demás, no hace referencia, y que no parece interesante, y lo nuevo y poderoso, a saber: el drama de Shakespeare y el del teatro español. *El Trauerspiel* o espectáculo trágico del Barroco alemán se reduce a la peripecia dramática en la que el Rey, el Soberano representa, sin más, la historia (Gracián y Saavedra Fajardo son citados muy oportunamente). Los temas españoles de la salvación o condenación cristiano-teológicamente tratada y el honor son auténticamente dramáticos. El teatro barroco alemán no dota de profundidad al «enredo» de Cortesanos e Intrigantes, que empiezan a moverse en figuras de preballet. El nombre mismo, «*Trauer*spiel», de la tragedia moderna, y no sólo la alemana, significa ya una sentimentalización, una psicologización de la tragedia antigua y también —duelo como ostentación, luto— una espectacular barroquización. El teatro barroco alemán no pudo ahondar en la «ponderación misteriosa» —así, escrito en castellano, último epígrafe del libro— del español, del calderoniano. Su insuficiencia es patente. Por ello, concluye Benjamin, en el espíritu de la alegoría ha de ser concebido como fragmentario y en ruinas desde su principio mismo. Como lo que ya no podía ser tragedia clásica ni logró ser drama moderno. Pero cuyo proyecto, cuyo plan merece ser pensado hasta el final.

Fragmentaria también, pero no en ruinas sino, al contrario, enormemente viva e incitante se nos aparece la obra de Walter Benjamin. Truncada su obra, como lo fue su vida en la frontera misma de España, un día de comienzos de otoño del año 1940.

17. VIAJERO SIN EQUIPAJE

La vida misma de Walter Benjamin, y no sólo su obra, consistió en ruptura o interrupción, como muy bien dice Jesús Aguirre en su introducción (introducción, la de Aguirre, más allá de sus prólogos, al conocimiento mismo del autor en España) al tercero de los volúmenes, último de los hasta ahora publicados [1]. Es uno de los rasgos, aparentemente externos, que le hacen privilegiado contemporáneo nuestro. Viviendo siempre en la provisionalidad, se diría que fue esa forma de vida la que le hizo comprender que «lo decisivo no es la prosecución de conocimiento a conocimiento, sino el salto en cada uno de ellos». Disperso —aparentemente disperso— en sus escritos que todos alcanzan, sin embargo, derechamente a nuestra sensibilidad. Escindido en su actitud ante los acontecimientos, reflejada en los «tirones políticos» que padece su obra, siempre proclive a tropezar en todas las censuras y a salirse de todas las ortodoxias. E incluso conservando, como los otros miembros del grupo de Francfort, pero de modo más personal y, yo diría, poético, la nostalgia burguesa siempre al lado de su revolucionarismo disidente, lo que también Aguirre ha visto perspicazmente.

La enorme actualidad de Benjamin, su postura anunciadora de lo que después se habría de llamar Nueva Izquierda y, a la vez, para seguir citando a Jesús Aguirre en su agudo prólogo, de autocrítica de ese neorreadicalismo contestatario, aparece existencialmente fundada en tres breves y preciosos textos contenidos en este volumen: los artículos «Experiencia y pobreza» y «El carácter destructivo» y la «sombra breve» titulada «Habitando sin huellas». Antaño, los padres, los mayores, legaban una experiencia. Hoy estamos destinados a vivir en la pobreza de experiencia. Hay un concepto ascético de pobreza, que sigue resonando en las profundas palabras de Bertolt

[1] *Discursos interrumpidos I, op. cit.*

Brecht, según las cuales el comunismo no es (por de pronto) un justo reparto de la riqueza, sino de la pobreza. (Por eso el genuino comunismo es impopular en una circunstancia como la actual, de riqueza de pacotilla al alcance de casi todos.) Y hay un concepto estético de la pobreza, el fundado por Adolf Loos, el arquitecto conciudadano y amigo de Wittgenstein, a quien citábamos otro día, el que desnuda las casas de ornamentos y cachivaches, el de quien ama el liso, duro acero, el liso, duro y transparente cristal. «Nos hemos hecho pobres», escribe Walter Benjamin en nombre de los mejores, de los que no cederán al consumismo; y, con palabra enormemente actual, agrega que «la humanidad se prepara a sobrevivir, si es preciso, a la cultura». «Sin huellas», borrándolas, liberados de la manía de ir dejando las chucherías, souvenirs de nuestro paso por el mundo, los usos y costumbres, los menudos apegos; dispuestos a vivir como en trance, siempre, de partida, como en trance, siempre, de llegada. El elogio benjaminiano del «carácter destructivo» es el de «el espacio vacío, el sitio donde estuvo la cosa que ha vivido el sacrificio» de su desaparición; el de quien borra hasta las huellas de la destrucción; el del que «no ve nada duradero y, por eso mismo, ve caminos por todas partes». En fin, resume Walter Benjamin con paradoja profunda, el carácter destructivo es «la confianza misma», sustentada, sin asidero, sobre sí, pura y desnuda, pobre y desprovista de experiencia.

Es toda una concepción, como decíamos, ascético-estética de la vida, la cual, en cuanto que se propone, según el mejor modo de Marx, la modificación y no la simple descripción de la realidad, empalma con una concepción de la historia opuesta al historicismo, y que él denomina materialismo. El historicismo fija el pasado, lo coagula, lo reduce a un *continuum* de datos fácticos, precisos, inequívocos, «tales como fueron», de «érase una vez». La concepción de Walter Benjamin rompe ese *continuum* histórico, hace saltar los relojes —«detención mesiánica del acaecer»—, inaugura, como la gran Revolución, un nuevo calendario, convierte el instante pasado en imagen que, relampagueante, alumbra y, dialécticamente, establece «una cita secreta entre las generaciones que fueron y la nuestra». La filosofía de la historia de Walter Benjamin renuncia a la tradición —a la experiencia— histórica, «instrumento de la clase dominante», en favor de un siempre inminente y siempre incumplido mesianismo. Como se ve, hay una correspondencia rigurosa entre el modo de concebir la vida y el modo de concebir la historia: modo discontinuo, «interrumpido» y roto, pobre y vuelto siempre a comenzar, mesiánico y profético. Este modo está muy cerca de la concepción «anarquista» de gran parte de la juventud actual.

Pero todavía no hemos dicho nada del escrito más famoso de los contenidos en este volumen y aun de la obra entera de Walter

Benjamin, el titulado «La obra de arte en la época de su reproductibilidad técnica». A fines del año pasado, cuando escribí en *Cuadernos para el Diálogo* sobre la «Actualidad de Walter Benjamin», hablé de él. (Y también de la «Crítica de la violencia» que entonces parecía que iba a ser incluida en este volumen, lo que me habría venido bien para completar, con un acercamiento que trasciende la psicología, el estudio que, como vimos, hace de aquella Rollo May.) Como ya hemos empezado a ver, y en perfecta compatibilidad con sus «interrupciones», hay en el pensamiento de nuestro autor mucho más *esprit de suite* del que podría parecer. También la concepción «fetichista» de la obra de arte, igual que el historicismo hace con el acontecimiento, igual que el gusto ornamental de la vida hace con el detalle imborrable, consagra en aquella su valor irrepetible e intocable, auténtico y cuasimístico, su unicidad, su «una vez y nunca más». Pero el advenimiento de la era de la perfecta reproductibilidad técnica de las obras de arte, habría venido a ponerlas al alcance de todos, a democratizarlas. ¿Ha ocurrido así? Parece que no. El circuito del mercado artístico, inserto de lleno en el neocapitalismo, no podía consentir tal democratización. El «aura» de las obras de arte ha sido preservada. El comprador exige que aquello por lo que pagó millones sea en propiedad y uso «exclusivo» de él y, por lo que se ve, la gente invierte cada vez más dinero en las ya famosas «subastas» de obras de arte, el «aura» de muchas de las cuales es difícil de percibir, por muy místico y estético que se sea. A lo sumo, y por lo que se refiere a la «obra menor», se condesciende benevolentemente a una reproducción en «número limitado». Es natural. Como ha visto bien Philip Slater, el sistema necesita la «manufacturación de ilusiones de escasez», necesita inventar escasez y, en arte, unicidad, con el fin de asegurar el encarecimiento. No se trata, como, según veíamos antes, decía Bertolt Brecht, de repartir equitativamente la pobreza, sino, muy al contrario, de garantizar ésta para «los muchos» (como los llamaba Aristóteles) y asegurar a los ricos el intangible privilegio de su riqueza, ordinaria las más de las veces, exquisita en raras ocasiones.

Quisiera recoger, próximo a terminar, otra finísima observación de «nuestro contemporáneo» Walter Benjamin. Un marxismo vulgarizado, escribe, extendió la idea de que la «explotación de la naturaleza» ha contribuido o contribuirá a terminar con la «explotación del proletariado». Con gran sagacidad advierte en esta idea «los rasgos tecnocráticos que encontraremos más tarde en el fascismo», y no digamos si en el neofascismo vergonzante de hoy, que ha cambiado su nombre por el de tecnocracia, aun cuando ésta sea con frecuencia tan burda como la de los servidores de Nixon. Y opone a tal «concepción positivista» las «utopías socialistas anteriores a 1848» y, en particular, el «sentido sorprendentemente sano» de las «fantasías» de un Fourier, que esta misma Editorial Taurus [2] ha tenido la buena ocurrencia de presentar al lector español actual, en su divertida mezcolanza de sentido libertario, sentido del orden e ingenuidad. Todo el actual movimiento ecológico de defensa de la naturaleza fue, como tantas otras cosas de hoy, presentido por el «interrumpido» y penetrante Walter Benjamin.

Walter Benjamin que quiso pasar por la vida libre y pobre, despojado de experiencias y de cosas, de dogmas y de nostalgias. Ciertamente, no lo consiguió del todo y, en particular, creo que le acompañaron las nostalgias y una como calidad de poesía en la prosa, en el ensayo, en el fragmento, que le emparenta con Ernst Jünger, con Paul Valéry. Con todo, «ligero de equipaje», llegó así a su *final destination,* a su estación de destino, estación fronteriza, fronteriza con la muerte.

---

[2] CHARLES FOURIER, *La armonía pasional del nuevo mundo,* Madrid, Taurus Ediciones, 1973, 293 pp .(Colección «Ensayistas», núm. 97).

18. UN ALTO EN LA LECTURA

Hoy quisiera, en vez de seguir leyendo, reflexionar sobre lo ya leído. Mas, por otra parte, también es bueno leer, seguir leyendo. La mayor parte de las gentes de mi edad ya no leen, hace tiempo que dejaron de hacerlo. Lo que hacen es *releer* una y otra vez, abriéndolos por aquí o por allá, los libros amados. Y cuando alguna vez, por azar, uno nuevo cae en sus manos, únicamente buscan en él la corroboración de lo que ya creen saber de antemano, o bien, al contrario, el «maniqueo» a quien refutar. Es verdad que también existe la especie de los devoradores de libros, pero el resultado no es mucho mejor. En la época en que yo tenía relación con el profesor Fraga, solía recibir todos sus libros, repletos siempre de la bibliografía pertinente, probablemente leída, y no simplemente citada. Sin embargo, me llamaba la atención el hecho curioso de que libros importantes, que yo conocía bien, eran puntualmente citados, sí, pero casi nunca por lo que aportaban de verdaderamente original. Estoy convencido, en suma, de que la mayor parte de las gentes del oficio, cuando llegan a la madurez, o no leen o no les sirve de nada leer (salvo cuando plagian). Felizmente hay cada vez más lectores que, desinteresadamente, procuran enterarse de lo que los libros dicen y que, después, meditan sobre ello. Esto último es lo que yo pretendo hacer hoy.

En anteriores artículos hemos leído a siete escritores: Agustín García Calvo, Simone de Beauvoir y Françoise Sagan, Wittgenstein o, mejor dicho, un excelente libro sobre él, Rollo May, R. D. Laing y Walter Benjamin. Hemos evitado y continuaremos evitando entrar en la crítica de libros de creación estrictamente dicha. (El libro de Françoise Sagan no fue leído por su valor novelesco, bastante modesto, sino en cuanto autobiográfico testimonio de una época cultural.) Pero en la «serie» siguiente, es decir, a continuación de este artículo, nos ocuparemos de obras sobre teoría de la literatura y crítica literaria.

El punto de partida de nuestra reflexión de hoy va a ser el lenguaje. El lenguaje no como actividad separada —actividad verbal, estudiada en sí misma del modo más aséptico, «profesional», descomprometido moralmente y, por tanto, en definitiva, sociopolíticamente «ajustado» al sistema establecido, sino, muy al contrario, enraizado en la sociedad, sociedad que en el caso de Wittgenstein —nuestro punto de partida—fue la vienesa de la anteguerra. La corrupción de ésta se hallaba puesta de manifiesto, tal fue la tesis de su maestro Karl Kraus, en la de su lenguaje. Y por eso mismo, de aquella sociedad surgió poco después la primera Crítica del Lenguaje —*Neue Beiträge zu einer Kritik der Sprache*—, la de Fritz Mauthner, citado en el *Tractatus*. El hecho de que sea un típico filósofo británico, Stephen Toulmin, quien ha devuelto a la obra de Wittgenstein —para muchos, el primer filósofo del siglo XX— su profundo arraigo sociocultural, es un síntoma más de la insatisfacción que están produciendo la estrecha interpretación «inglesa» del lenguaje y su consecuencia, la llamada filosofía lingüística. Insatisfacción perceptible también en algunos de nuestros mejores filósofos jóvenes. Pienso particularmente en mi antiguo y querido discípulo Javier Muguerza, que está ensayando una *salida* de esa filosofía, no al modo usual entre nosotros, sin tomarse previamente el trabajo de entrar, sino *desde dentro* de ella.

Lenguaje y sociedad: justamente el tema del libro de Agustín García Calvo, la sociolingüística en su más profundo sentido, la imposibilidad de separar, ni casi distinguir, una sociedad y su lengua. La nueva lectura de Wittgenstein pone de relieve en él su raíz ética y su trascendencia mística. La autocrítica de García Calvo desemboca también en una visión mágica y mística de la realidad.

Wittgenstein no habló el lenguaje de su sociedad. Por eso hubo de expatriarse. Pero en su país de —relativa— adopción acabó por hacérsele decir lo que allí interesaba. Tampoco Agustín García Calvo habló el lenguaje —absolutamente adulterado— de nuestra sociedad, y también por eso se ha expatriado y cuando, desde lejos, quiere hacernos oír su voz, ha de hacerlo, para que nos llegue, en lenguaje hermético, bajo un título griego, ni siquiera latino, en un libro desanimador, tan bello como difícilmente accesible.

Han sido éstas las obras de dos «excomunicados», el uno con todos los honores filosóficos, sin ningún honor el otro, quien más bien fue «excomulgado». (El giro que hasta un determinado momento en el curso de su expediente administrativo se dio a éste tuvo literalmente un carácter «inquisitorial».) El tema de la excomunicación nos hace enlazar con los libros de Laing y, a través de ellos, con los de Walter Benjamin y Rollo May.

R. D. Laing nos ha hecho ver el modo como la familia, la sociedad, anulan a quienes se resisten a aceptar el papel que se les atribuye porque se sublevan, se rebelan, luchan: aplicándoles el estigma de «locos» y, en casos extremos, cuando han escapado al manicomio, el de criminales. La alternativa es la sumisión o la subversión. Y adviértase que la segunda no es incompatible con la primera: es posible «aceptar», es decir, internalizar y representar el rol de loco o el de bandido, como en el drama de Schiller. Hace varios meses, un grupo de estudiantes de Psicología de la Universidad de California, de Santa Bárbara, llevó a cabo en la Prisión de Lampoc, no lejos de aquella ciudad, un experimento de asunción de actitudes y papeles. Obtenida la correspondiente autorización, en un pabellón de la cárcel una parte de aquellos estudiantes se dedicó a representar el papel de presos y otra el de carceleros. Todos sabían perfectamente no sólo, claro, que estaban participando en una mera ficción, sino toda la teoría psicológica y psicológico-social de las actitudes y los roles. Sin embargo, al poco tiempo, los estudiantes-presos se habían convertido en presos y los estudiantes-carceleros en carceleros: su repertorio de actitudes y reacciones, modos de sospechar de los otros y de conducirse en relación con ellos, todo su comportamiento era semejante al de quienes, a pocos metros de distancia, estaban «de verdad» encarcelados o eran «de verdad» carceleros. Hasta tal punto la sociedad, incluso una sociedad artificialmente formada, a efectos meramente experimentales, puede conformar el modo de ser, y hacer caer en su propia trampa. La vida es teatro y el quehacer, papel.

Walter Benjamin no se sometió a su papel, a ningún papel. Ni al académico, en un extremo, ni al revolucionario disciplinado, en el otro, o al de miembro ortodoxo de la escuela de Francfort, en medio. Y así vagó por su tiempo, excomunicado también, exiliado también, y muerto en el exilio. No dejó un «sistema». Sólo —nada menos— un puñado de preciosas intuiciones, de geniales anticipaciones.

¿Es la excomunicación, es el exilio —expatriación o exilio interior— el destino de todo auténtico intelectual de nuestro tiempo? La nueva invención, la de estos años pasados, ha sido el exilio interior colectivo, la comuna, la retirada de este mundo corrompido y la vuelta a la «inocencia». Contra la tentación de la inocencia nos previene Rollo May. No podemos recuperar la paradisíaca inocencia perdida. Ser hombre es no ser ya inocente. Pero lo opuesto a esa inocencia no es la culpabilidad, es, tiene que ser, debe ser el poder. Mientras no vivamos en una sociedad justa, de poder democrático, el aparente dilema, ya que no podemos volver a la inocencia, consiste en ser impotentes o ser violentos. Escapar por completo a ese dilema es imposible. Pero podemos luchar sin internalizar, sin «institucionalizar» en nosotros mismos la violencia. Que ésta, si ocurre, sea desencadenada en el curso de los acontecimientos, no convertida en «estructural», como dicen ahora hasta los obispos, no hecha base de sustentación de un sistema, ni tampoco carne y sangre de nosotros mismos.

Termino ya. Una inteligente amiga me decía que, sin conocer el libro de Rollo May, estaba casi segura de que yo decía cosas que él nunca pensó. Es posible. Decía al principio que es menester seguir leyendo, aprendiendo. Sí, pero para ir un poco más allá. Y para poder *decirlo*. A las reglas que nos dio Brecht cabría agregar otra: atribuir a otros, extranjeros poco conocidos, lo que nosotros, libres, diríamos. Es, casi, la absoluta impotencia. Mas ese «casi» nos salva, por un pelo, de ella.

19. UNA GRAMATICA LITERARIA ESTRUCTURALISTA

Voy a comentar un librito[1] publicado por la nueva Editorial que lleva las iniciales J. B. o el nombre completo, Josefina Betancor, de una antigua y querida alumna mía. Verdaderamente estos pequeños «Talleres» son la sal de la tierra editorial hispánica: en general con poco dinero y, consiguientemente, con dificultades financieras, a las que suelen sumarse —espero que esta vez no— las que encuentran de parte de la Censura, su labor de avanzada, en el plano literario, de investigación o de crítica sociopolítica, es digna del mayor encomio. Sean, pues, mis primeras palabras para felicitar a la directora de esta empresa y a sus colaboradores, en primer lugar, supongo, su marido, el poeta Manuel Padorno.

La obrita de Tzvetan Todorov, joven crítico de origen búlgaro, iniciado en el formalismo ruso y recientemente incorporado al grupo estructuralista bajo la dirección de Roland Barthes, nos ofrece un modelo eficazmente simplificado de lo que es este tipo de crítica literaria francesa, es decir, por antonomasia, «el estructuralismo». Vamos a estudiar hoy el «modelo» y el próximo día, partiendo de él, nos enfrentaremos con ese genuino producto francés que, polarmente opuesto al que le precedió, «el existencialismo», presenta características, diríamos con ellos, «estructurales», comunes a él. Pero dejemos por hoy las generalidades y atengámonos estrictamente a nuestro librito.

Quiere ser una «gramática», pero no gramática de la lengua, sino «literaria» del *Decamerón* e, incoativamente, del género literario (y de otros ámbitos, ajenos al de la literatura propiamente dicha) «narración». (También de la teoría de los géneros literarios habremos de hablar más adelante.)

---

[1] TZVETAN TODOROV, *Gramática del Decamerón,* Madrid, Taller de Ediciones Josefina Betancor, 1973, 190 pp. (Colección «Taller Uno», núm. 4).

El objeto de la investigación es, en principio, rigurosamente acotado. Se trata del estudio de una obra, de la obra literaria. Pero la obra literaria puede estudiarse desde muy distintos puntos de vista o, como se decía tradicionalmente, puede constituirse en «objeto formal» de muy diferentes investigaciones (por ejemplo, de sociología literaria, historia literaria, etc.). El «objeto material» *Decamerón* es tomado aquí en cuanto «narración» (conjunto de narraciones). Todorov no empieza dándonos una definición interna del género «narración» sino que, con buen acuerdo, piensa que, si se logra, se logrará solamente al final de la investigación. Lo que sí se puede, cree, es mostrar el *locus,* por decirlo así, donde la narración «se encuentra». La narración *no* es lo narrado, la «historia» como universo o realidad externos al discurso literario, como sucesión o encadenamiento de acciones en sí mismas, sino lo narrado en cuanto articulado *en* el discurso, tal como es presentado en él. (José María Castellet, siguiendo a nuestro autor, en su *Perspectiva de la Literatura 1973* [2] ha señalado esta estructura unitaria que yo llamaría lo-narrado-en-el discurso, como la característica general de la narrativa actual.) No, pues, lo narrado o las acciones en sí mismos (lo que no sería «literatura»), pero tampoco, por el otro lado, el discurso puro (lo que no sería narración y daría lugar a una investigación puramente verbal, sintáctica —discutiblemente— a lo más), sino este discurso en cuanto que «refiere» o relata, es decir, en lenguaje técnico, aquí casi enteramente equivalente, en cuanto que «se refiere», hace referencia o es referencial de lo referido.

Indudablemente el *Decamerón* es una adecuada muestra literaria para el experimento de Todorov. La narración consiste siempre allí en «acción», «intriga», «acontecimientos» sin complicación psicológica (ni, por supuesto, menos aún si cabe, filosófica). Como Todorov puntualiza, se trata de una literatura plenamente apsicológica. El *Decamerón* presenta otras dos ventajas: la continua recurrencia de los patrones estructurales a que se ajustan los cuentos de que se compone, y la falta de invención de las historias, que Boccaccio tomó del acervo folklórico y que se limitó —nada menos— que a *escribir.* Boccaccio ha sido uno de los creadores de la lengua literaria italiana y, particularmente, el artífice de su prosa, pero, evidentemente, tuvo mucho más, para emplear la distinción de Barthes, de *écrivain* que de *écrivant,* intelectual o generador de creatividad, más allá del ámbito verbal. (Lo que no obsta a que la concepción del mundo y la moral reflejada en el *Decamerón* sea la de un mundo nuevo, el de la baja Edad Media en los albores del Renacimiento, pero ésta es otra tematización que no tiene nada que ver con el «objeto formal» de Todorov.)

---

[2] En el libro *España, perspectiva 1973,* Madrid, Guadiana de Ediciones, 1973.

Estas características consistentes en «ausencias» —ausencia de psicología, ausencia de invención de historias y reiteración formal de éstas— permiten al autor hacer la afirmación de que los cuentos del *Decamerón* no son sino «la manifestación de una estructura abstracta, una realización que estaba contenida, en estado latente, en una combinatoria de las realizaciones posibles». Realizaciones posibles y, me importa subrayarlo, por numerosas que sean, *finitas* en número. Como el propio autor confiesa, su trabajo se sitúa en la línea de la lingüística estructural, tal como fue delineada por Saussure, y desarrollada después por la escuela danesa. En la *langue* están dadas ya, en estado latente, todas las combinaciones que ella permite, y que la *parole* no puede hacer más que actualizar. Para el próximo día conviene retener dos observaciones: el «estructuralismo», por más que haya querido abrirse a la lingüística generativo-transformacional, ha quedado marcado de una vez por todas por la lingüística estructural, a la que imita. La imita —segunda observación, que se explicaría el próximo día— tanto más cuanto que la consideración de la *langue* impersonal como única fuente de creatividad (que no es tal) es el presupuesto indispensable para —pasando del plano lingüístico al literario— la eliminación estructuralista del «autor».

Tras las anteriores presuposiciones y precisiones, el cuerpo del trabajo consiste en la distinción, en el relato o relatos, de sus aspectos sintáctico, semántico y verbal, y en el estudio principalmente del primero, algo del segundo y nada del tercero. ¿Qué entiende Todorov por «sintaxis» y por «semántica»? La propensión a la transposición, un tanto mecánica, de categorías de la gramática propiamente dicha a la que el autor llama «gramática literaria» —propensión acertadamente señalada por la prologuista de la edición española que, sin embargo, como traductora, aunque no he visto la edición original, me atrevo a asegurar que ha caído en un *lapsus* de importancia, evidentemente por pura distracción— no favorece, ciertamente, la comprensión del lector. (Tampoco el rigor lógico-formal, más aparente que real, ayuda mucho.)

La primera cosa que hay que decir es que tanto la «sintaxis» como la «semántica» son semánticas en la acepción lingüística usual, pues ambas son significativas. ¿En qué estriba entonces la diferencia? El aspecto sintáctico es el de la significación de sentido (*meaning* en inglés, supongo), tal como se determina en el contexto de la narración, es decir, en la secuencia. El aspecto semántico es la significación de referencia (*reference* en inglés, la «referencia» o el «referirse-a» de que hablábamos antes). La significación semántica hace referencia a «lo narrado», aunque siempre *dentro* de la narración; la significación sintáctica se define en el interior mismo de la narración, según la combinación con las otras unidades de aquélla.

Desde el punto de vista sintáctico las oraciones constan de agente y predicado. Desde el semántico, de nombres propios, sustantivos, adjetivos y verbos. Todorov lleva a cabo primeramente el análisis de estos elementos de la oración —estudio de las oraciones—, para considerar después el enlace de las oraciones entre sí o estudio de las secuencias.

Es aguda la consideración de la categoría sintáctica «agente» en relación con la categoría semántica «nombre propio». No coinciden porque diferentes nombres propios pueden formar un solo agente y también viceversa (problema del número), y esto a lo largo de toda la narración o en una parte de ella. Como el sustantivo no es sino un complejo de propiedades o adjetivos, las partes del discurso pueden reducirse, tras la elucidación anterior, a dos, adjetivos y verbos. Los verbos, a su vez, no se distinguen de los atributos más que por el carácter iterativo de éstos, no-iterativo de aquéllos. Casi todo lo que Todorov dice aquí o es transferido de la gramática lingüística o es transportado desde ella con una cierta violencia. En cambio, el estudio —«sintáctico»— de las secuencias es más original y más útil, desde el punto de vista literario, para el lector del *Decamerón.* El libro se cierra con un *post-scriptum,* autocrítica, que ahorra críticas y un Apéndice, en cierto sentido, la parte más interesante, con mucho, del librito, y que ya comentaré.

20. PARA UNA CRITICA DE LA CRITICA ESTRUCTURALISTA

Del libro de Todorov, que antes comentábamos [1] sobre el *Decamerón,* el Apéndice «Los hombres-relatos» es, sin duda, lo que más gustará al lector, lo menos atenido a esta nueva escolástica y lo más «metafísico», lo que más derechamente nos conduce a la tesis última, la más original y la más discutible, del estructuralismo.

El autor parte de unas preguntas —retóricas— de Henry James que, en realidad, reducen la novela a novela psicológica, a novela de caracteres. Frente a ello se invocan, con razón, la *Odisea* y el *Decamerón, Las mil y una noches* y el *Manuscrito encontrado en Zaragoza.* Ahora la reflexión ejerce principalmente sobre *Las mil y una noches.* Los personajes son en esta obra psicológicamente más inconsistentes, podría decirse, desde el punto de vista del carácter, que insustanciales. La pregunta surge inmediata: ¿Qué es entonces el personaje? He aquí la respuesta de Todorov: «El personaje es una historia virtual que es la historia de su vida. Todo nuevo personaje significa una nueva intriga. Estamos en el terreno de los hombres-relatos». En el cuento árabe, por lo menos, «contar equivale a vivir». El personaje no tiene ni puede tener otra vida que la de su relato. Mas, por lo mismo, cada nuevo personaje que aparece trae una interrupción, que es su propio relato y que, necesariamente, imprime un giro nuevo a la narración. De ahí la importancia estructural decisiva de las «digresiones e inserciones». También aquí Todorov sigue a la lingüística, pero para sacar consecuencias trascendentes. Si el relato que se interpola es el «relato de un relato», ser el relato de un relato es el destino de todo relato. Y si, como veíamos antes, contar equivale a vivir, en la narración «el hombre no es más que un relato; cuando el relato ya no es necesario, puede morir. La narración lo mata porque ya no tiene una función». Eso, en la

[1] Ver capítulo 19.

narración. ¿Y fuera? Pero ¿es que hay algo *fuera* de la narración? La vida entera no es sino relato. Estamos hechos —podría decir Todorov— de la estofa, de la tela de nuestros relatos. ¿Nuestros? El relato originario no tiene relator, es impersonal, y por eso comienza siempre así: «Se cuenta...» Estamos ante la tesis final del estructuralismo, la que partiendo de la impersonalidad de la *langue* —recuérdese nuestra observación del último día— por transposición de ese supuesto al plano literario, alcanza la eliminación del «autor», y por transposición al plano existencial, llega a la afirmación de la «muerte del hombre». Tratemos de ver, con algún detalle este —doble— proceso, para lo cual conviene empezar por el principio.

Y puesto que acabamos de escribir la palabra «existencial», este principio puede ser la comparación del estructuralismo con el existencialismo. Uno y otro son productos típicamente franceses, inteligente re-fundición de concepciones anteriores. El existencialismo re-fundió la más grande filosofía de la historia, la de Hegel —*Fenomenología del Espíritu*— con el *Ser y Tiempo* de Heidegger, la filosofía existencial de Jaspers y toda la dimensión patética teológico-filosófica (Lutero, Pascal, Kierkegaard, Unamuno, todo lo que estudié, hace muchos años, en el libro *Catolicismo y Protestantismo como formas de existencia*). *Mood philosophy* o filosofía montada sobre el talante, sobre un talante determinado, y filosofía del tiempo. (El lector fiel recordará que el artículo en que hablé de los últimos libros de la existencialista Simone de Beauvoir y de Françoise Sagan, que ha reconocido siempre a Sartre como su maestro, contenía en el título la palabra «tiempo».) El estructuralismo se sitúa en una posición opuesta a ese temporalismo y a ese patetismo. Pero de la misma manera que la centralidad del concepto de existencia no fue una invención del existencialismo, tampoco la del de estructura lo ha sido del estructuralismo. En psicología, la *Gestalttheorie,* bajo otro nombre, se enfrentó ya con el problema. En otro lugar he recordado el precedente biológico del concepto de *Umwelt,* netamente estructural y he señalado su posible línea de relación con la Teoría General de los Sistemas, dentro de la cual los conceptos de «estructura cerrada» y «estructura abierta» son fundamentales. Emparentando con esta teoría se encuentra la dirección sociológica americana por excelencia, la sociología estructural-funcional. Marx y Freud llevaron a cabo la desvelación de estructuras latentes y por ello Lévi-Strauss los ha reconocido como sus maestros. El pensamiento de Heidegger es de orientación muy estructural (el concepto mismo de *Da-sein,* ser (o/y estar en-el-mundo), asimismo el de Ortega («yo soy yo y mi circunstancia») y, por supuesto el de Zubiri. Por su parte Wittgenstein, al mostrar la importancia del lenguaje como función, ha subrayado algo que no se ve suficientemente, quizá, en el estructuralismo, la dimensión dinámica de la estructura. Y es claro que la lista podría continuar. Pero el precedente inmediato, la inspiración directa procede de la lingüística estructural y el eslabón intermedio se encuentra en la «antropología estructural» (el paralelismo entre la impersonalidad formal de la *langue* —sobre todo en los estructuralistas daneses—) y la impersonalidad formal del *mito* en Lévi-Strauss, es muy visible. La lingüística estructural, frente a la diacronía filológica, ha centrado el estudio en el aspecto sincrónico del lenguaje, la *langue*. También el estructuralismo ha centrado su estudio en los textos mismos, sin remontarse a sus «fuentes», a la historia.

Pero con esto entramos en el aspecto del estructuralismo que más nos importa aquí, su crítica literaria, la llamada Nouvelle Critique. La atención a «los textos mismos» ¿es un descubrimiento suyo? ¿Qué hizo sino eso el *New Criticism?* En cuanto a la confesada dependencia de los formalistas rusos y, muy en particular, de Jakobson, no es menester insistir.

En suma, yo diría que la *Nouvelle Critique,* menos original de lo que a primera vista podría parecer, es, con todo, importante. Su limitación o, mejor dicho, la raíz de su limitación, ya fue señalada en observación hecha en el artículo anterior: al ser tributaria, en su enfoque, de la lingüística estructural, tiende a ver, sobre todo, recurrencias, *patterns,* estructuras prefijadas. Como ha reconocido el propio Barthes, y se desprende de los mejores análisis —los del *Decamerón* y *Las mil y una noches,* que nos han dado pie a este comentario, los de Racine, Sade, los *Ejercicios espirituales* de San Ignacio—, se presta mucho más al estudio de obras bien compuestas, reiterantes, encadenamiento bien ordenado de combinaciones binarias (son las de moda, frente a las ternarias de Hegel y Marx), que al de obras transgresivas, creativas, que introducen el futuro, por tanto, el tiempo y el tiempo mítico. Decía en el artículo anterior que el estructuralismo no ha conseguido incorporarse de verdad la aportación de la lingüística generativo-transformacional, porque ha quedado prisionero en la posición de la estructural. Análogamente agregaría que su escasa capacidad para habérselas con obras poderosamente simbólicas, creativas, le viene de que, desde su origen, quedó marcado por la literatura de creación, con la que surgió el *nouveau roman.* Si el lector recuerda la reserva con la que terminaba mi artículo sobre Laing, puede hacer aquí una, a mi juicio, oportuna aproximación.

En *El marxismo como moral* hice referencia a los esfuerzos, bien conocidos, por enriquecer aquél con aportaciones estructuralistas. Los estructuralistas, por su parte, han justificado la «eliminación del autor» desde un punto de vista marxista: lucha contra la constitución —capitalista— de un «sujeto propietario hablante, idéntico a sí, valorizado por un sistema complementario: riqueza-palabras bellas» [2], el autor, que introduce *su* obra en el circuito de consumo.

Muerte del autor y, palabra de Michel Foucault, «muerte del hombre». El concepto disolución del yo data, por lo menos, desde Hume; y el psicoanálisis, la radicalización de la teoría de los roles y, como ámbito cultural de nuestra época, la crisis de identidad en que actualmente se vive, están detrás y en torno de esa popularizada fórmula.

En realidad, de eso se trata: El «estructuralismo», repitiendo, desde otra óptica, la labor del «existencialismo», ha llevado a cabo una síntesis, más brillante que rigurosa, de todo un actual «estilo de pensar». Lo que, desde luego, no obsta al reconocimiento de sus muy valiosos hallazgos concretos. Mas la crítica literaria no se detiene con él.

---

[2] PHILIPE SOLLERS en el libro colectivo *Théorie d'ensemble,* Paris, Collection «Tel Quel», Aux Editions du Seuil, 1968. [Hay edición castellana reciente, *Teoría de conjunto,* Barcelona, Seix Barral.]

21. LA CRITICA MITOPOIETICA

Si la crítica estructuralista es la que parece estar más a la moda en Europa —e interesar cada vez más en los Estados Unidos—, el canadiense Northrop Frye es, generalmente, reconocido como el primer crítico angloamericano actual. Su obra más conocida, *Anatomy of Criticism,* no ha sido aún traducida al castellano. Sí, en cambio, el libro del que vamos a ocuparnos aquí [1]. Su lectura es difícil, no, al modo de los estructuralistas, por su pedantería de sistematismo, sino, al contrario, por la, en apariencia, falta total de sistema. Este ha de ser reconstruido, como un *puzzle,* anudando las referencias que aparecen en sus escritos de varia lección. Hoy vamos a considerar la orientación crítica de Northrop Frye y el próximo día, tras la lectura de la *Anatomy* y otras obras, el estado actual de la teoría de los géneros literarios.

El sistema de Frye es también «estructural»; pero los elementos capitales de la estructura literaria son para él los mitos o arquetipos imaginativos que, bajo formas diferentes, recurren siempre. Y por eso su Escuela crítica es denominada «mítica» o «arquetípica». (José María Castellet aplicó finamente su método al estudio de la poesía de Salvador Espríu [2]. Los mitos, los arquetipos son, piensa Frye, la sustancia misma de la poesía. Es de ella de donde Platón primero, la psicología de Jung mucho después, los han sacado y conceptualizado, como por su parte reconoció Freud. Asimismo,

---

[1] *La estructura inflexible de la obra literaria,* Madrid, Taurus Ediciones, 1973, 411 pp. La versión de *stubborn* por «inflexible», más académica que expresiva e intencionadamente antropomórfica, es discutible. Cierto que una traducción no puede apoyarse directamente en el verso de William Blake, del que está sacado el título. Con todo, personalmente yo hubiera preferido algo así como «tenaz».

[2] En su libro *Iniciación a la poesía de Salvador Espriu,* Madrid, Taurus Ediciones, 1971, 238 pp. (Colección «Persiles», núm. 41. Premio «Taurus», 1970).

Frye habla (en este mismo libro que comento, pág. 146) de una «gramática de la expresión poética», casi como Todorov, pero sin calcarla de la gramática lingüística. Más bien en lo que piensa es en una especie de tratado de retórica de la mitología. Esta proporcionaría algo así como un «diagrama o plano detallado de todo el conjunto de la literatura», más simple, más fundamental que las intrincadas ambigüedades de la realización efectiva de ésta, pero muy lejos todavía del vaciamiento puramente combinatorio en el estilo de Lévi-Strauss.

A la formalización estructuralista de apariencia lógico-matemática corresponde en Frye una primacía de la idea de «diseño literario» (el plano o diagrama al que acabamos de referirnos). La metáfora es considerada desde este punto de vista dibujístico, paralelo al de las artes visuales. El pensamiento poético es, según Frye, «intrínsecamente esquemático». La importancia para la crítica literaria del cuento popular procede, justamente, de la sencillez y pureza con que nos presenta el diseño verbal. Las palabras —especialmente las primarias, las poéticas— constituyen la visualización, la «pintura» verbal del mundo. (Los niños hablan como en el capítulo último del *Ulises* de Joyce.)

En esta radical «estructura mitopoiética» están interesados, además de los poetas y, recientemente, los críticos de poesía, los teólogos, los filósofos, los estudiosos de la cultura y, en general, de las humanidades [3]. Northrop Frye tiene una concepción sumamente amplia de lo que sea mito. En realidad no hay más que dos actitudes humanas fundamentales: la de las humanidades, de implicación con el mundo y en el mundo (preocupación, compromiso) y la de la objetividad científica (distanciamiento). El vicio correspondiente a esta segunda actitud es la indiferencia que se produce cuando el investigador deja de sentirse concernido por la sociedad a la que pertenece (y que se expresa en afirmaciones tecnocráticas, tales como, por ejemplo, necesitamos algo así como una guerra nuclear o una enorme catástrofe para detener la explosión demográfica). El vicio de la preocupación es la angustia. En nuestro tiempo ha habido la angustia psicoanalítica, la angustia existencialista y la angustia comunista que, con su *engagement,* intentan liberarse de sí mismas y lograr una «adaptación». Freud y Marx, los dos pensadores de mayor influencia en el mundo de hoy, desarrollaron sistemas de «mitología aplicada» que, ambivalentemente, desencadenan la ansiedad y la aplacan mediante el «reajuste», «la identificación-con». Esta es precisamente la función de lo que Frye llama «mitología social». El llamado *American way of life,* en sus diversas variantes, no es

[3] Aunque dependiente del estructuralismo y no de Frye, se releerá con fruto, desde el presente punto de vista, el valioso libro de Eugenio Trías, *Metodología del pensamiento mágico,* Barcelona, Edhasa, 1970.

sino apego, para huir de la ansiedad, a una creencia mítico-social. Todas las utopías y, para volver al mundo angloamericano, la recuperación de la Arcadia que desde Thoreau, pasando por D. H. Lawrence, llega a Marcuse y Norman O. Brown, son renovados ejemplos de mitología propuesta a la sociedad. Northrop Frye observa hoy, particularmente en los Estados Unidos, «una especie de parálisis del pensamiento e imaginación utópicos» y, agudamente, lo atribuye al rechazo tajante y simplista de la gran utopía comunista.

Por lo demás, según Frye, la función esencial de la religión es, asimismo, mítico-social, de religación de la sociedad, y por eso tiene muy poco sentido, para él, hablar, como se hace hoy, de «desmitologización». (Es decir, que en la ya vieja polémica, Frye estaría de parte de Jaspers, y no de Bultmann.) Sin embargo, a propósito de William Blake, precisa su pensamiento. Desde el Romanticismo, escribe, se ha vuelto a una tendencia conservadora, según la cual por encima del arte, por encima de la poesía, existiría un mundo espiritualmente existencial, del cual la poesía no sería más que subordinada «alegoría». Es el punto de vista de T. S. Eliot, pero, según Frye, no fue el de Blake. Y en todo caso no es el de Frye, que preserva la autonomía del mito poético.

Con esto llegamos, tras haber visto, a grandes rasgos, cuál es su concepción del mito, a la cuestión de lo que ha de ser, para Northrop Frye, la crítica literaria. Esta ha de moverse entre la *experiencia* literaria y la *valoración* literaria. «La experiencia de la literatura no es crítica, exactamente igual que la experiencia religiosa no es teología, ni la experiencia mental es psicología». La crítica literaria y la enseñanza de la literatura[4] son *diánoia,* acción de acercar a la obra misma y de despertar la capacidad moral de participar en ella, de asimilarla (y no de moverse en torno suyo, acumulando «conocimientos» sobre literatura). Por eso consisten en «reconocimiento», el cual incluye el comentario y la interpretación. Pero la obra misma queda siempre «más allá». El *New Criticism* pareció comprenderlo así, al proponerse ponerla inmediatamente delante del lector. Mas pronto sustituyó la obra en sí por el duplicado o trasunto que de ella se forjó. Por otra parte, no existe en literatura un sentido «real», nada que pueda ser «extraído» de la experiencia literaria. O, como se dice en la *Anatomy,* el discurso literario es autónomo y, en cuanto tal, como el matemático puro, ni verdadero ni falso. Por ejemplo, tratando de la poesía de William Blake, hablar de «locura» carece de sentido crítico. Lo único que de ella nos importa es que sea poéticamente coherente consigo misma.

---

[4] Posiblemente, la preocupación actual del profesor Lázaro Carreter (crítico culto y alerta: no todos los profesores, ni mucho menos, lo son) por el tema de la enseñanza de la literatura procede de Northrop Frye y sus discípulos.

La experiencia es pues inaccesible a la crítica en cuanto tal, mas, por el otro lado, la valoración ni siquiera nos dice nada sobre la obra, sino —Frye es aquí muy agudo en su paradoja— sólo sobre el crítico y su época. Existe una estructura epocal de horizontes cerradamente temporales. El crítico, por muy inteligente que sea, queda siempre prisionero, en mayor o menor medida, de los gustos, preocupaciones y angustias de su época. Por eso, los juicios de valor se vuelven sobre él y su posición social —Frye ha insistido mucho sobre el contexto social de la crítica literaria— sin alcanzar a la obra. La presunta «actitud estética» está socialmente condicionada y es, muchas veces, pseudomoral (Frye escribe perspicazmente sobre la metáfora del «buen» gusto). Tampoco cuando se echa de menos una «moral» de la obra se tiene razón: si ésta procede, es el lector, no el autor, quien ha de expresarla.

Northrop Frye, no por reconocer, como todos, que estamos en la «era de la crítica», cae en la hipertrofia de la crítica. La autoconciencia crítica termina devorando la creatividad en las más de las obras del *nouveau roman* y en las de la ulterior literatura estructuralista. Frente a esa reducción de la poesía a la crítica y del lenguaje a metalenguaje, Northrop Frye, crítico de grandes poetas de otros tiempos y precursor de tendencias actuales, vuelve los ojos al mito. Que el sistema de los mitos sea tan inflexible, tenaz y siempre recurrente como en el título dice, es uno de los puntos discutibles que le acercan al estructuralismo y, en otro orden de cosas, según vimos, a la inquebrantable recurrencia de roles de la antipsiquiatría de R. D. Laing. Es, en suma, el tributo que hay que pagar por erigir, como central, el concepto de «estructura». Una visión interdisciplinar permitirá a la crítica literaria, esperémoslo, su sustitución por el nada *stubborn* de «estructura abierta».

22. LOS GENEROS LITERARIOS

Junto a la teoría de la crítica, que considerábamos el último día, e inseparable de ella, la «teoría de la literatura» o de los géneros literarios es la otra gran aportación de Northrop Frye quien, con un enfoque inédito, nos ha dado una visión completamente nueva de aquéllos. Para entenderla veamos rápidamente cuál era el estado de la cuestión antes de él.

Durante la primera parte del presente siglo, la división en géneros, sin desaparecer, se había convertido en inertemente tópica y, en el sentido peyorativo que se daba entonces a la materia, incluida en la Retórica. Fue el gran germanista y cultivador de la *Literaturwissenschaft* Emil Staiger [1] (que no debe ser confundido con el romanista Arnold Steiger, suizo como él) quien, reaccionando contra el extremoso individualismo estético expresivista de Croce y, tras él, de Vossler, recuperó *lo* lírico, *lo* épico y *lo* dramático a partir de la filosofía de su maestro Heidegger, y en tanto que «existenciales» o posibilidades fundamentales de la existencia. Según Heidegger, el tiempo se despliega en sus tres éxtasis o modos de acontecer del ser, el presente o «instante» y, convergiendo en él, el futuro como expectación y futurición, y el pasado como recuerdo. La configuración del tiempo conforme al «proyecto» constituye el «mundo». Y la Poética —aquí empalma Staiger— estudia el estilo del poeta, su mundo poético en función del tiempo y el lenguaje.

Lo lírico, lo épico y lo dramático son los modos poéticos fundamentales que corresponden —pero, como veremos, no con inerte, mecánica y biunívoca correspondencia— a los éxtasis del tiempo. Los

[1] Su obra más importante a este respecto, los *Conceptos fundamentales de Poética,* fue traducida al castellano por mi amigo Jaime Ferreiro Alemparte, docente en la Universidad de Francfort y muy importante investigador de Rilke; y se publicó, fuera de colección adecuada, por la mediocre Editorial Rialp, Madrid, 1966.

llamados «géneros» —*la* lírica, *la* épica, *la* dramática— lejos de constituir, como en la Poética tradicional, un encasillado previo, salido de no se sabe dónde, vienen *después* y no hay obra poética alguna que realice, con pureza separada, ninguno de los modos fundamentales. Por eso modernamente se habla, por ejemplo, de «drama lírico» o de «drama épico» (Brecht), y la balada, especialmente en Goethe, une orgánicamente lo épico y lo dramático a lo lírico.

En lo lírico no hay separación o distancia entre acontecer y palabra. Es la fluencia pura (*reissende Zeit*) por lo que sólo el ritmo musical salva su unidad. Gramaticalmente, la parataxis o coordinación es la expresión de ese puro fluir. El tiempo gramatical es el pasado presente, la *Erinnerung* (*Er-rinnerung*) del transcurrir, no la «memoria», sino el «re-cuerdo» del corazón (*par coeur, by heart*). Considerar lo lírico, según se acostumbra, como subjetivo, es impropio. Es anterior a la separación entre lo subjetivo y lo objetivo. Es estar «fuera» (*draussen*), en el flujo del acontecer y, en cuanto *Stimmung,* entonado a acorde con él.

Si lo lírico tiende a la música, lo épico se acerca a la plástica. Es «memoria», con-memoración, presentización del linaje, la tradición, la gesta memorable, y su fijación, como en monumento. La métrica correspondiente es el verso largo (hexámetro), expresión de la imperturbabilidad del talante épico. El rapsoda es el «historiador» de un tiempo que carece aún de escritura, y que por eso retrata a los personajes con epítetos estereotipables (Aquiles, el de los pies ligeros; Atenea, la de los ojos glaucos). La épica, vuelta al pasado, carece de «proyecto». La ascensión olímpica de Zeus, el que planea porque «mira lejos», señala el final de la cultura épica y el advenimiento de lo dramático. Las epopeyas cristianas, orientadas hacia el futuro, están ya penetradas de dramatismo. (Entre paréntesis, insinúa Staiger y podemos preguntarnos nosotros: el aparente cansancio poético contemporáneo del «plan» y el «problema», y obras como las de Joyce y Pound, Faulkner y García Márquez, ¿significarán un retorno desde lo dramático a lo lírico y épico?)

En fin, lo dramático no coincide, por supuesto, con el género drama, pero tampoco con «lo teatral». Su esencia es el «pathos» para «mover» al público, y el «problema» o «proyecto» (del griego *pro-ballo* y el latín *pro-jicio, projectum, vor-geworfen*). La «escena» es el marco para la concentración (he aquí también el sentido de las tres unidades), el espacio dramático o «campo» de juego —*Spiel, play*— de la existencia. Todo, en lo dramático, es funcional, y depende del final. De ahí el predominio gramatical de la hipotaxis, de las oraciones subordinadas. El proceso de lo lírico a lo dramático es un ascenso a «más» mundo. El mundo puede romperse todo él, y en esa catástrofe consiste lo trágico; o bien pueden desprenderse algunos de sus pedazos —la panza, el trasero, la nariz, una oreja, un vicio que, disfuncionalizados, se sustantivan— y entonces surge lo cómico.

La impresionante concepción de Staiger recuerda, en su búsqueda fundamental de una totalidad unitaria, el sistema de los géneros de Hegel. Su estrecha dependencia de una filosofía hizo que, al perder vigencia el sistema de Heidegger, la clasificación se resintiese en sus fundamentos mismos.

Desde Staiger no se había trabajado con visión de totalidad en la teoría de los géneros, justamente hasta Northrop Frye [2]. De éste habría que repetir, con respecto a Staiger, y todavía con mayor razón, lo que en el artículo anterior escribimos en su relación con el estructuralismo: que la dificultad de su lectura procede, no del prurito sistemático, sino de la riqueza y pluralidad de sus criterios clasificatorios, y de la curiosa, a la vez que reiterativa y confundente manera de presentar y caracterizar los diversos «géneros».

En una primera aproximación distingue la *elegía,* forma poética retraída, melancólica, de la *sátira,* forma de la ironía militante, y de la *épica,* forma didáctica. Pero ¿qué ha de entenderse por *ironía*? Se trata de una categoría para él fundamental, que predomina en el siglo XX y es sinónima, en muchos contextos, de lo trágico, con una frustración del mito aún mayor, a no ser que el distanciamiento permita captar un significado —negativo— de la condición humana (sin-sentido, in-comunicación, soledad).

Desde el punto de vista de la relación con el lector, Frye distingue entre el *mito,* que afirma la superioridad del héroe, la *mímesis baja* o de igualdad y la *ironía* (ahora emplea la palabra en sentido cercano al de la retórica de las figuras de dicción) de inferioridad (que, en realidad, encierra, tras la doblez del lenguaje, una secreta igualdad y aun superioridad). La *tragedia* transcurre de lo ideal a lo real; la *lírica,* de espaldas al público; la épica, dirigiéndose a él. Las poéticas formas particulares proporcionan visiones instantáneas, discontinuas. La *forma enciclopédica* aspira a reunirlas todas.

Una teoría de los *fictional modes* contrapone el modo *trágico,* aislado de la sociedad, del *cómico,* integrado en ella (con distintos grados de integración). Para darse cuenta de la desenvoltura frente al uso establecido, con la que Frye emplea estas categorías, bastará agregar que, según él, la «comedia» es la estructura propia de las novelas de Dickens, uno de cuyos principales ingredientes es el humor. La comedia —«comedia nueva», «comedia amable»— pinta normalmente el triunfo de la juventud sobre la vejez. Y como en la

---

[2] Un libro no muy original, pero sí sumamente útil, porque proporciona información muy completa sobre el tema, es el de PAUL HERNADI, *Beyond Genre (New Directions in Literary Classification),* Cornell University Press, 1972. Para la teoría de los géneros de Frye, véase, sobre todo, su ya citado libro, *Anatomy of Criticism.*

comedia de Shakespeare, hay mucho en Dickens de cuento de hadas, «cuento de hadas desplazado a un bajo nivel mimético».

Northrop Frye estudia los *símbolos* y los niveles de simbolismo (así, a propósito de Blake), y enlaza la teoría de los *arquetipos* con la de los géneros, distinguiendo las imaginerías apocalípticas, demónica y analógica, y relacionando desde el punto de vista del *mito,* el tiempo de la primavera con la *comedia,* el verano con el *«romance»,* el otoño con la *tragedia* y el invierno con la *ironía* y la *sátira.* Estas cuatro categorías, puestas en relación con las oposiciones deseo-realidad, inocencia-experiencia y movimiento hacia dentro-hacia fuera, se dividen en seis fases cada una. Y, en fin, según un último punto de vista, cabe distinguir el *epos,* con su recitado y su recurrencia; la *lírica,* con su canto y su asociación; la *prosa,* con su lectura y su continuidad, y el *drama,* con su representación y su «decorum».

Como comprende el lector, sería absurdo convertir todo esto en sistema concluso. Lo que conviene retener es que, frente a las estructuras cerradas de las que hablábamos al final del artículo anterior, aquí Frye se mueve con extrema libertad crítico-imaginativa, sin encasillar o simplificar la realidad. Por eso sus clasificaciones son, para usar la palabra de Hernadi, «policéntricas», móviles y adaptables *ad hoc,* según la perspectiva que proceda adoptar en cada estudio literario.

23. UN LIBRO QUE LLEGA TARDE A ESPAÑA

El lector atento a lo que se publica hoy en España se quedaría extrañado de que, tratando, como estoy, de las obras que se publican aquí sobre la estructura de la obra literaria, no hablase del libro de Félix Martínez Bonati, titulado precisamente *La estructura de la obra literaria*[1]. Tanto más cuanto que se trata de un hispánico —chileno, formado en Alemania— y la verdad es que España, salvo, en primer lugar, la admirable *performance* de Dámaso Alonso, comparada con la cual sería ciertamente muy injusto subestimar su «competencia» teórica, manifiesta por los intersticios de su libro *Poesía española,* pero no, en cambio, reconocer que sus finísimas intuiciones críticas no han recibido todo el tratamiento general posible; y salvo la obra de Carlos Bousoño, también muy estimada —y criticada, por cierto, en este libro de Bonati—, pero que se mueve, con análisis muy trabajados, en un ámbito bastante estrecho, apenas se ha contribuido, en castellano, a la investigación sobre teoría de la crítica literaria.

El libro de Martínez Bonati *fue* una aportación valiosa cuando se publicó su primera edición, el año 1960, en Santiago de Chile. La primera noticia que yo tuve de él fue en Santa Bárbara, California, en 1967. Lo leí y vi que se trataba de un seguidor del fenomenólogo polaco Roman Ingarden, cuyo libro *Das literarische Kunstwerk* (1931) ha sido la contribución más importante hecha a la estética por los discípulos de Husserl y que, realmente, debería haber sido traducido, a su tiempo, al castellano.

La obra de Ingarden y la de Bonati quedan ya un poco lejanas. Bonati, en la «Nota» escrita para esta edición española, procura hacernos creer que no; que, sin proponérselo así, realizó «una investi-

[1] La obra lleva el subtítulo de «Una investigación de filosofía del lenguaje y estética» y ha sido publicada por Seix Barral, Barcelona, 1972.

gación "estructuralista" en el sentido técnico que esa voz tiene actualmente», y que su libro «exhibe incluso un cierto tipo de reglas *transformacionales*». Con buena voluntad —y qué mejor voluntad puede esperarse que la de un autor para con su propia obra— a todo puede encontrársele antecedentes. De todos modos él reconoce que cuando tituló a su libro «Estructura» tomó la palabra «en un sentido no técnico, sino cotidiano». Otro modo de «datar» una obra escrita en castellano: Bonati, como todo hispánico que se estimara por entonces, escribiese sobre lo que escribiese, siempre tenía que arreglárselas para citar a Zubiri.

¿Significa esto que la introducción, tardía, de este libro en España sea inútil? De ningún modo. Lo que en España tenemos sobre teoría literaria es tan insuficiente que cualquier aumento ha de ser bienvenido. Piénsese que la *Teoría de la literatura,* de Wellek y Warren, y la *Interpretación y análisis de la obra literaria,* de W. Kayser, obras a cuyo nivel de investigación se encuentra la presente, fueron publicadas por Gredos en 1953 y 1954, y después *no hay nada más* (excepto el libro de Staiger, del que hablamos el último día, introducido aquí el año 1966), hasta ahora que empiezan a publicarse libros de crítica literaria estructuralista y angloamericana.

Cualquiera que lea el libro de Wellek y Warren (y el de Kayser que, sin embargo, sigue también, mucho, a Staiger) verá que pese a la crítica, muy puesta en razón, de la disociación de «estructura» y «valor», los autores siguen a Ingarden en la ordenación arquitectural de su obra por «estratos» (páginas 179-186 de la edición española). Bonati, por supuesto, hace lo mismo, con las naturales discrepancias menores. Dedica la Segunda Parte, sobre las dimensiones semánticas del lenguaje, a criticar a Bühler, que hoy está ya lo bastante lejos de nosotros para ser considerado más bien como un «clásico» o, si se prefiere, un genial precursor. La Tercera Parte, la más directamente referida a la literatura, se dedica a alancear a un moro muerto. Siguiendo la crítica general del psicologismo, por Husserl, en las *Investigaciones lógicas,* y la que hace Ingarden concretamente al psicologismo estético, ataca la concepción de Croce y Vossler. También, alusivamente, la de Spitzer (a quien Bonati no estudia, lo que le impide ver la importancia de su evolución, y su permanencia, mayor, para mí, que la de la línea crítica Ingarden-Bonati) y ampliamente la de Carlos Bousoño. El «retorno al estudio de la obra literaria misma» fue un acto positivo llevado a cabo por la Escuela de Munich, pero la consideración «esencial» del autor le hizo continuar prisionera del psicologismo o «biografismo». Este punto, bien aclarado por Bonati, es ya de clavo pasado, después del *New Criticism* y de la «destrucción» del autor por el radicalismo estructuralista.

La relación entre poesía y lenguaje común aparece en Bonati un poco confusa. Por una parte sigue a Ingarden, viéndola como íntima. Por otra, su obsesión fenomenológica le hace criticarla en Croce, hasta llegar a hablar de la «radical diversidad de habla y poesía», del «abismo que separa habla de poesía». Naturalmente, cuando escribió su libro no había leído aún nada de Jakobson (que no aparece citado siquiera en la Bibliografía) ni preveía ideas como las de considerar la literatura creadora como «anti-gramática» en un cierto sentido, es decir, la «desviación» de Spitzer, revalorado por Starobinski[2]. El Capítulo I, sobre «El lenguaje literario», de esta Tercera Parte, es un análisis muy valioso, del que lo que menos me gusta es el uso terminológico del confundente vocablo «pseudofrase». Bonati conoce, por supuesto, las obras de Percy Lubbock —pero no las de los angloamericanos posteriores— y Franz Stenzel, y el problema con el que se enfrenta, «literatura como lenguaje imaginario», es muy importante para la crítica concreta de la obra literaria, particularmente de la novela.

Para resumir, yo diría que su fórmula del «nuevo» método, «Estilistica vossleriana *plus* fenomenología husserliana», ha quedado ya atrasada. Y que esto ocurre —con todas las distancias que se quiera, paralelamente a lo que ocurría a Staiger, según vimos, por su dependencia de Heidegger— por el carácter ortodoxamente fenomenológico y aun ontológico-fenomenológico[3] del sistema de Martínez Bonati.

Con lo anterior no quiero decir, de ningún modo, que la fenomenología haya quedado o haya de quedar arrumbada. No sé si en nuestro país se ve la notable revista *The Human Context* (subtítulo español: «Hombre y Sociedad»), que publica originales en castellano, así como en francés y alemán, y todos en inglés, cuyo miembro español del *Editorial Board* es el catalán José María Gallart Capdevila, y a cuyo *Advisory Board* pertenecemos Laín, Castilla del Pino, Pinillos, Rof, Caro Baroja, Esteva Fabregat, Siguán, Obiols Vié y yo. Pues bien, en su penúltimo número, que estaba dedicado, casi íntegramente, al «Impacto del Estructuralismo» y al examen del libro de Lévi-Strauss *L'Homme Nu,* se incluye un artículo de Jonathan Culler (autor del libro *Structuralist Poetics*), titulado «Phenomenology and Structuralism», dado también en traducción francesa. El artículo es, a la vez, interesante y confuso. Contrapone las actitudes de dos fenomenólogos, Merleau-Ponty y Paul Ricoeur, con respecto al estructuralismo. Merleau-Ponty se sintió acuciado por la demanda filosófica de superar la dualidad sujeto-objeto, y creyó ver en la lin-

---

[2] JEAN STAROBINSKI, *La relación crítica (Psicoanálisis y literatura),* Madrid, Taurus, 1974, 268 pp. (Colección «Ensayistas», núm. 127).

[3] A esta obra, de análisis fenomenológico, ha de seguir otra de análisis ontológico de la obra literaria (el ser de la ficción) que, según temo, nacerá ya desfasada.

güística estructural un «signo» de esa posibilidad. A Ricoeur el estructuralismo en cuanto presunta filosofía y la lingüística estructural le parecen relación —*desde fuera*— entre los fenómenos mismos, en tanto que la fenomenología se propone verlos *desde dentro,* desde el sujeto. Mas la lingüística estrictamente estructural debe ser bien distinguida —lo que no queda claro en Culler— de la generativo-transformacional, e incluso cabe hablar de una lingüística estructural generativa (G. y R. T. Lakoff) no transformacional, a la que no le alcanzaría el encasillamiento en «conductismo» ni el de estudio meramente lexicológico o taxonómico de un universo cerrado. Naturalmente, tan pronto como se introduce el concepto de «competencia», la relación entre estructuralismo y fenomenología se hace posible, y no es casualidad que tanto Husserl como Chomsky hayan escrito libros sobre Descartes. A Culler le importa sobre todo el estructuralismo en cuanto método de crítica literaria. ¿Cuál es su función? «Explicar la competencia literaria», esto es, enseñar a leer literatura o, dicho en otros términos, para él equivalentes, convertir el análisis estructural del discurso literario en una parte de la fenomenología de la lectura. La confusión mayor del artículo, y con su formulación termino, es ésta: ¿Se trata de fundar el análisis estructural en una ontología fenomenológica, como dice al principio, o bien, al contrario, como sugiere al final, de alcanzar, partiendo del estudio estructuralista de sistemas subyacentes, una visión unitaria del mundo y el hombre envueltos en una red de significaciones?

24. INVESTIGACION Y FORMACION BASICA LINGÜISTICAS

El primer libro que ahora comento[1] es el tercero de los publicados por Víctor Sánchez de Zavala, coeditor (en el sentido inglés de la palabra) del primero de los homenajes que —inmerecidamente, por supuesto, pero uno ya no sabe si decirlo así o no: tan convencional resulta lo uno como lo otro— con ocasión de mis sesenta años. Con *Enseñar y aprender* nos desconcertó un poco a todos: incluidos José María Castellet, su editor (ahora en la acepción española de la palabra); Rafael Sánchez-Ferlosio, autor de la «Carta-envío», y yo mismo, autor del prólogo. Sólo después, a la luz de las obras posteriores y también, todo hay que decirlo, a la de la moda actual de la «desescolarización» (ahora que nuestro Ministerio de Educación empieza a declarar que se propone «escolarizar», por fin, y dice, en serio: España siempre a la cabeza de la civilización occidental) estamos en condiciones —hablo de mí mismo— de hacer plena justicia a aquellas, según su autor, «plúmbeas, enmarañadas» consideraciones. En las «Palabras iniciales», de *Hacia una epistemología del lenguaje,* su segunda obra, señala que ya en aquella primera destacaba la importancia, más aún, la «inevitabilidad» del estudio de la Pragmática, tan desatendida por los lingüistas que ni un lugar siquiera le hacen en el sistema de sus investigaciones.

¿Es éste entonces un libro de Pragmática lingüística, de examen del «uso» del lenguaje por parte de quien habla y sus interlocutores, de las locuciones que emplean uno y otros en función de las circunstancias, contextos, momentos, etc., en que se encuentran al hablar? No exactamente. La investigación —«praxiología», como la llama el autor— se sitúa «antes» de la pragmática propiamente dicha, o para recurrir a la distinción de Chomsky, *entre* la «competencia» y la «actuación» que, de todos modos, forman un *continuum*

[1] *Indagaciones praxiológicas. Sobre la actividad lingüística,* Madrid, Siglo Veintiuno de España Editores, S. A., 1973.

desde el punto de vista teórico. Se trata, pues, literalmente, formalmente, de la exploración de un nuevo territorio. Comenzamos este diario de lecturas con un libro, el de García Calvo, de sociolingüística, en el sentido más profundo de la expresión, no en el usualmente técnico; y pasamos hoy a hablar de otro libro, de un campo afín, publicado igualmente por Siglo Veintiuno de España Editores. Como a mi juicio se trata de los dos libros españoles más importantes publicados sobre estas materias, permítaseme congratularme de ser cofundador de esta editorial, aunque, desde el punto de vista económico, a título casi meramente simbólico, y aunque para nada haya intervenido en la decisión de publicar tales libros.

La investigación de Sánchez de Zavala se mueve, como hemos dicho, en un plano intermedio entre el estudio lingüístico, tal como se acota habitualmente, o la «competencia» chomskyana, y el del ejercicio o uso efectivo del lenguaje, la *performance* o actuación. Es lo que el autor llama alguna vez «competencia comunicativa» (que, como veremos en seguida, no es sólo comunicativa), referida a «las dos bases reales del lenguaje», a saber: la producción (el hablar) y la recepción (el comprender lo que dice el que habla) lingüísticas y, concretamente, la teoría de los principios que la hacen posible. Praxiología es pues la teoría de la praxis o actividad lingüística. En el presente libro no se intenta aún, ni podría ser de otro modo en un estadio puramente inicial, más que un desbroce de problemas, de ninguna manera el desarrollo completo de la teoría. Y se intenta —conviene tenerlo muy presente, que ése es el sentido final del trabajo de Sánchez de Zavala— no por la lingüística en cuanto tal, como actividad separada, sino para la «profundización intelectual en el hombre». Pues así como a Chomsky —que está, gracias a Dios, a mil leguas de ser un lingüista puro— le importa la lingüística, no sustantivamente, sino en cuanto permite adentrarse en la psicología teórica, de la que constituiría una rama, Sánchez de Zavala quiere englobar la sintaxis en una semántica, ésta en una pragmática, la pragmática a su vez en una praxiología o teoría de la acción lingüística, la que forma parte de una teoría de la vida humana, capítulo a su vez de una teoría de toda vida animal, y así sucesivamente. (La primacía de la pragmática, dentro del campo de la lingüística, provendría, tal como ve las cosas Sánchez de Zavala, de que semántica y sintaxis no serían sino formulación abreviada de un caso-límite de la pragmática: aquel de un solo locutor, idéntico a sí mismo.)

Sánchez de Zavala es plenamente consciente de la crítica a la que actualmente está sometida la «competencia» chomskyana, y aunque no la suscriba, o sólo la suscriba en parte, se da cuenta de que su postulación como un «saber tácito» más allá de todo examen, innato e intocable, es sumamente peligrosa. Por eso mismo toma como punto de partida para su estudio la distinción, ya establecida por investigadores anteriores, y fundada en la observación empírica del retraso en la producción verbal (del niño) con respecto a su recepción, entre dos saberes o competencias (cuasi competencias si se prefiere): la competencia de o para la producción y la competencia de o para la recepción.

La investigación de Sánchez de Zavala consiste, pues, dicho de otro modo, en una «crítica del lenguaje» en sentido semejante al kantiano, es decir, crítica de las condiciones generales que han de cumplir los hablantes-oyentes para que la actividad semiótica, centrada en lo verbal o «verbo-semiótica», sea posible. (Actividad que no es sólo comunicación, que «antes», por decirlo así, es articulación esquematizante o simbolización de la experiencia; y en el presente libro solamente este «antes» es estudiado).

Naturalmente no podemos ni aun resumir el contenido de tal «crítica» o estudio. En su primera parte, teoría de los sistemas semióticos, tras elucidar los conceptos fundamentales, teoría, sistema, modelo y condiciones de la teoría del «lenguaje natural» nos da, en forma de esquema, el modelo de la cuasi competencia de producción, estudiando sus diferentes componentes. En la segunda parte examina con mayor detenimiento dos de esos componentes, el componente «memoria» y el componente «apelación». Además de los complementos bibliográficos referidos directamente al texto hay, al final, una amplia y bien seleccionada bibliografía.

¿Qué más decir? Al leer, en la página 113, que las posibilidades de intervención comunicativa dependen de la situación sociológica, se me ocurre preguntarme si existe, en España, una audiencia mínimamente suficiente para este libro. Es verdad que, como nos anuncia ya en el prólogo, le ha dado una «redacción sin tecnicismos» o con los menos posibles. Pero siguiendo con su propio texto, ahora la página 115, lo que podemos suponer sabido por todos, «lo "consabido", como señalaba Ortega», ¿es suficiente para entender este libro? Haciendo un esfuerzo, creo que sí. Sánchez de Zavala, al revés que Ortega, no lo alivia, lo demanda rigurosamente. En el difícil libro de García Calvo había de cuando en cuando, lo veíamos, descansos, pequeños juegos, literatura y hasta asomos de poesía. Aquí no. Sólo cuando se atreve a formular el «mito protocientífico», el de «la experiencia de un ser al borde de la capacidad lingüística», hay un «paseo hacia una colinita» distinguiendo la sucesión discreta de los diversos «encuadres» y en seguida una mesa, que nos hacen pensar en el cine, en el *nouveau roman*. Se lo agradecemos, desde luego, pero en fin de cuentas pensamos que ha hecho bien en no ceder a mayores concesiones.

A quien no se sienta con fuerzas o preparación para ello y quiera obtener una visión completa, dentro de los límites de un bien compuesto manual, de la actual ciencia del lenguaje, yo le recomendaría el reciente libro de mi amigo de la Universidad de Indiana, Josep Roca-Pons, *El lenguaje* [2]. Se divide en las siguientes partes: «Temas generales sobre el lenguaje» (y aquí, al hablar del «lenguaje como actividad», habría un huequecito para todo el nuevo Continente avistado por Sánchez de Zavala), «La Fonología», «La Gramática» (morfología y sintaxis o morfo-sintaxis), «La Lexicología» (o Semántica), «La Historia de las ideas lingüísticas», «Las grandes corrientes de la lingüística moderna», «Disciplinas lingüísticas especiales», «El lenguaje desde el punto de vista de otras ciencias o disciplinas», «Las clasificaciones de las lenguas» y, en fin, «La lingüística románica» (y, en particular, la hispánica). He hecho alusión a un posible *locus* para la Praxiología, pero, por supuesto, ya veremos, hay otros.

[2] Barcelona, Editorial Teide, 1973.

25. OTRO MOMENTO DE REFLEXION SOBRE LO LEIDO

Después de un alto en el camino, las lecturas que hemos hecho han sido bastante homogéneas (demasiado, pensará más de un lector); de lingüística al final y de teoría literaria casi todo el tiempo. Nuestra reflexión de hoy podría, pues, comenzar con una ojeada, muy general, a la situación actual de la lingüística, para pasar después, desde ella, a unas consideraciones, asimismo actuales, sobre teoría de la literatura.

El panorama *actual* de la lingüística es bastante complejo, y reflejarlo con algún detalle no correspondería a un manual como el de Roca-Pons —del que el otro día hablábamos, aunque, por falta de espacio, mucho menos de lo que merece—, el cual se limita a hablar de las escuelas de Ginebra, Praga, Copenhague, un poco de otros lingüistas europeos bien conocidos y entre los americanos, Sapir, Bloomfield, representante, hasta cierto punto, del conductismo lingüístico, los post-bloomfieldianos y, en un único párrafo, del «transformacionalismo». Evidentemente, si Chomsky no ha pasado en vano —y no ha pasado en vano— la gramática estructuralista actual no puede consistir ya en «conductismo», «lexicología» en el sentido de taxonomía de un universo lingüístico cerrado. La «piedra de escándalo» en la concepción de Chomsky es su postulación de una facultad lingüística innata. En relación con ella se discute su interpretación de lo que él llama «lingüística cartesiana». En sentido más técnico, se objeta a sus reglas transformacionales. Y, con respecto a lo que más nos atañe aquí, se censura su tendencia a prescindir del estudio de la *performance* y, en general, de la dimensión comunicativa del lenguaje (una parcela en la cual desbrozaba el libro de Sánchez de Zavala).

Hoy parece que debe hablarse, por supuesto, de una gramática generativo-transformacional (la de Chomsky y sus discípulos ortodoxos), pero también junto a ella, o frente a ella, como se prefiera decir, de una gramática generativa no «transformacional» y, más concretamente, de una semántica lingüística generativa. Esta gramática parece tan abierta, por lo menos, como la otra, ya que está en diálogo con las ideas filosóficas de Tarski y Carnap, así como con las de Wittgenstein y Austin (en quien, por cierto, se apoya Sánchez de Zavala al final de su libro). Pero más o menos abierta, no habría sido posible sin la «revolución» de Chomsky.

Los lingüistas modernos habían descuidado, pues, hasta ahora el aspecto semántico y el aspecto pragmático del lenguaje. Acertadamente recogía Roca-Pons una división de la teoría del lenguaje no estrechamente «lingüística», la de Carnap, en (morfo-)sintaxis, semántica y pragmática. Más o menos dentro de pragmática —ya vimos este «más» y este «menos»— caería la «praxiología» de Sánchez de Zavala y, por supuesto, caen la «expresión» y la «comunicación» y «apelación» de Bühler, y la «connotación» a diferencia de la «denotación».

La dimensión del lenguaje como «habla» o inflexión personal ejecutada en la *langue* a través de su «actuación» es lo que Charles Bally, antes que nadie, llamó «estilística», y lo que más nos importa aquí, porque permite el pasaje, sin solución de continuidad, de la *lengua* a la *literatura.* Bonati se oponía, según vimos, a esta continuidad, y por cierto en uno de los capítulos más agudos de su libro, por considerar que la «frase auténtica real», verdadero signo lingüístico, debe ser distinguida de la frase con la que, por ejemplo, se relata un diálogo anterior, y que no sería propiamente signo lingüístico, sino, para usar la terminología de Charles Morris, «signo icónico» (reproducción real de lo que ”fue” signo lingüístico), o «pseudofrase» como la llama, a mi juicio con poca fortuna, Bonati. Y, consiguientemente, caben también representantes o signos icónicos, no de auténticas frases reales, sino de frases auténticas, sí, pero puramente imaginarias. Son lo que, según Bonati, forma la literatura. La comunicación literaria, según eso, nada tiene que ver con la comunicación lingüística. Sería otro «uso» del lenguaje.

Creo que la escolástica fenomenológica, afanosa de encontrar «esencias» puras, ofusca —por búsqueda de excesiva claridad, paradójicamente— a Martínez Bonati. Continuamente, en la conversación real, y por poco literatos, por poco poetas que seamos, estamos haciendo un uso literario y aun poético del lenguaje. Buscamos la expresividad, la frase feliz, perfeccionamos estilísticamente la anécdota o el chiste cien veces contados ya, mantenemos diálogos reales según la falsilla de los diálogos literarios, asumimos hasta cierto punto, e inserto en el de conversador corriente, un rol literario. (En realidad, con la conversación misma puede hacerse literatura.) Aun cuando el prejuicio esencialista las separe, de hecho la función lingüística y la función literaria no son separables, forman, si no un *continuum,* sí un entrelazado. Lo cual no obsta, claro, a que socialmente se consideren ciertos encadenamientos de expresiones como *literatura* y otras no (por cierto, con una línea divisoria móvil), y en el mercado se encuentren unos libros que se venden como de *literatura.*

La continuidad entre la lingüística y la teoría literaria fue ya vista por Leo Spitzer precisamente en lo que llamó Estilística (palabra que acertadamente retomó de Bally). Después, Jakobson ha iluminado, mediante análisis concretos, muy finos y perspicaces, la continuidad subyacente del lenguaje común y el literario. La Estilística apunta a los rasgos propios de cada obra literaria, a lo que tiene de genuino y creativo, es decir, de «desviación» con respecto a los modos anteriores de decir. Martínez Bonati habla demasiado poco —prácticamente nada— de Spitzer, se limita a mencionarle poniéndole junto a Vossler. Creo que es un error, como ya hice notar al criticar su libro. Spitzer vislumbró lo que con Jakobson ha quedado, pienso, bastante claro. Y no hay demasiada exageración en aquel juicio que sobre su propia obra emitió en 1961: «Desde 1920 he practicado este método (estudio de las obras a través del material verbal, como "organismos poéticos en sí") que hoy llamaría estructuralista.»

En suma, yo hoy sustituiría la fórmula que nos proponía Bonati: «Estilística vossleriana plus fenomenología husserliana», por esta otra: «Crítica literaria estructural plus apertura a la creatividad.» Recordará el lector que reprochábamos a la crítica estructuralista su escasa capacidad para habérselas con obras poderosamente creativas. El mismo reproche cabría hacer, y hasta con mayor razón, a la obra de «creación» (digamos mejor, ficción o imaginación) de los escritores estructuralistas. No me parece que a las novelas de Philippe Sollers, Jean Thibaudeau o Jean-Louis Baudry, cualesquiera que sean las calidades que, desde otro punto de vista, se les reconozca, les sobre precisamente poder de creatividad, fuerza mitopoiética. Y de ahí mi valoración positiva de la teoría de Northrop Frye, tomándola, por supuesto, más para analizar lo mitopoiético futuro que para volver los ojos, como él ha hecho, a los mitos pasados —recurrentes siempre, a su juicio, también, y éste sería otro punto de discusión—; tomándola, por supuesto, no como terminal, sino como punto de partida y en cuanto proporciona una nueva orientación.

Para terminar, permítaseme volver a *El lenguaje,* el libro de Roca-Pons, en primer lugar porque sigo con la mala conciencia de no haberlo reseñado suficientemente y, sobre todo, porque al lector no especializado en cuestiones de lingüística y en las relaciones de ésta con la teoría literaria, puede servirle de marco dentro del cual poner, con mayor detalle, lo que haya visto a través de la presente serie de artículos y de las lecturas que por su cuenta haya hecho a partir de éstos. Aun cuando la estructura de su libro sea, según vimos repasando el sumario, la clásica entre los lingüistas actuales, es muy importante, por abrir perspectivas más allá de aquélla, la sección sobre «El lenguaje desde el punto de vista de otras ciencias o disciplinas», a saber: la filosofía, la psicología, la estética literaria, la sociología y la matemática. Ya vimos cómo, hablando de la primera, recogía la concepción de Carnap y el lugar esencial que en ella se hacía a la pragmática lingüística. La matemática ha sido y sigue siendo muy importante como *órganon* que dé estatuto científico a la lingüística. El capítulo dedicado a «la estética literaria» es o podría ser el más importante para el tránsito a ella desde el estudio del lenguaje. Tras todo lo que hemos dicho, se habría deseado, sin duda, un mayor desarrollo de lo que allí se dice. Pero en ningún libro es posible encontrar todo lo que cada uno quisiera.

26. LA METAFISICA DE LAS MAQUINAS DESEANTES

Era importante que se tradujera al castellano el libro de Gilles Deleuze y Félix Guattari *El Antiedipo. Capitalismo y esquizofrenia* [1]. Se trata de la más ambiciosa y, a su modo, sistemática construcción metafísica contemporánea bajo especie psicopatológica. Sabido es que, tras la recesión de hace unos años, el estructuralismo ha generado, está generando una metafísica fabulosa, y empleo la palabra deliberada aun cuando no peyorativamente. Nietzsche y Marx —un Nietzsche y un Marx leídos a la francesa— son el primero provocador y el segundo legitimador de este movimiento. Mucho más cerca, Deleuze y Guattari creen encontrar en Jacques Monod el pertinente aval científico. El producto, final por ahora, es esta obra no sólo antiedípica, como reza el título, sino también, mucho más radicalmente, antihumanística o a-humanística, cuya inspiración viene, claro, de Foucault, pero que los autores han superprestigiado trayendo a punto la cita de Marx según la cual el que niega a Dios sólo hace «algo secundario», pues niega a Dios para colocar al hombre en el lugar de Dios.

Ahora, en esta concepción, el hombre es sustituido por la «máquina deseante», sin otro sujeto que la pulsión que establece conexiones y asimismo disyunciones. En efecto, la máquina sería, simplemente, un «sistema de cortes» del flujo material continuo de la «libido» freudiana o «deseo». El deseo —subrayan los autores en diálogo dentro del marxismo— forma parte de la infraestructura y es, por tanto, muy anterior a su formalización antropológica. Cada máquina deseante está conectada a otra, de la que procede aquel flujo que ella viene a cortar y, cortándolo, a configurar.

La unidad originaria del deseo y la producción —«máquina deseante»— en que consistiría la realidad, es la tierra. La máquina

---

[1] Traducción de Francisco Monge. Barcelona, Barral Editores, 1973, 422 pp. («Breve Biblioteca de Reforma», núm. 11).

terri-torial es la primitiva. Sobre ella, en ella se enchufan las máquinas técnicas. La tercera especie de máquina, la máquina social, tiene como piezas lo que llamamos hombres. Al nivel etnológico estas máquinas se repercuten como primitivismo, despotismo y capitalismo. Y así, en suma, «sólo hay deseo y lo social y nada más». Bien entendido que la producción social, a su vez, es tan sólo la producción deseante en condiciones determinadas.

Tal reduccionismo ¿es mecanicista —máquina— o vitalista —deseante—? Los autores se apoyan en Monod para afirmar que en las síntesis a nivel molecular, la oposición mecanicismo-vitalismo carece de sentido. «Máquinas» sí, pero sin «estructura», e igualmente sin «organización»; funcionamiento del azar que, captado, conservado, se convierte en necesidad. El «inconsciente génico» de Szondi, por otra parte, ha llevado a los genes mismos, lo que Freud ponía en relación con el ego y Jung más allá del super-ego. Es sólo al representarse la máquina en una estructura, el deseo en un organismo, la función en una sociedad, cuando, al nivel molar, pueden surgir como máquinas cerradas en sí mismas, únicas, el individuo, la familia, etc. En realidad no hay máquinas únicas: todas las máquinas están conectadas unas con otras, de tal modo que aislarlas hacia «fuera» y unificarlas hacia «dentro» —«identidad» de cada hombre, por ejemplo— no pasa de ser una convención, una arbitraria visualización que privilegia unas conexiones y unas disyunciones determinadas para configurar así, recortado y fijado, el mundo «sano» y «consciente» en el que los más hemos decidido vivir.

Los más, pero no todos: los «mejores», los «esquizofrénicos», no. La esquizofrenia es para los autores justamente la apertura —o el intento de apertura, y su fracaso, y la vuelta a empezar— del encierro; la ruptura del dique, para volver a dejar correr el flujo, no «molarmente», como la masa de un río, sino esparciéndose a través de los más diversos circuitos, enchufando, como en el humor negro que ahora está de moda —y que, como insinúan los autores, página 329, es la mejor ilustración de esta concepción esquizofrénica de la realidad— en la cabeza del hombre una manga o una caracola, o haciendo que él mismo se la desprenda del cuello para colgarla en un perchero, convirtiendo cualquier parte del cuerpo en pieza de unión con lo más inesperado. Yo para ilustrar este libro habría preferido cualquier dibujo de *El Hermano Lobo* o del mismo *Triunfo,* a la reproducción del «Boy with Machine» de Richard Lindner, con la que se encabeza, y que encuentro demasiado mecanicista. (La «mecanización general de la especie» es reproche que se hace al *Antiedipo.*)

La famosa «muerte del hombre» no será ya, entonces, el final de una época, sino el intento de volver al principio, antes de que el mito del Hombre surgiese. La vuelta al origen es la ruptura de los canales de individuación, el viaje continuo que pasa de un yo a otro porque son meras máscaras, vestidos de poner y quitar, efímeras reencarnaciones, formas que se deshacen solas. «La verdadera salud mental —ha escrito R. D. Laing— implica de un modo o de otro la disolución del ego normal.» Cuando Fernando Savater en su bien compuesta pieza retórica *Apología del sofista*[2], pone, a su vez, sucesivamente, los nombres de Nietzsche, Hipias, Sade, Borges, Beckett, Lovecraft, el de cualquier esquizofrénico y, en fin, el suyo propio, se entrega de lleno a esta disolución. Cuando algunos de nosotros hemos confesado nuestra «infidelidad», lo hacemos moderadamente.

Del mito del Hombre al mito de Edipo no hay, a través del sexo, más que un paso. Amor, en la concepción antropomórfica, es el amor hombre-mujer, ciertamente con todas sus perversiones y todas sus culpabilidades. Pero amor o sexo no-humano es el de las flores, bisexuado, pero con los dos sexos incomunicados y que una tercera máquina ha de poner en comunicación. El esquizofrénico no es hombre y mujer sino hombre para unos hombres, mujer para otros, mujer para unas mujeres, hombre para otras, bisexual, polisexual. Los autores reproducen estas palabras de Lawrence: «Una mujer no representa algo, no es una personalidad distinta y definida... Una mujer es una extraña y dulce vibración del aire que avanza, inconsciente e ignorada, en busca de una vibración que le responda... Y lo mismo ocurre con el hombre.» Las imágenes-modelo de que él mismo hablaba, madre, novia, querida, esposa, santa y puta, rica y pobre son dependencias de Edipo; y ningún «frente homosexual» será posible, en tanto que la homosexualidad sea captada disyuntivamente respecto de la heterosexualidad, y referidas ambas a su común origen edípico. En realidad la antropoformización demanda la familiarización, la constitución de la «Sagrada Familia», como con reminiscencia, más literal, de otra ironía bien conocida, dicen los autores, y, con ella, la edipización, la constitución del triángulo edípico, el «sucio secretito» con los papás.

Freud, reconocen los autores, tuvo el mérito de descubrir la «libido», lo que los autores, marxistas más allá del marxismo establecido, llaman la «producción deseante». Y también desmontó al hombre en sus piezas, ello o id, ego y super-ego. Mas a imitación de los griegos y, por cierto, reduciendo sus proporciones, levantó en seguida un «teatro privado». El psicoanalista se convirtió en director de escena de una representación a medio camino entre la tragedia y el *vaudeville* de *ménage à trois,* y le dijo al protagonista: «Déjate edipizar.» El «mundo de producción salvaje y de deseo explosivo»

---

[2] *Apología del sofista y otros sofismas,* Madrid, Taurus Ediciones, 1973, 190 pp. (Colección «Ensayistas», núm. 101).

fue sometido a orden, dentro de la tensión familiar como, por lo demás, según ya hemos visto, la sexualidad fue sometida a genitalidad, y las fases sexuales no reproductoramente genitales, condenadas no ya abiertamente como «pecaminosas», lo que pasó de moda, sino como «inmaturas». Al psicoanalista le encanta hacer representar sobre el diván, en la cuasi-alcoba, en el cuasi-confesonario de su gabinete, una situación teatral que «representa» lo que el protagonista habría tenido que ver de niño —y se le hace ahora retro-ver, a través de un ojo de cerradura abierto por el propio director de la escena— en aquella otra lejana alcoba de los papás. El psicoanalista, concluyen los autores, ha preferido «un teatro íntimo en lugar de la fábrica fantástica, Naturaleza y Producción».

En uno de los primeros artículos de la presente serie, reproducía yo aquel juicio del vienés Karl Kraus, contemporáneo de Freud, sobre el psicoanálisis: «El psicoanálisis es esa enfermedad espiritual que él mismo pretende curar.» Deleuze y Guattari suscribirían este juicio. El psicoanálisis es una enfermedad, y para curarla proponen el Esquizoanálisis. El próximo día hablaremos de él.

27. ESQUIZOANALISIS FRENTE A PSICOANALISIS

Gilles Deleuze y Félix Guattari oponen en su libro[1] los campos, los talleres, las fábricas, las máquinas, las unidades de producción, al sueño y al fantasma, a la representación mítica y trágica, al teatro edípico del psicoanálisis. El psicoanálisis edipiza al hombre y le encierra, como alienado mental de nuevo tratamiento, en la nueva prisión de la situación pseudoterapéutica, con el médico en el papel de figura alienante. El psicoanálisis se propone la readaptación social. Wilhelm Reich afirmó ya que, en realidad, está puesto al servicio de la represión social. Según nuestros autores, el vínculo de psicoanálisis y sistema capitalista es íntimo, ya que los flujos del deseo, por aquel represados, se vuelcan en Edipo como última palabra del consumo (consumo de papá y mamá), cifra y compendio de todos los demás. «El descubrimiento de una actividad de producción *en general y sin distinción,* tal como aparece en el capitalismo, es inseparablemente la del descubrimiento de la economía política y del psicoanálisis.» Trabajo abstracto (según fue concebido por David Ricardo) y libido abstracta (según la concepción psicoanalítica) se corresponden. Así se explicaría lo que todos percibimos, es decir, el «estilo burgués» de pacientes y agentes psicoanalíticos, el individualismo de los «complejos», la obsesión de ocuparse y preocuparse de sí mismo, el juego de las transferencias, el montaje de la industria del psicoanálisis y la atmósfera enranciada, pequeño-burguesa, que en sus gabinetes-oficinas se respira.

Psicoanálisis, capitalismo, individualismo, despolitización, vida privada, familia como microcosmos han de situarse, según Deleuze y Guattari, en la misma línea. La familia *no* es un microcosmos, la familia no es, como decían los conservadores del siglo pasado, la «célula social». (En efecto, la familia que conocemos, la familia nu-

[1] *El Antiedipo..., op. cit.*

clear, es una creación cultural, que surgió no hace mucho, y que tal vez esté destinada a extinguirse.) La familia está siempre atravesada y cortada por acontecimientos que la trascienden, acontecimientos *políticos* tales como la revolución rusa y la toma del poder por el fascismo, la guerra de España y la guerra del Vietnam. La tragedia griega de Edipo no fue una simple cuestión de familia, fue ya política, como los helenistas han subrayado. El Jefe antecede al Padre.

Deleuze y Guattari examinan los antecedentes de su concepción esquizoanalítica. Lacan —mucho más que en su escuela, en la que se ha producido una involución— mostró el reverso de la estructura edipizante, esto es, la inorganización de los elementos moleculares, dispersos, que pueden componer ciertamente una cadena significante, pero que ellos mismos no son significantes, sino flujos, «nudos». También la Antipsiquiatría —Laing mucho más que Cooper— ha dado un gran paso adelante, pero su tesis central, la de la identidad, en el límite, entre la alienación social y la alienación mental, sigue formulándose a partir de la familia como microcosmos. Y según los autores sólo una efectiva politización de la antipsiquiatría podría hacerla completamente fecunda.

El Esquizoanálisis es, más que una teoría, una terapéutica, una praxis que cura. Las familias salvajes no necesitaban curación porque eran, ante todo, una política, una estrategia de alianzas, parentescos —Lévi-Strauss, Leach—, filiaciones. El esquizoanálisis, en contraste con el psicoanálisis, no consiste en interpretación, porque no hay nada que interpretar: «el inconsciente no dice nada, maquina». La tesis del esquizoanálisis es muy sencilla. El deseo es máquina (y, a su vez, la máquina, deseo), síntesis de máquinas, y como tal pertenece al orden de la *producción,* no, como el psicoanálisis, al de la *representación.* (El inconsciente no «cree» nada, es el psicoanálisis quien hace creer.)

La tarea del esquizoanálisis es, pues, ante todo, negativa. Tiene que llevar a cabo una limpieza, un «raspado» del inconsciente que, destruyendo la ilusión del ego y el fantoche del superego, lo deje mondo y lirondo de «complejos». Esta tarea no es separable de las positivas, la primera de las cuales consiste en descubrir, por debajo de las superestructuras, la naturaleza, el flujo, la producción, las máquinas deseantes. «El esquizoanalista es un mecánico y el esquizoanálisis es tan sólo funcional.» No hay una estructura, no hay un falo —culto fálico— que estructure el conjunto. Todo es, si se quiere, sexo (= deseo), pero sexo no-humano, «screwing» —como se dice en inglés ordinario—, del zapato con el pie, de la pipa con la boca, de la mano en el bolsillo y también, claro, «atornillamientos» genitales, orales, anales.

La diferencia fundamental del esquizoanálisis con respecto al psicoanálisis consiste en que el inconsciente del primero es no-figurativo y no-simbólico, es *material* (materialismo) y no ideológico, es deseo puro, carente de toda «identidad» y de toda relación con algo que le sería «exterior», pues todo es, en realidad, exterior, no hay «intimidad». El esquizoanálisis desencadena el proceso, pero no sólo rompe los diques, sino que evita hacerle girar en el vacío, o darle una finalidad. Lo mantiene abierto, liberado, productor.

Veíamos el otro día que esta metafísica se inscribe en la de la «muerte del Hombre». Sí, pero también, lo vemos ahora, se trata de lo contrario: de la esquizofrenización de la muerte, de su conversión en «lo que no cesa y no acaba de llegar», de la disolución de la muerte, junto con la disolución del yo. El «partir», el «viaje», el delirio esquizofrénico son ya muerte, pero, por lo mismo, suprimen el dramatismo de toda muerte escatológica ulterior —el ¡que me arrebatan mi yo!—, reducida a simple acabamiento de lo que siempre venía ya ocurriendo.

El esquizoanálisis no es, pues, en definitiva, una teoría. Es una tarea y, mejor, una aventura, una gran aventura. Pero cuidado: hay quienes, embarcados en ella, retroceden en seguida y se gregarizan, se hacen fascistas, es decir, engranados a la máquina social en cuanto máquina de sometimiento. Son los paranóicos, hermanos enemigos de los esquizofrénicos.

A Freud, dicen Deleuze y Guattari, no le gustaban los esquizofrénicos. No le gustaba su resistencia a la edipización, y tendía a tratarlos como tontos que toman las palabras por cosas, como «autistas» (justamente, lo que de ninguna manera son), que están separados de lo real y se parecen a filósofos («indeseable semejanza»). Lejos de haber perdido no se sabe qué contacto con la vida, el esquizofrénico es, dice Reich, el que posee la experiencia del elemento vital, el «gran aventurero». No es que sea crea Luis XVI o Napoleón; es que, como vimos en el artículo anterior, disuelve su identidad en la de Luis XVI, en la de Napoleón (y viceversa también, claro está). La esquizofrenia es, en suma, una transformación metafísica de la realidad.

Estamos ya, al fin, empezando a hablar por cuenta nuestra. ¿Qué quiere decir «metafísica»? Otras veces lo he dicho: en tanto que sobria, un sistema de preguntas, para las que no poseemos respuestas seguras. En tanto que ebria, las respuestas, todas las respuestas, delante de las preguntas, la desvelación del misterio, el saber inspirado y absoluto. Es decir, algo muy cercano a la literatura, a la poesía. Los grandes inspiradores de Deleuze y Guattari son D. H. Lawrence, Henry Miller, Artaud. Junto a ellos, los investigadores, por mucho que se hayan dejado llevar del flujo vital de la inspiración, y sin duda Wilhelm Reich y R. D. Laing han sido, para emplear nuestra expresión del siglo XVI, auténticos «dejados», no han llegado más que a tantear el enigma último de la realidad, a rondar en torno a él.

Metafísica con alientos de poesía, una poesía que muchos considerarán, sin la menor duda, radicalmente antipoética, porque viene a destruir todas las «convenciones» de nuestra poesía usual, la de tú y yo y el Amor y la Muerte y Dios. Metafísica y, como ya vimos al hablar del estructuralismo, marxismo o, si se prefiere, para no molestar a los marxistas ortodoxos, neomarxismo, un neomarxismo, como el de los viejos futuristas rusos, subversivo y esquizofrénico, e injerto en lo, a juicio de los autores, todavía válido de Freud. El mundo del *Antiedipo* carece de rostro humano, es antihumanista o, ni siquiera, a-humanista: materia, producción, máquinas accionadas por el deseo, la naturaleza como una fábrica inmensa, pero también la fábrica, todas las fábricas, las humanas incluidas, por supuesto, como la naturaleza misma en su flujo incesantemente productor. Materialismo sí, pero poético, más parecido al antiguo que al del siglo XIX. Y —influencia de la antropología estructural— cansado de la alienante civilización occidental.

28. VIRGINIA WOOLF Y SU EPOCA

El libro *Virginia Woolf. A Biography* [1], escrito por su sobrino Quentin Bell, no es, como se nos previene desde el principio, una obra en la que se haga crítica literaria, sino, según su título o subtítulo, una pura biografía, biografía cuyos capítulos no llevan otro encabezamiento que el de los años a que cada uno se refiere. El primer volumen cubre el período desde 1882 hasta 1912, el tiempo en que Virginia Woolf se llamaba, todavía, Virginia Stephen. Y el segundo, desde que se casó hasta que, en 1941, se suicidó. Es un libro cuya traducción yo, probablemente, no recomendaría, porque expone minuciosamente, con plena documentación, todos los detalles de la vida de Virginia Woolf, lo que hizo y dejó de hacer, las casas en que vivió, sus relaciones con los padres y los hermanos, así como con otros miembros de la familia, sus amistades femeninas y masculinas, literarias y sentimentales, sus altibajos físicos y psíquicos, la difícil enfermedad con la que tuvo que habérselas hasta que ya no pudo más. Con lo cual no quiero decir que el libro se haga premioso de leer, al contrario, sino que, simplemente, está escrito para un público que no es el español sino el de los ingleses cultos que, conociendo bien la obra, más bien reducida, de Virginia Woolf y, a grandes rasgos, su vida, sienten legítima curiosidad por seguir, casi día por día —a lo que las numerosas ilustraciones ayudan eficazmente—, la existencia de la escritora inglesa de más calidad de este siglo. (Como se sabe, Joyce era irlandés, Ezra Pound y T. S. Eliot americanos. D. H. Lawrence nos importa, sobre todo, desde un punto de vista vital y, por decirlo así, «cultual», y Aldous Huxley fue, sin duda, un intelectual más importante que Virginia en cuanto al amplio ámbito de sus intereses y preocupaciones; pero ni uno ni otro y, probablemente, tampoco los antes citados, alcanzaron la finura

[1] Londres, The Hogarth Press, 1973.

poética y de observación, la delicadeza de intuiciones y sentimientos, la perfección y pureza caligráficas de Virginia Woolf).

El libro presenta para nosotros un doble interés que sobrepasa, con mucho, la mera relación de hechos. Por una parte nos da la descripción del estilo de vida de la alta bohemia intelectual de Bloomsbury (tema al que Quentin Bell ha dedicado un libro especial, titulado precisamente *Bloomsbury*), estilo de vida mal conocido aquí y de particular concernimiento, otra vez, hoy; y de la actitud diferencial, frente a tal estilo, de Virginia Woolf, de sus reticencias, y, pese a vivir en el centro del grupo, de su distancia interior, así como, en conexión con todo ello, de su peculiar «feminismo». Por otra parte, se nos da la visión desde dentro, de lo que la escritora quería hacer, de lo que se sentía llamada a hacer. Tema uno, como se ve, de «moral» en el sentido, muy amplio, que yo doy siempre a la palabra. Tema, el otro, de autocrítica literaria.

Bloomsbury es el nombre del barrio de Londres en torno al British Museum, desde el University College (el núcleo inicial, fundado por Jeremías Bentham y el centro más importante de la dispersa Universidad de Londres). El barrio en el que, desde la muerte de su padre, a la que había precedido la de su madre, vivió siempre que vivió en Londres mismo, Virginia Woolf. Pero Bloomsbury significó en estos años un nuevo estilo de vida, en total ruptura con los residuos de la «moral victoriana», y más allá de los «problemas» del tiempo de Oscar Wilde. En realidad, fueron los hermanos varones de Vanessa y Virginia, Thoby sobre todo, muerto joven, quienes llevaron al barrio la libertad de palabras y costumbres de los «Apóstoles» de Cambridge, del «archihomosexual» Lytton Strachey, tan importante en la vida de Virginia Woolf, con la que llegó a contraer efímero compromiso de matrimonio, de su hermano James, con análogas inclinaciones sexuales, de Maynard Keynes, el después tan famoso economista Lord Keynes, homosexual en su juventud, de pintores como Mark Gertler, Duncan Grant y Henry Lamb, y su hermano Walter, de Roger Fry, Leonard Woolf, todos discípulos y fervientes admiradores del filósofo G. E. Moore, del mismo Bertrand Russell, perteneciente también a los «Apóstoles»... Al principio, el libertarismo era homosexual masculino —en realidad, casi todos estos jóvenes eran más bien lo que hoy llamamos bisexuales—, pero hacia 1910 se generalizó a las mujeres. Vanessa, la hermana de Virginia, pintora, se convirtió en la «estrella» de la anarquía sexual, practicó el *strip-tease,* según llegó a decirse, en su propia casa y de su marido Clive Bell (padres del autor del libro que comento) «copuló *coram populo* con Maynard Keynes», convirtió pronto su matrimonio en libre amistad, tomó como amante a Roger Fry y años después a Duncan Grant. Visto desde hoy hay en todo este movimiento de liberación homo y heterosexual, contemporáneo de la gran boga de los Ballets rusos, un ingrediente muy *high camp,* como ha señalado Elizabeth Hardwick, pero también, por ejemplo, en Dora Carrington, émula de Vanessa, aunque desgraciada y suicida, algo de la «inocencia libertaria« de muchas chicas de hoy. Henry James, a quien Virginia conoció desde niña, en parte retrató esta «sociedad», en parte la inventó o dotó de expresión en *The Golden Bowl.*

Virginia se encontró a gusto dentro de este pequeño mundo (por ejemplo, una vez se bañó desnuda a la luz de la luna con Rupert Brooke, figura principal de otro grupo semejante, el de los «Neo-Paganos», procedente asimismo de la Universidad de Cambridge). A gusto y, a la vez, separada por una barrera infranqueable, levantada, en parte, por su conocida frigidez sexual, que no obstó a aventuras amorosas con hombres, su propio cuñado y, sobre todo, con mujeres, principalmente con Vita Sackville-West. Creo que habría que hablar, a propósito de ella, de «amores lésbicos», al modo como se habla de «amor platónico» para diferenciarlos de los «amores lesbianos», a lo que no obsta el que con Vita, lesbiana muy practicante, hubiese habido, como escribe Quentin Bell, «some caressing, some bedding together».

Su peculiar «feminismo» fue otra de sus barreras. Nació, probablemente, de la protesta interior contra la discriminación: sus hermanos fueron a la Universidad, ella y su hermana no pudieron hacerlo, Cambridge les estaba cerrado. Se alimentó de rechazo de «lo masculino», de la agresividad, voluntad masculina de aserción y poder, brutalidad; rechazo del mundo de los hombres, el de la política y el derecho, la filosofía y (con mayúscula) la Cultura, el sexo y la guerra. Por eso no entendió que la liberación de la mujer, causa por la que luchó, tuviese nada que ver con la liberación política; y aunque secundó a su marido, Leonard Woolf, en sus actividades laboristas, nunca pudo interesarse realmente por la política.

¿Se interesó por algo, aparte de ella misma en cuanto íntimamente unida a su obra y vocación de llevarla a cabo, realizarla (por encima de su enfermedad maníaco-depresiva, de la pasión de suicidio, que le acompañó casi toda su vida)? Ella misma habló de su «egotismo» que debe ser entendido en este sentido, en función de su obra, así como sus evidentes celos literarios, que le llevaron a ser injusta con todos sus coetáneos (pero aquí influyó también, especialmente con respecto a Joyce, su repulsa de la brutalidad masculina; y con respeto a T. S. Eliot —de todos modos, el escritor más estimado por ella— su discrepancia en cuanto a la religión, que probablemente consideraba otra «invención» masculina). En *Mr. Bennet y Mrs. Brown,* de 1924, su «manifiesto estético privado», como lo llama Quentin Bell, entendió que la misión de su generación era hacer «otra cosa» que la hecha por Bennet, Galsworthy y Wells. Pero E. M. Forster, su mejor amigo entre los grandes escritores, se había quedado a medio camino en la tarea de la renovación, Katherine Mansfield murió demasiado pronto, y los Joyce y Ezra Pound, D. H. Lawrence y Aldous Huxley, etc., iban, a su juicio, descaminados.

Al final de su vida se sintió literariamente sola. Ni con los suyos, ni con los jóvenes. Estos, muchos de éstos, los mejores, W. H. Auden, Stephen Spender, Isherwood, apreciaron su persona y su obra. Pero era inevitable que se sintiesen lejos de lo que ella había hecho. El talante literario cambiaba, porque cambió el talante político y se sintió la necesidad del *engagement*. La «Safo asexuada» encerrada en la pureza de su obra resultaba «oddly irrelevant» para una época de lucha, en la que su propio sobrino Julian, hermano del autor del presente libro, vino a morir en la Guerra Civil de España. Entonces ya no le quedaba otra cosa que hacer sino consumar, al fin, su suicidio.

Solamente hoy, pasada la época del furor de la literatura comprometida, estamos otra vez en condiciones de ser justos con la estupenda y limitada calidad de su obra.

29. LAS NOVELAS DE VIRGINIA WOOLF, HOY

Ya que acabamos de hablar de la vida y la época de Virginia Woolf, escribiremos ahora sobre su obra, tomando como principal punto de reflexión el más reciente de los libros dedicado a sus novelas [1]. Continuamente se publican en estos últimos años libros sobre ella, especialmente tesis doctorales escritas por mujeres. El «feminismo», por lo demás tan peculiar, de Virginia Woolf, no explica el interés que despierta, tanto menos cuanto que es su novelística lo que principalmente se estudia. En un libro que se acaba de publicar [2] se ha escrito que el «miedo solipsista», el miedo a que el mundo exterior pueda no existir «parece un miedo cómico. Sólo un filósofo —no, un filósofo *lunático*— puede creer *eso*. Y, sin embargo, a veces ocurre que una idea increíble en el más estricto sentido de la palabra, pueda resultar poderosa fuente de inquietud». Yo diría que en Virginia Woolf —por otra parte tan solipsista a su modo: ella *en* su obra— es lo contrario del solipsismo, la disolución del yo en el universo, la vida fuera de sí, en la «visión», el mito, el símbolo, lo que nos atrae. Alice van Buren Kelley lee a Virginia Woolf según la clave de la oposición entre el mundo de los hechos y el reino de la visión. Unas palabras del *Diario* de la escritora, cuando trabajaba en la novela *Los años,* nos darían esta clave. Otra comentarista [3] ha elegido la oposición entre los modos empírico-explicativo y «mitopoiético». Y asimismo se podría arrancar de las oposiciones vida-muerte, soledad-sociedad, mundo-yo, intuición-conceptualización, etc.

---

[1] ALICE VAN BUREN KELLEY, *The Novels of Virginia Woolf. Fact and Vision,* The University of Chicago Press, 1973.

[2] A. D. NUTTALL, *Philosophy and the Literary Imagination,* University of California Press, 1974.

[3] JEAN O. LOVE, *Worlds in Consciousness. Mythopoetic Thought in the Novels of Virginia Woolf,* University of California Press, 1970.

En general, se conviene en que el inspirador filósofo de todas estas dicotomías fue G. E. Moore, maestro admirado por todo el «Bloomsbury Group», a través de sus discípulos directos, los hombres del grupo que estudiaron en Cambridge. A los efectos que aquí nos importan, Moore desempeñó en la Inglaterra de su época una función paralela a la contemporánea de Husserl y Scheler en Alemania y los países influidos por su filosofía. Afirmó un reino del valor absoluto e inmediatamente intuido, que estaría por encima del tiempo y del espacio, del mundo de los hechos naturales y en el cual quedarían incluidos los mentales (=psíquicos). Fue como un nuevo dualismo platónico en el que la Idea (el Conocimiento), el Bien y la Belleza liberaban de las rígidas ataduras del deber, las convenciones, los prejuicios, lo establecido, y abrían la posibilidad de vivir un nuevo romanticismo para uso de los artistas. Cuando Virginia Woolf emplea la palabra «romántico» suele hacerlo con una cierta ironía. Y es que, en efecto, no se puede vivir puramente de la «visión». El tema de Alice van Buren es justamente el de la necesidad del hecho para montar, sobre él, la visión; el de la incompletitud de vivir unilateralmente en el uno o en la otra; el de la demanda de juntar esas dos mitades de la existencia. Se trata, piensa Virginia Woolf, nada menos que de la condición del hombre moderno. Antes de él, el suelo sobre que se pisaba era completamente firme: hechos sí, por supuesto, pero también las «visiones» convertidas en hechos, solidificadas, reificadas, dogmatizadas. Virginia Woolf fue, a su manera, intensamente religiosa, pero la religión establecida, si no se vive como mero «símbolo» de una visión inapresable en dogmas, nos devuelve al mundo de los hechos, peor, al de los pseudohechos. El *supranaturalismo,* como decía Moore, sigue siendo *naturalismo.* Este es el reproche fundamental que Virginia Woolf hacía a T. S. Eliot, por lo demás el más estimable, a su juicio, de los escritores de la recientemente denominada *Pound Era.*

La novela de Virginia Woolf no es, pues, a mi entender, «roman psychologique», ni del «stream of consciousness», como a veces se ha dicho. La «conciencia», si se la quiere llamar así, es, en su sentido, un estado visionario, de trascendencia de las fronteras psíquico-individuales y fusión en el universo. No se puede vivir permanentemente en ella, sólo en momentos privilegiados se accede a ella. Es verdad que los *niños* viven la unidad, pero inconscientemente. También los *locos* mas, según se les llamaba antes, como «alienados». (Sería interesante comparar la disolución poética de la personalidad en Virginia Woolf con la disolución esquizofrénica de la que hablamos en los artículos anteriores, concepción «electromecánica» de la realidad, fluido deseante transcurriendo por las máquinas, a través de cables y enchufes, interruptores y resistencias). *El amor,* desde la fragmentación, une, pero mientras sea personal exclusivamente, no a la totalidad (por eso, en el extremo opuesto, el visionario puro es «too unworldly for love», en el sentido interpersonal de esta última palabra). La *muerte* logra la unidad, mas al precio de la pérdida de la conciencia. Y, en fin, el *arte,* la música, la pintura, la poesía la logran también, pero ambiguamente. (Lily, por ejemplo, en *Al faro,* pero su cuadro, como obra de arte, no vale nada, y Bernard, en *Las olas,* se pierde en las palabras, la futilidad, la «literatura»).

Hay seres humanos que viven en un puro sueño romántico. Otros, entregados a la vida puramente factual. Algunos de estos últimos, los capaces de pensamiento abstracto, los *Truth-seekers* o buscadores de la verdad, pueden reconocer la «visión» en los otros, aun cuando para ellos permanezca inaccesible. Y hay, en fin, los *Seers,* los videntes, los que logran el «contrapunto» (vitalmente, no por modo meramente intelectual, como Aldous Huxley): aceptar la realidad, existir, al mismo tiempo, en el aislamiento y en la unidad, percibir, a la vez, el Más allá del Tiempo, sus Estaciones y la división de aquél por las campanadas de los Relojes, ser en el Mar entero y sólo una de sus olas, menos aún, la espuma que ella levanta. Aunar estos dos lados de la vida, como Virginia Woolf se propuso, es, llega a decir Alicia van Buren, «una tarea comparable a la de concentrar *Guerra y Paz* en la sala de Emma Bovary».

Los momentos de la síntesis suprema se encuentran en ciertos personajes simbólicos, especie de dioses o de madres —Mrs. Ramsay, de *Al faro* es la madre arquetípica— de guías en el Viaje desde los hechos a la Visión. También, junto a ellos y, con frecuencia, fundidos en ellos, las cosas-símbolos que, por serlo, trascienden de sí mismas: el Barco, el Faro —al que mira Mrs. Ramsay desde la ventana, en el que se transmuta al morir para iluminar a la familia y atraerla a sí —el mar, las olas y aun su espuma, como hemos visto, las horas del tiempo, dadas por el Reloj, los trajes, que otorgan forma a quienes, desnudos, se disolverían en el aire o el agua, las botas —expresión del andar de la vida, Botas, recuérdese, de Van Gogh—, las habitaciones, sobre todo «El cuarto de Jacob», en el que Jacob, inaprehensible, amorfo de otra manera, encuentra toda su posible consistencia.

También la religión es un símbolo que nunca, salvo cuando, como veíamos antes, se dogmatiza-naturaliza, es rechazable; y en *Al faro* se toma a amable broma al «little atheist» Charles Tausley. Mrs. Ramsay, el personaje más aunador, es católica, y en uno de sus momentos meditativos llega a decir, arrepintiéndose en seguida: «Estamos en las manos de Dios. Pero inmediatamente se irritó consigo misma por decir eso.» Creer en un Dios personal, amar a una persona, no es sino comenzar la tarea. Lo importante es *creer, amar,* y, de este modo, ser los otros, todos, todo. Lo erótico, en lo que Virginia Woolf rara vez se detiene, también reúne. La Jinny de *Las olas,* la criatura más sensual entre todas las creadas por Virginia Woolf, que vive *en* su cuerpo, *por* él, *a través* de él, siente que el simple contacto de un dedo por debajo de la mesa, durante la cena, torna su cuerpo fluido, vibrante, cayendo en éxtasis. Recientemente, y de modo un tanto paradójico, diciéndolo de esta «Safo asexuada», se ha hablado de la «visión andrógina» en la obra de Virginia Woolf [4]. El *Orlando,* obra, en general, descuidada por la crítica, al tomar demasiado a la letra su autocrítica en el *Diario,* obra «demasiado larga para juego, y demasiado frívola para un libro serio», en la que Orlando es tan pronto hombre como mujer, da pie, sin duda, a esta interpretación. Y también esa percepción desindividualizada del sexo, como propiedad difusa del universo entero.

Si, como veíamos, una interpretación psicologista de Virginia Woolf —por muy fina observación psicológica que se encuentre en su obra— iría absolutamente en contra de la versión poético-panteista que da la autora al antipsicologismo de su maestro G. E. Moore, está igualmente fuera de lugar la crítica de sus novelas por la «escasa integración de los caracteres». Naturalmente que estos personajes carecen de esa solidez asertiva llamada «carácter». ¿Cómo pueden centrarse en sí mismos, afirmarse en su «identidad» cerrada, seres abiertos a la unidad del mundo, disponibles siempre para la congregadora «visión»? Esta tendencia a la disolución de la personalidad es una de las notas que más acercan la obra de Virginia Woolf a la sensibilidad actual. Una chica que apenas ha leído nada de ella, y que para nada se acordaba de su obra cuando hablaba, me decía hace unos pocos días que se sentía «inconsistente», «insustancial», sin fronteras, sin yo, mera sombra, viviendo de los otros y en los otros. Este es, justamente, el «mensaje» de Virginia Woolf: describir un sentimiento de la vida personal como simple ola del mar inmenso, rayo de luz del Faro, extinción y, tras ella, más allá de ella, fusión en la unidad. La locura —amenaza a lo largo de la vida de Virginia Woolf—, el suicidio —punto final de su vida— son, vistos desde esta eminencia que denominar «panteísta» me suena a demasiado filosófico, llamadas seguidas para introducirse, por siempre, en la plenitud total.

---

[4] *Véase* Carlyn G. Heilbrun, *Toward a Recognition of Androgyny,* Nueva York, Knopf, 1973, y centrándose en Virginia Woolf, Nancy T. Bazin, *Virginia Woolf and the Androgynous Vision,* New Brunswick, N. J., Rutgers University Press, 1973.

30. ¿DE LA POESIA SIMBOLISTA A LA ANTROPOLOGIA ESTRUCTURAL?

Una de las palabras que más me molestan aplicadas a un hombre de letras es la de «polígrafo», y quizá el hecho de que a Menéndez Pelayo se le llamara frecuentemente así, influyó muy pronto en que nunca le haya estimado tanto como, acaso, debiera. Y, sin embargo, la intención que preside cuanto estoy escribiendo aquí es, en cierto modo, poligráfica: hablar de libros de temas muy diversos, es decir, hablar de muchas cosas, pero no saltando de una a otra, sino procurando mostrar la relación profunda que las une. He aquí la paradoja: lo que no me gustaba, es lo que he acabado, con gusto, haciendo. Sólo que en vez de poligrafía, a eso, deliberadamente hecho, hecho con la conciencia de que, por debajo de las diferencias, se sigue hablando de lo mismo, se llama hoy mantener una actitud «interdisciplinar».

Así, pues, no le extrañará al lector que inmediatamente después de haber subrayado con discreción, sin exagerar, la relación de las novelas de Virginia Woolf con la filosofía de G. E. Moore, me apeteciese, procediendo por decirlo así en dirección opuesta, leer un libro que desde su título mismo pone en relación la antropología estructural de Lévi-Strauss con el simbolismo francés [1]. Simbolismo del cual nuestro modernismo fue versión superficial, amanerada y vanamente preciosista. (Estoy hablando del modernismo literario, no del artístico, hoy de moda..., aunque ya menos; ni tampoco del modernismo como estilo de vida, muy no sé bien si *high* o *middle camp*). Probablemente nuestro único poeta simbolista, más allá del modernismo, fue, como ha mostrado José María Aguirre [2],

---

[1] JAMES A. BOON, *From Symbolism to Structuralism, Lévi-Strauss in a Literary Tradition,* New York, Harper & Row, First Harper Torchbook Edition, 1973.

[2] *Antonio Machado, poeta simbolista,* Madrid, Taurus Ediciones, 1973, 388 pp. (Colección «Persiles», núm. 59).

Antonio Machado. (¿Quizá algo de J. R. J. también? ¿De algún modo Bécquer antes, debatiéndose con el romanticismo, como el primer Machado con el modernismo?)

Debo confesar que en un primer enfrentamiento con el libro del que trato, me pareció que la relación entre estructuralismo y simbolismo se establecía por vías bastante extrínsecas: Levi-Strauss, en colaboración con Jakobson, había analizado, es verdad, el poema de Baudelaire *Les Chats,* porque ha tomado su método, según piensa Leach[3], del análisis estructural lingüístico-literario, binario ya en Jakobson (oposición metáfora-metonimia), binario según el sistema digital de la teoría de la comunicación, tan influyente en el pensamiento actual. O, dicho de otro modo, más respetuoso: la afinidad no existiría tanto, pensé, entre Lévi-Strauss y el simbolismo directamente, sino entre Lévi-Strauss y quienes en otras disciplinas, hoy de moda, trabajan de una manera, como antes propugnaba, interdisciplinar, según un mismo estilo de pensar. Sería pues, concretamente, la afinidad con Jakobson, lo que le habría movido a colaborar en el análisis estructural de un poema simbolista y a parecer afín a los simbolistas. Tras la reflexión creo que hay algo más que eso, aun cuando el libro me parezca tan estimulante como discutible.

Su primer capítulo deja a un lado las analogías puramente superficiales —de contenido e intereses comunes— que pueden encontrarse fácilmente entre Lévi-Strauss y los simbolistas. El capítulo II resume el antes aludido análisis de Jakobson y Lévi-Strauss, y se pregunta: ¿qué ha podido llevar a Lévi-Strauss a colaborar en ese estudio, cuando sabemos que es bastante reticente en cuanto a la «crítica literaria de pretensiones estructuralistas»? La respuesta nos la dio en *Tristes Tropiques,* título que, verdaderamente, «sabe» a simbolista: la obra del poeta, del pintor o del compositor musical es, como los mitos del hombre primitivo, la forma fundamental de todo conocimiento. Nuestro autor piensa que el arte de los simbolistas corresponde, según ellos, a lo que Lévi-Strauss entiende por «mito» (y no a lo que entiende por «arte»). Es decir, que el poeta, como el hombre primitivo, es también un «hacedor de mitos», mitos que sólo en parte formula conscientemente y que no analiza. Mas ¿qué es analizar, desde el punto de vista estructural? Descubrir la «estructura», entendiendo por ésta el conjunto de relaciones. Hay las relaciones internas a una presentación particular de mito, y a la presentación en que consiste un poema tomado individualmente. Pero hay también y más allá el conjunto de relaciones común a

---

[3] Edmund R. Leach, antropólogo inglés, discípulo heterodoxo de Lévi-Strauss; puede leerse en castellano su libro *Replanteamiento de la Antropología,* Barcelona, Seix Barral, 1971, 225 pp.

[4] Del libro de Lévi-Strauss hay edición española, Buenos Aires, Eudeba, 1970.

todas las presentaciones particulares del mito y, asimismo, el conjunto de relaciones, estructura común al poema y a todo aquello de lo que, si no se toma independiente, es «vestigio». La estructura entonces sería al mito lo que la *langue* en el sentido de *Saussure,* es al lenguaje poético concreto, el del poema que tenemos ante los ojos y todo aquello que se conserva en él como vestigio. (Repárese en que, curiosamente, para que el estructuralismo literario fuese válido, desde el punto de vista de Lévi-Strauss, tendría que abandonar el prurito sincrónico y embarcarse, como él mismo hace con los mitos, en investigaciones diacrónicas). Se trataría en ambos casos de una búsqueda interminable —estructura de la estructura de la estructura y así sucesivamente— de la estructura de las «estructuras», es decir, de una metaestructura (en el sentido en que se habla de metalenguaje, de segundo, tercero, enésimo orden o grado): paso del texto a su contexto, de éste, considerado ahora como texto, a otro contexto más amplio, y así indefinidamente. Estamos ante la esencia misma de lo que ha de entenderse por análisis estructurales, según Lévi-Strauss. Estamos ante lo que polémicamente suele llamarse su «formalismo», es decir, la prescisión de los «contenidos», para no retener sino la red de las relaciones. Estamos, en contraste con el «análisis hermenéutico» (Ricoeur), ante la toma de distancia respecto de lo analizado, esto es, a no vivirlo, al modo existencialista, como *engagement.* ¿Adónde nos conduce este tipo de análisis? Por paradójico que parezca a sus oponentes, nos conduciría al encuentro, en la medida escasa en que podemos aprehenderlo, del «espíritu humano» (designado también con el nombre de «pensée sauvage») en cuanto se «manifiesta» en el pensarse de los mitos mismos *en* los hombres.

Permítaseme que, al llegar aquí y antes de interrumpir por hoy la reflexión, haga unas precisiones (ahora precisiones en vez de prescisiones). La primera para mostrar la coincidencia con lo que hemos visto ultimamente en Virginia Woolf y Deleuze, y antes en otros libros examinados dentro de esta sección: la trascendencia con respecto a la identidad personal. James Boon lo dice expresivamente, jugando con una coma: «Constrúyete a tí mismo un mito; constrúyete a ti mismo, un mito». Desde este punto de vista —segunda precisión— la «distancia» es ya un movimiento de ruptura de la pretendida identidad: separarse de... el mito de sí mismo. Y en fin, tercera precisión, este modo de leer a Lévi-Strauss haría a éste perfectamente compatible con Chomsky, porque liberándole del estructuralismo de estructuras estáticas *dadas* —lingüística estructural—, haría consistir la estructura final en el «espíritu humano» mismo, y habría así una clara analogía entre ello y lo que Chomsky, con conceptuación muy discutible, que toma del cartesianismo, considera «ideas innatas».

Si se admite, junto con todo esto, el «tipo ideal» de lo que nuestro autor llama simbolismo, que está lejos de coincidir con lo que solemos entender en la historia de la literatura con esta palabra, tipo ideal que de ninguna manera nos define Boom con el más mínimo rigor, hay ciertamente analogías entre Lévi-Strauss y otros grandes escritores franceses anteriores a él. Pero esto, y la crítica de todo esto, lo veremos más adelante.

P. S.: Sería desatención no responder a una nota de mi amigo Juan Antonio Bofill. El artículo a que se refiere trataba estrictamente de lingüística. La semiótica tiene un contenido semántico mucho más amplio. Semiótica o, por mejor decir en este contexto, semiología es la teoría general de los signos, entre los que se cuentan, por supuesto, los lingüísticos, pero no sólo ellos, ni mucho menos. Por tanto, no cabe reprochar que no me refiriese a la semiótica cuando sólo estaba hablando de lingüística. Por otra parte, el materialismo histórico, una vez que rompa con cosas tales como la pretendida lingüística de Stalin, puede decir cosas importantes desde el punto de vista de la praxis, palabra tan estrechamente ligada a la pragmática, que no parece que venga a exigir otra división más amplia de la teoría del lenguaje que la de una (morfo)-sintaxis, una semántica y una pragmática. Todo lo cual no obsta, por supuesto, a que convenga poner en relación interdisciplinar semiología y teoría lingüística.

31. LEVI-STRAUSS DENTRO DE UNA TRADICION LITERARIA

Decía al terminar el último artículo que si se admitiese sin más el «tipo ideal» de simbolismo que apunta James Boon [1], lo que es mucho admitir, y que se extiende hasta comprender, antes de los simbolistas estrictamente dichos, a Wagner y hasta a Rousseau, después a Bergson y a Proust, habría ciertamente analogías —¿dónde no las hay?— de Lévi-Strauss con esos autores. Con los simbolistas propiamente dichos, desde luego. Las páginas que Boon dedica a mostrar el estilo simbolista de *Tristes Tropiques,* libro considerado por Susan Sontag, con razón, uno de los mejores, por su calidad literaria, del siglo, así lo evidencian. El «Viaje» investigador es descrito no como un reportaje, sino como el recuerdo acendrado por los pertinentes olvidos. La parábola «La Apoteosis de Augusto», en él incluida, nos presenta la tarea de la antropología, metafóricamente, como el regreso de Cinna, el explorador de las tierras de los primitivos, que *vuelve* de vivir con ellos, y se reúne con Augusto, etnólogo de cuarto de trabajo. Lévi-Strauss entabla dentro de sí mismo, igual que el poeta simbolista con respecto a su lector, un diálogo entre el viajero Lévi-Strauss (el etnógrafo) y el autor Lévi-Strauss (el etnólogo), que recuerda (y olvida) su viaje. Y, además, en Lévi-Strauss, en lugar del lector del poema están *sus* nativos, que no le leen a él, sino a la inversa, cuyo «pensamiento salvaje» trata él de leer.

La analogía entre Lévi-Strauss y Mallarmé (si Mallarmé debe ser considerado como simbolista sin más o como el iniciador de una poesía ulterior, del siglo XX ya, es cuestión que ni siquiera se plantea el autor) es la más clara. Mallarmé escribe a la búsqueda del

---

[1] *From Symbolism to Structuralism..., op. cit.*

Libro, *Grand Oeuvre* inacabable de escribir, poesía de y sobre la poesía, intrínseca a ella, alimentada sólo de reflexión sobre ella y, por decirlo así, metapoética a la vez que «poesía pura», absoluta e inalcanzable «creación» en Mallarmé, y *esprit humain* de Lévi-Strauss.

El caso de Baudelaire es diferente, pues sus «Correspondencias» estructurales remiten, según la interpretación usual, a una metafísica en el sentido tradicional y, por tanto, a un «contenido». A propósito de esto me viene a las mientes que no se ha señalado nunca, que yo sepa, el precedente estructuralista que supuso la *formgeschtliche Methode* teológica de Dibelius, Bultmann, etc. Esta Escuela —de la que se pasó fácilmente a la de la Desmitologización— estudió por primera vez la «forma literaria» de «evangelios», obras proféticas y apocalípticas, libros sapienciales, génesis, salmos, etc., visualizados como «géneros». Lo que ocurre es que el interés por las estructuras literarias mismas se subordinaba a un propósito extraliterario y, como en Baudelaire, de «contenido», en este caso el estrictamente teológico de revelar-aislar lo «inspirado» por la Divinidad, despojándolo de aquella «envoltura» histórica y meramente humana. Sólo una carencia de comunicación interdisciplinar explica este descuido por parte de los críticos literarios estructuralistas. Sin embargo, últimamente ya se estudian los textos bíblicos desde este deliberado punto de vista estrictamente literario. Y, por cierto, el *modus operandi* de aquella Escuela, una vez desteologizado, podría servir de modelo para un análisis que sintetizase el método estructuralista con el hermenéutico-existencial. (Recuérdese que Bultmann ha sido en teología el más importante discípulo de Heidegger).

La analogía con Wagner —aparte de que dé ocasión para subrayar lo mucho que de construcción rigurosamente musical tiene la obra de Lévi-Strauss— me parece sumamente superficial. Se funda en la tendencia del músico alemán a la síntesis entre las diversas artes, y en el concepto de polifonía que naturalmente no es wagneriano, aunque Wagner volviese a él. Durante el siglo XIX, por ejemplo para Baudelaire, y hasta comienzos del siglo XX, fue válida y llena de sentido la oposición entre wagnerianos y antiwagnerianos. Pero después de las burlas, sin duda demasiado crueles de Stravinsky sobre el wagnerismo y los wagnerianos, después, sobre todo, de la verdadera música moderna, la de Wagner, desmitificada, queda ocupando un lugar sin duda importante en la historia de la música, pero muy lejos ya de la sensibilidad actual y, estoy convencido, también de la de Lévi-Strauss.

En cuanto a Proust, es muy sugerente, como analogía con Lévi-Strauss, su concepción de la memoria, el tiempo perdido, el tiempo que «on recherche» y «on retrouve», no como un objeto extraviado que se recupera, sino como creación lograda justamente a través de la «distancia». Pero de él y lo mismo de Bergson, a quien Lévi-Strauss elogia mucho, hay que decir lo mismo, pero aún más enérgicamente que con respecto a Mallarmé: ¿puede considerárseles tranquilamente como «simbolistas»? Es verdad que el autor no opera con el concepto establecido de simbolismo, sino, como ya he dicho, con un «tipo ideal» de simbolismo. Pero desgraciadamente tal tipo ideal en ningún lugar del libro está no ya definido, sino ni siquiera delineado y mínimamente acotado. Esta es sin duda la falla más importante del libro. Se diría que el autor, tras de leer la obra de Fiser[2] —que por supuesto cita abundantemente—, sobre la significación del símbolo en Wagner, Baudelaire, Mallarmé, Bergson y Marcel Proust, tuvo la ocurrencia de que a todos ellos y, antes que a ellos a Rousseau, podía ponérseles en relación con Lévi-Strauss, y así, aplicando alegremente la etiqueta de simbolistas a unos cuantos autores —¡hay tantísimos más!— en quienes la significación simbólica es importante, se gestó el libro. Meter a Rousseau en el saco del simbolismo ya sobrepasa todas las libertades concebibles en el manejo del término. Pero puesto a situar a Lévi-Strauss dentro de una tradición literaria, es claro que no podía prescindirse de él, tan admirado por Lévi-Strauss. Es muy visible la estructura de «confesiones» que tiene el libro *Tristes Tropiques,* y son muy sugestivas las observaciones de la «naturaleza esquizoide» de Rousseau —distancia respecto de sí mismo— y de su estilo de pensar en términos de dualidades, ambas cosas en fuerte contraste con Voltaire. Nuestro autor subraya agudamente este contraste y hace notar cómo, por ejemplo, al tratar Voltaire de los cuáqueros en sus *Lettres philosophiques,* no se ocupa de ellos sino para destacar, por contraste, su actitud libertina, sin en ningún momento detenerse a pensar *qué* puedan ser los cuáqueros en sí mismos. Y claro, si no era capaz de tomar distancias con respecto a los demás, para verlos separados de él, ¿cómo iba a establecer la menor distancia, crítica, o escisión dentro de sí mismo? Ciertamente, Voltaire no estaba dotado para la antropología cultural. No se parecía en nada a Lévi-Strauss.

En suma, que al terminar rectifico, como se ve, la primera impresión, expuesta en el artículo anterior, pero no demasiado. Lévi-Strauss se parece a Rousseau, «el padre de la antropología», como él le llama, y a la cual él se dedica. Se parece a ciertos poetas simbolistas (mucho a Baudelaire, bastante a Rimbaud, poco a Verlaine) o postsimbolistas (Mallarmé, sobre todo). Se parece a algunos de los fundadores del pensamiento y de la sensibilidad modernos (Bergson, Proust). Y se parece, por encima de todos estos parecidos, a algunos

---

[2] Emeric Fiser, *Le symbole littéraire: essai sur la signification du symbole chez Wagner, Baudelaire, Mallarmé, Bergson et Marcel Proust,* Paris, Librairie José Corti, 1943.

de sus más insignes contemporáneos, posee su mismo estilo de pensar, abierto *cross-cultural,* interdisciplinar. Eso es, me parece, todo. Y por eso mejor sería borrar el título del libro y poner en su lugar el subtítulo, con la adición de una palabra: «Lévi-Strauss, dentro de una tradición literaria francesa.»

32. ¿UNA CRITICA DE LA RAZON COLECTIVA?

Voy a ocuparme en este artículo y en el siguiente del importante libro de Stephen Toulmin[1] presentado como primer volumen, «crítica de la razón colectiva», de un conjunto de tres, «crítica de la razón individual» y «crítica del juicio». En realidad este libro apareció antes que *La Viena de Wittgenstein,* del mismo autor, en colaboración con Allan Janik, que ya comenté aquí; pero me he retrasado en escribir sobre él porque, según el plan previsto, el segundo volumen debía estar ya a punto de aparecer. Como hace unas pocas semanas el autor estuvo aquí [en Santa Bárbara, California, desde donde escribo] y me dijo que la redacción de la continuación iba muy despacio, me decido a no esperar más. Se trata, como ya se ve por el aire kantiano de los títulos, de una obra muy ambiciosa —el volumen del que trato tiene más de 500 páginas— y muy importante aunque, como veremos, no da todo lo que los títulos prometen. En todo caso es bueno que nuestros jóvenes lean obras como ésta. En España y tras el colonialismo cultural francés establecido de antiguo, y en el que se ha vuelto a caer hoy cuando apenas se acababa de salir un poco de Sartre, tuvimos la «época alemana» que, para no remontarnos a los krausistas, abrió Ortega, un orteguismo y un marxismo después tan escolásticos como la Escolástica y, en fin una filosofía lingüística, manierista de Wittgenstein. Toulmin, que no es de Oxford sino de Cambridge, descubre, como ya vimos en su libro arriba citado, «otro» Wittgenstein de muy amplios intereses, que no se encierra ni en la lógica ni en el análisis del lenguaje, sino que necesita ser entendido también, y aun antes, desde la ciencia y la reflexión sobre la ciencia. Esta es justamente la línea de despliegue del pensamiento de Toulmin. Tan es así que su libro

---

[1] *Human Understanding,* volume I, General Introduction and Part I, Princeton University Press, 1972.

habla casi exclusivamente del conocimiento científico y no, como se esperaría, del conocimiento humano en general.

Toulmin empieza por analizar el concepto de «racionalidad» para mostrar que, lejos de poder ser reducido a mero sistematismo lógico, consiste mas bien en la capacidad de habérselas con nuevas situaciones y de ser capaz de responder a ellas. (Dediquemos un recuerdo a Xavier Zubiri aquí.) La construcción de sistemas lógicos se hace en circuito cerrado. La racionalidad, en el pleno sentido de la palabra, tiene que enfrentarse con la realidad y sus cambios. Los sociólogos actuales se ocupan sobre todo del «cambio social». Toulmin, del «cambio conceptual». Es verdad, por supuesto reconocida por el autor, que la racionalidad es atributo presente en todas las actividades o empresas humanas. Mas de hecho, el cuerpo, grueso cuerpo de este volumen, está dedicado a las empresas racionales colectivas en tanto que «disciplinas» o empresas científicas. De ellas hablaremos en el próximo artículo. Hoy nos vamos a ocupar de los problemas del uso de la razón y del cambio conceptual.

Hay en un extremo, piensa Toulmin, la concepción lógico-invariante, estático-matemática, intemporal de la racionalidad. Toulmin la ejemplifica en Frege. Al español de hace unos años aficionado a la filosofía le habría resultado más claro, por mejor conocida, la mención de Husserl, que no se hace en el libro. (El autor me dijo en conversación particular que, en efecto, Husserl y la fenomenología deberían haber aparecido en tal contexto, pero que no ha querido hablar de ellos porque, como buen británico, no los conocía suficientemente.) Y, en el otro extremo, histórico, cambiante, dinámico temporal, Collingwood es el autor elegido. Collingwood, contemporáneo de Ortega y de notable afinidad intelectual con él, ha sido, como todos los ingleses de la época, empezando por Bertrand Russell, para no hablar de G. E. Moore, poco conocido entre nosotros. Personalmente habría preferido, y no por estrechas razones de conciudadanía, que fuese Ortega el hito de referencia. Pero pretender esto es lo mismo que decir —y es verdad— que me habría gustado que este libro lo hubiera escrito un español. Collingwood, igual que Ortega, tuvo que debatirse con el problema del relativismo y la relatividad. Collingwood sustituyó el análisis formal de los «conceptos puros» por el análisis histórico de las «presuposiciones absolutas», las cuales se asientan por cada época, en efecto, como absolutas, pero en realidad cambian. Y en ese cambio de las presuposiciones absolutas es en lo que consisten las crisis históricas.

Según Toulmin, el primer uso de la razón es demasiado estrecho y este segundo, el personificado en Collingwood, insuficientemente riguroso. Pero Collingwood vio bien el hecho del «cambio conceptual». ¿Cómo ocurre éste? Al llegar aquí el autor tiene que enfrentarse con su principal adversario, con el que, pienso yo, ha suscitado, más que nadie, este libro, un autor muy de moda hoy en el mundo angloamericano, T. S. Kuhn [2], mal conocido también, me temo, en España, pero en relación con el cual mi querido amigo Javier Muguerza ha escrito cosas importantes muy próximas a ver la luz. Aunque no haya constancia alguna de la relación de Kuhn con Collingwood, Toulmin piensa que la obra de aquél puede ser leída como en diálogo con la de éste. Cuando se pasa, por ejemplo, de la física de Newton a la de Einstein se produce una crisis, una «revolución científica», con palabras de Kuhn, el paso de un «paradigma» a otro y, con ello, la ruptura total de la continuidad racional. (Toulmin analiza los cambios posteriores de posición en Kuhn con un detalle en el que no podemos entrar aquí.)

La idea central, la más importante en todo el libro de Toulmin, es, a mi parecer, la de erigir, frente a esa idea de «revolución», el concepto de «evolución» científica. Ni una concepción estática, lógico-sistemática (en la que, de pasada, Toulmin incluye la taxonomía estructural de Lévi-Strauss, y hasta cierto punto, las «structures of deep grammar» de Chomsky), ni una concepción revolucionaria de ruptura total, sino una comprensión «evolucionaria» (y no «evolucionista»). Así como, si se me permite la simplificación, Lévi-Strauss en su *Antropología estructural* transfirió a la antropología modelos lingüísticos, Toulmin acude a una reinterpretación de Darwin para entender la «evolución conceptual» de la ciencia. Darwin rompió el cuadro estático de la taxonomía de Linneo, y evitando caer por el otro lado en la posición de Buffon, porque ni con el clasificacionismo ni con el nominalismo se hace ciencia, inventó la hipótesis fundamental de la «evolución de las especies».

Según Toulmin, su compatriota Darwin hasta muy recientemente ha sufrido un grave malentendido. Se le ha situado en la línea del evolucionismo progresista o progresionista de Lamarck, de Geoffroy de St. Hilaire, de Spencer, anterior también a Darwin, de Herder, que abre la era moderna de la evolución cósmica escatológica culminante en Teilhard de Chardin, de la *Dialéctica de la naturaleza* de Engels, del mismo providencialismo secularizado de Marx, que sólo por virtud de tal malentendido se explica que dedicase *El Capital* a Darwin. Ese evolucionismo, típico del siglo XIX, durante el que inspira el mito del Progreso, era ya un lugar común hacia el año 1830 en Francia, y Darwin, que escribe veinte años más tarde una obra estrictamente científica, no tiene nada que ver con él. Las categorías de «variación», «adaptación» y «selección natural» constituyen el núcleo de su aportación. Se trata de un «mecanismo» o mecanicismo «histórico» y no de un vitalismo teleológico. Valiéndose

---

[2] De su libro *The Structure of Scientific Revolutions,* Chicago, 1962, hay traducción en español, publicada por el Fondo de Cultura Económica: *La estructura de las revoluciones científicas.*

de aquellas categorías es como Toulmin ve la posibilidad de superar la antítesis invariancia-revolución y de entender el desarrollo de las empresas científicas, de las que hablaremos el próximo día, como ya anuncié.

Pero ¿es que no hay más «empresas racionales» que las científicas? Por supuesto que las hay, pero a esa enorme actividad humana que comprende desde los oficios y las tecnologías, pasando por las empresas aspirantes a convertirse en ciencias, pero que aún no lo son plenamente (psicología, sociología y en general las llamadas ciencias humanas), hasta la literatura y el arte, la política, la ética y la filosofía a esa actividad la despacha en un solo capítulo. De él lo que más me gusta es el nombre que da a estas últimas actividades: no-disciplinables. Sencillamente así y no, como es moda decir ahora, «pensamiento salvaje» o «mágico» o «mítico». Las que, como a los chicos traviesos, ni se puede, ni sería bueno aunque se pudiese, más que hasta un cierto punto, disciplinar. Quizá por eso un libro tan disciplinado como éste no podía darles cabida sin romper su unidad. Sería menester escribir otro libro.

33. LAS EMPRESAS CIENTIFICAS

Como vimos en el artículo anterior, el análisis que S. Toulmin desarrolla en su libro prácticamente se concentra, pese al título [1], en el conocimiento científico y en este sentido se corresponde bien el título especial propuesto para este primer volumen, «Crítica de la razón colectiva», con la *Crítica de la razón pura* de Kant.

¿En qué consiste la ciencia? Toulmin afirma que es menester distinguir en ella entre sus principios básicos «teoréticos» y sus principios «disciplinares». La discrepancia en cuanto a los primeros, por ejemplo, la que existe entre la física de Newton y la de Einstein, no introduce en esa ciencia una discontinuidad radical, como pensaba Kuhn. Subsisten, por incompatibles que sean entre sí esos principios teoréticos, una comunidad de fines y métodos disciplinares y la posibilidad de diálogo —cercada por todas las incomprensiones que se quieran— entre unos y otros científicos. Pero si la discrepancia se extiende a los principios disciplinares, entonces ya se hablan lenguajes totalmente diferentes. Toulmin alega como caso clásico, y por continuar con la oposición a Newton, la Teoría de los colores de Goethe, que ya no tiene nada que ver con la física, sino que, a lo sumo, constituiría un precedente importante para la psicología o la fisiología. Kuhn ha tenido el gran mérito de poner de relieve, frente al formalista empirismo lógico, la dimensión histórica de toda ciencia. El agregado conceptual de las ciencias *reales,* tal como existen, apenas contiene sino «bolsas» de sistematicidad lógica plenamente lograda. Toulmin, instalado como vimos en la posición de transferencia de modelos de la biología, gusta de metáforas tales como la de «ecología intelectual» de cada ciencia, o la de oponer a la voluntad estática de «system» el esquema de «populations» de conceptos sujetos a evolución histórica. Denunciar aquí biologismo

[1] *Human Understanding, op. cit.*

creo, sin embargo, que sería improcedente. Se trata, eso sí, de una historización, socialización y aun sociologización de la ciencia. Pero la sociología de la ciencia, que es en lo que consiste buena parte de este libro, no es la académica americana del «sistema social», sino precisamente la del «cambio social». (Por eso a los nuevos sociólogos debe interesarles esta obra, lo mismo que les interesó la más radical de Kuhn.)

Las ciencias se constituyen en la realidad como empresas disciplinares, siempre disciplinables, pero no, todavía, enteramente «disciplinadas». (Las «lagunas» de cada ciencia, lo que, quienes la practican, todavía no pueden explicar.) Además de este carácter de «disciplina intelectual», las ciencias poseen el de ser siempre una «profesión intelectual». Consideremos uno y otro sucesivamente.

Quien se dedica a una ciencia entra en una «disciplina», intelectual sí, pero, en su género, no menor que la disciplina de las antiguas Ordenes monásticas. Los conceptos y métodos —mejor, «procedimientos»— son transmitidos dentro de ella colectivamente. La ciencia es así institucionalizada, y cada concepto se nos aparece, a esta luz, como una «micro-institución» intelectual que «evoluciona», «varía» y «sobrevive» o desaparece por «selección» intelectual. El desarrollo y cambio de los conceptos es un asunto público, intersubjetivo, comunal, y no privado, subjetivo, individual. Una ocurrencia científica privada no cuenta como tal mientras no sea sometida a debate en el foro profesional y aceptada por la comunidad de los hombres de ciencia. Lo que, dicho con otras palabras, significa que los factores «extrínsecos» o sociales de la ciencia son difícilmente separables de los «intrínsecos» o intelectuales, puesto que constituyen el locus de éstos, el lugar del debate científico. Piénsese, por ejemplo, en la «revolución» de Copérnico. ¿Fue tal? ¿Y fue del individuo Copérnico? Aparte de que su concepción era antiintuitiva, padecía graves defectos técnicos, era menos sencilla que la ptolemáica de la época, y en algunos puntos marginales menos exacta. Solamente cuando Kepler reemplazó la representación circular de las órbitas planetarias por la elíptica, pudo cerrarse el debate de setenta y cinco años largos, y así se entienden las vacilaciones entre una y otra teoría de un hombre de ciencia tan valioso como Tycho Brahe. La «madurez» o, si se prefiere un término menos popular, la «solubilidad», es otro carácter fundamental de la disciplina científica. Para la ciencia no hay más problemas relevantes *hic et nunc* que los que en cada una de sus fases se pueden resolver. Así como de la política se dice que es el «arte de lo posible», Toulmin afirma, siguiendo a Madawar, que la ciencia es «el arte de lo soluble». Y, en fin, la cuestión, tan debatida en los últimos años, del «criterio de demarcación», se torna así enteramente problemática: la búsqueda de tal criterio es incompatible con el desarrollo histórico cambiante a que están sometidas las disciplinas científicas.

El aspecto sociológico de la ciencia es aún más viable si de su consideración «disciplinar» pasamos a su consideración «profesional». Los historiadores clásicos de la ciencia lo eran de «la» ciencia, desencarnada, hipostasiada, platonizada. Pero quienes hacen la ciencia son los científicos, constituidos cada vez más formalmente en profesión. Veíamos antes que la ciencia consiste en una cambiante «population» de conceptos. Es menester ver ahora que consiste, no menos, en una cambiante «población» de hombres de ciencia, de profesionales de la ciencia. La idea de la democracia es escasamente aplicable a ella. El grupo o grupos de referencia, la «autoridad» científica que con frecuencia reviste la forma de gerontocracia, la transferencia gradual, paulatina de «poder» a las nuevas generaciones, la lucha entre la Vieja Guardia y los Jóvenes Turcos, la realidad de un Establishment —en el sentido positivo y también en el negativo de atrincheramiento en un poder vaciado ya de autoridad actual—, son hechos innegables de la ciencia como «profesión intelectual», en el marco de una empresa no demasiado diferente de las empresas industriales. Toulmin no entra en esta cuestión, pero, a mi juicio, hay una verdadera continuidad entre las *Corporations* industriales poderosas, con su correspondiente Departamento de Investigación, los Institutos en el estilo de Rand Corporation, los *Think-Tanks,* los Institutos tecnológicos (MIT, Hudson, Caltech), las Universidades, que aceptan contratos del Estado Federal y las «puras» asociaciones científicas. Veíamos antes que el «criterio de demarcación» se relativiza. Si todas estas «empresas» constituyen, como pienso, un continuum, tampoco aquí la demarcación va mucho más allá de una mera convención. Y en cuanto al condicionamiento de la ciencia por la estructura socioeconómica, Toulmin piensa que hay interacción, que las relaciones son mutuas, y que la multilateralidad, en contraste con la unilateralidad, es la perspectiva que se ha de adoptar. La noción de «ecología intelectual» es, otra vez, aplicable aquí: las «demandas» del entorno de estímulos provocan respuestas que, a su vez, modifican aquél, y así sucesivamente.

No por todo ello debemos pensar que los problemas éticos sean ajenos a la ciencia. Los hombres de ciencia viven inevitablemente inmersos en la moral vigente (o en una de las morales vigentes) incluso, y no menos, cuando se levantan contra ella. En abstracto, dice Toulmin con humor británico, se podría conceder a una Asociación de Ingeniería Tóxica el mismo status que a la de, para usar nuestra nomenclatura, Ingenieros civiles o Ingenieros industriales, y junto al Royal College of Nursing podría fundarse un Royal College of Prostitution. De hecho, para que esto llegase a suceder sería menester un cambio en los conceptos éticos que, por supuesto, son tan susceptibles de él como los conceptos científicos.

Acabo de hacer una alusión al humor británico. Hace muchos años, en *Catolicismo y protestantismo como formas de existencia,* intenté entender el anglicanismo desde la perspectiva de un modo de ser supuestamente inglés, caracterizado por las notas de flexibilidad, evolución y tradición, adaptación y selección, en suma, historicidad; si bien es verdad que asimismo creí mostrar cómo, en un plano más profundo, quizá no se pueda ser anglicano sin ser inglés (aunque, de todos modos, ahí están los episcopalianos), pero, desde luego, se puede ser católico e inglés. (La guerra de Irlanda del Norte *no* es una guerra religiosa.) De manera más implícita y sugerida que expresa parece haber en el libro que estoy terminando de comentar, y a la mayor gloria de don Salvador de Madariaga, la creencia en el «carácter nacional» inglés, en una tradición cultural nacional por lo menos. Las ideas de la lógica pura, de la estructura estática, del sistema a todo trance, serían ajenas a aquél. E igualmente el revolucionarismo. ¿Será menester entonces considerar a Stephen Toulmin como un «laborista» de la teoría de la ciencia? No sé. Para nuestro desconcierto, parece que se ha hecho ciudadano norteamericano.

34. LO QUE QUISIERA HACER AQUI

Nunca me ha interesado escribir críticas por decirlo así «sueltas» de libros, ocuparme de los que buenamente vayan llegando y decir de ellos lo que se me ocurra, al hilo de su lectura. Menos aún *tenerme que* ocupar de lo que se publique, sea bueno o malo. (He aquí por qué nunca aceptaría ser, en España, crítico teatral.) Por otra parte, tampoco creo que la misión del crítico consista, de ningún modo, en decir a los escritores lo que han de hacer: el crítico va *detrás* de ellos, y no delante. Si supiese qué hay que escribir, lo escribiría él mismo. Lo menos que tiene que saber un crítico es que la importancia de un libro no estriba en *lo que* el libro diga, aparte de *cómo* lo diga. Contra lo que pensaba aquel personaje anecdótico que proponía a su amigo escritor una novela cuyo argumento puntual él daría, para que el otro no tuviese *más que* escribirla, la obra literaria, en cuanto literaria, consiste única y exclusivamente en el *texto* (no entro aquí en el problema del arte dramático), y antes de ese texto escrito (y leído), y en el caso de la poesía dicho (y escuchado), no hay nada más. Pero entonces, si mi pretensión no es (muy) modesta ni (muy) ambiciosa, ¿qué querría hacer aquí? Es lo que voy a tratar de decir.

Y ante todo de decirme, pues yo mismo no lo sé a punto fijo; quizá acabe sabiéndolo al acabar el artículo. No exactamente lo mismo que, hasta hace poco, estuve haciendo en *Triunfo.* Me seguiré ocupando de libros, pero no sólo de libros. Y siempre de una manera personal (a la vez que solidaria): daré *mí* lectura (con acento en la «i», como pronuncian los asturianos). ¿Por qué crítica de libros? Hoy, a diferencia de la época de Ortega, todo el mundo oye hablar en seguida de lo que se publica dentro y aun fuera de España. Y, sin embargo, el nivel general de información verdaderamente seria no es mayor que el de entonces, aunque sí más extendido. (A Ortega hay que anotarle en su «haber» todo cuanto a todos nos consta, pero en su «debe» lo que en su docta ignorancia nos hizo ignorar y que *después* ha resultado que era importante). Cada Ortega de menor cuantía está hoy en lo suyo, en su ortodoxia, en su escolástica y, en el mejor de los casos, en su temática. No existe crítica bibliográfica conforme a un criterio, como la que hacía Ortega.

Crítica pues de libros y lectura crítica de textos que no lleguen a ser libros, que quizá no se escribieron para ser publicados, de palabras dichas y no escritas, de acontecimientos. Lectura de letra impresa en papel y de la letra —y el espíritu— impresos en la vida. Quisiera tomar en serio la palabra «Diario». Ahora bien, la vida es también un «texto», texto legible, y la bibliografía inseparablemente unida en muchos de nosotros, como ha visto Félix Grande, a la (auto)-biografía. A través de la lectura de libros y sucesos, en ella misma, leemos nuestra propia vida. Una antigua alumna mía americana, reflexionando sobre la pregunta, según ella, más frecuente en mí, «¿Qué me dice?», «¿Qué más me cuenta?», piensa que la atención a los demás, a lo demás, es mi rasgo más característico.

La atención que aquí prestaré será predominantemente intelectual. De literatura no me ocuparé, ya que la crítica literaria en cuanto tal ya se ejerce aquí de modo competente. Pero indirectamente, y sobre todo, ocupándome de libros de crítica, sí. Si recordamos hoy la famosa frase de Ortega «O se hace literatura, o se hace precisión, o se calla uno», hay que decir que el contraste entre la «literatura» y lo que Ortega entendía por «precisión» se ha vuelto en la actualidad sumamente problemático y que, como vio bien Eugenio Trías, la metafísica de Ortega nos suena ahora, dicho sea con el mayor aprecio, a gran literatura (y a veces a no tan grande, pero sí muy interesante, prosa modernista y post-modernista. Una de las tareas pendientes es el análisis literario de la prosa de Ortega). Las fronteras aparecen borrosas, las líneas divisorias se entrecruzan, los criterios de demarcación se vuelven vacilantes.

Justamente por eso y como testigo, a la vez en contra y a favor de lo que estoy diciendo, me ocupé largamente en *Triunfo* del libro de Toulmin, que es de filosofía de la ciencia, pero, en diálogo con T. S. Kuhn, de demostración de la problematicidad ínsita de la ciencia misma, de la sociología de la empresa científica y de su «humanismo» subyacente, de lo que podríamos considerar como nuevas humanidades de la ciencia, que vendrían a tender un puente entre las llamadas ciencias humanas y las ciencias estrictamente dichas. Me decía Javier Muguerza que le parece bueno, en una época de pensamiento tan poco historicista como la actual, esta inyección de historicismo, o de historicidad, como más prudentemente diría yo. La actividad humana, piensa Toulmin, es siempre, en cuanto tal, inteligente y, por tanto, en sentido no institucionalizado o profesionalizado, intelectual: testimonio en favor de la «confusión». Mas no toda actividad humana, inteligente por tanto, es «disciplinable»: testimonio a favor de la «distinción». Distinción sí, pero móvil. Y sin la vieja fe, a la vez progresista y «a machamartillo», en la Ciencia, con mayúscula. Casi nada de lo que estudiamos en aquella sección de *Triunfo* está completamente «disciplinado», por supuesto no el pleno, total Wittgenstein ni, es evidente, el desmadrado Deleuze; Rollo May ni lo pretende, García Calvo se enfadaría, y la «disciplina» de Lévi-Strauss es mucho más formal —especie de «juegos del lenguaje»— que verdaderamente científica, en el estrecho sentido de la palabra. En cuanto a los teóricos de la literatura, ellos mismos nos dicen que la literatura actual es ya su crítica, y recíprocamente, la crítica, literatura. Mas como ya se hizo notar antes, a propósito de Ortega, eso no les hace de menos. Lo no-disciplinado todavía y a mayor abundamiento lo nunca disciplinable, lo que, en acepción amplia y profunda a la vez, podemos llamar Poesía es, probablemente, lo más fecundo, aunque su fecundidad tenga poco que ver con la productividad y la producción, «procesada» ya, como dicen nuestros aprendices de tecnólogos, apta para el desarrollo industrial y la cultura de consumo.

35. JESUS, EL CRISTIANISMO Y LA LIBERACION

Yo diría que un libro como el de Gonzalo Puente Ojea sobre la formación del cristianismo[1] se esperaba y se hacía esperar entre nosotros. ¿Por qué habíamos de tener, aunque poco más que por modo mimético, un catolicismo progresista, una teología política y teología de la revolución, y por otra parte un agnosticismo moviéndose entre el escepticismo y el ateísmo, y un marxismo laico, en tanto que el «Noli me tangere» seguía observándose escrupulosamente con respecto a la crítica bíblica radical? Miguel Benzo trató muy discretamente de este «salto» entre la historia de Jesús —inaccesible, en cuanto que «ya», a través de todas las fuentes, teologizada y «politizada»— y la Cristología, pero sin osar, es claro, ni tampoco a él le correspondía, inquietarnos demasiado. Hace unos pocos años, el editor con sentido de su oficio que es Carlos Barral me propuso hacer una antología de visiones actuales, históricas y cristológicas de Jesús, desde las correspondientes a las diferentes ortodoxias, hasta las anticristianas y marxistas. El proyecto me pareció aún más que excelente, «necesario», pero yo no tenía tiempo de hacerlo, a lo sumo sí, con gusto, la introducción; ni estaba «en eso» tampoco. Propuse un par de nombres, pero, imperdonablemente, no se me ocurrió el de mi antiguo amigo Gonzalo Puente Ojea, a quien hacía tiempo que no veía. Ahora él ha escrito en esa misma línea, pero, en cuanto que toma partido, no sólo no invalida aquel otro libro, sino que lo hace urgente, de modo que yo invitaría a que él y Ba-

---

[1] *Ideología e Historia. La formación del cristianismo como fenómeno ideológico,* Madrid, Siglo Veintiuno de España, Editores, 1974, 410 pp.

Es curioso. Me doy cuenta de que sin previa intención alguna, el primer libro de que me ocupo en esta serie es de «Siglo Veintiuno», así como de «Siglo Veintiuno» fueron los dos únicos libros españoles, el de Agustín García Calvo y el de Víctor Sánchez de Zavala, de los que me ocupé durante mi colaboración regular en *Triunfo.*

rral Editores, ahora con mayores posibilidades económicas, se pusiesen en relación, si no lo han hecho ya, y pongan al alcance del lector español esa información, cuya bibliografía está toda o casi toda utilizada aquí.

Gonzalo Puente Ojea no ha intentado hacer investigación de primera mano. ¿Es posible eso en España? Piénsese que, si no me equivoco, sólo dos nombres españoles aparecen entre los muchísimos citados, el de Unamuno y el de García Pelayo. Con sinceridad ejemplar nos dice en el prefacio que sólo ha aspirado a «cumplir una función de *meditación* divulgadora y de síntesis crítica y personal» que, a mi juicio, ha logrado plenamente, aun cuando maneje quizá las fuentes con una cierta indiscriminación en cuanto a su valor. Se trata, como tema central, subyacente al libro mismo, de algo profundamente inquietante y que, por eso mismo, se escamotea y, ayer más que hoy, se sustituye con «Diálogos cristiano-marxistas» que van pasando de moda. ¿Qué es ser religioso, cuál es la función *primaria* de la religión, liberar [2] políticamente (y social, económicamente, por supuesto) al hombre, o bien reconocer una trascendencia (con o sin supervivencia personal después de la muerte, cuestión que, contra lo que pensaba Unamuno, no es la cuestión religiosa por excelencia), trascendencia que en el reduccionista lenguaje marxista clásico (anterior a los confundentes «Diálogos») —que hace suyo, y está muy bien, Puente Ojea— no significaría *más que* la satisfacción vicaria, ilusoria, fantástica, de las necesidades reales? Como he escrito mil veces, puedo tener y tengo simpatía emocional (valga la redundancia) por el progresismo cristiano, pero intelectualmente estoy contra su confusionismo, casi tanto como contra la democracia cristiana, el Estado católico o la Alianza del Trono y el Altar. Por eso dije al principio que son *necesarios,* particularmente entre nosotros, esta clase de libros.

El de Puente Ojea se sitúa en la línea de Marx y Engels, también de Bruno Bauer (lo que aparecerá más claro, supongo, en su versión completa [3], la que estudia junto al cristianismo el estoicismo) y, sobre todo, en la de Karl Kautsky. Este comenzaba así su prólogo a la

---

[2] Sobre la latinoamericana «Teología de la liberación», puede verse una excelente presentación en el número 96 (junio 1974) de la revista internacional de teología *Concilium* («Praxis de Liberación y fe cristiana. El testimonio de los teólogos latinoamericanos»). En una dirección paralela, ILDEFONSO LOBO, en su estimable libro *Per una moral en temps de crisi* (Nova Terra), ha mantenido a la vez los dos polos de tensión; «El cristianismo sabe que la revelación "definitiva" y "total" de la libertad de los hijos de Dios es metahistórica»; «pero sabe también que la garantía de esta liberación total es comprometerse en la liberación de toda esclavitud terrenal».

[3] Se trata de *Ideología e historia. El fenómeno estoico en la sociedad antigua,* Madrid, Siglo Veintiuno de España Editores, 1974, 246 pp., obra aparecida con posterioridad a la redacción del presente artículo.

edición alemana de 1908, trece años posterior a la primera: «El cristianismo y la crítica bíblica son temas que me han preocupado desde hace mucho tiempo.» Los temas que preocupan a los marxistas posteriores son, ayer el existencialismo, hoy el estructuralismo y continuamente la vanguardia literaria y artística. (Evidentemente, los tiempos han cambiado.) Mas también, a los efectos de beneficiarse de su crítica, el libro está en la línea de la llamada «teología» liberal, de su en cierto modo continuación, tras Barth, por la *Formgeschichtliche Schule* (cuyo análisis de las «formas literarias» a mí personalmente me interesa, como alguna vez he escrito, en cuanto precedente del estructuralismo), del Bultmann de la Desmitologización y de otros teólogos e historiadores de la religión, entre ellos, sobre todo, creo, S. G. F. Brandon, sometidos todos a una interpretación marxista.

La cuestión central, de aceptarse los supuestos de Puente Ojea, tendría que replantearse así: Si el cristianismo ha sido, tal como pensó Harnack, una creación de San Pablo, y Jesús ha de ser visto, a lo que no llegó Harnack, como un ni siquiera zelote, sino semizelote, zelote tímido o entre zelote y fariseo, de mucha menor importancia histórica que Judas de Galilea, su hijo Menahem, el fariseo Saddok o Eleazar, ¿dónde quedaría su grandeza? Su grandeza religiosa en ninguna parte, por supuesto. Pero tampoco el empequeñecimiento o reducción de su figura desde el punto de vista de la «ilusión», quedaría compensado por su revolucionarismo, tan insuficiente, tan equívoco. Jesús habría de ser visto entonces, bien 1) como uno de tantos agitadores religiosos judíos anti-romanos que, en realidad, vio muy confusamente lo que quería; o bien 2) como la «ocasión», por no decir el «pretexto», para la construcción teológica de San Pablo. Lo que no veo es qué podía esperarse históricamente del «cristianismo» judío del semizelote Jesús, cuando el mucho más importante movimiento zelote, y con él el esenio, carecían de porvenir. Sin San Pablo, el nombre mismo de un Jesús así habría quedado olvidado como en aquel cuentecillo —que a mí me fue contado en Barcelona— le habría ocurrido a Pilatos, quien preguntado por un amigo al volver a Roma, tras muchos años de gobierno en Oriente, acerca de un tal Jesús, fundador de la secta cristiana, el cual, parece, habría sido condenado, crucificado y sepultado bajo su mandato, contestó: «No sé..., no puedo acordarme... ¡Hubo tantos juicios así!...» En algunos momentos el propio Puente Ojea reconoce esta carencia de interés histórico-universal, por ejemplo en las páginas 303-4, donde escribe textualmente: «Si después del año 70 el cristianismo palestiniano hubiese pervivido en su forma sectaria original, jamás hubiéramos conocido el cristianismo "como iglesia" y habría desaparecido prácticamente del escenario de la historia.»

Hasta ahora siempre se había reconocido que el tránsito de las religiones étnicas, como la judía, a las religiones universales, como la cristiana, constituyó un gran paso adelante, y yo diría que no sólo, lo que es evidente, desde el punto de vista «religioso», sino también como expresión «simbólica», bajo forma enmascarada, del paso de la «rebeldía» particularista, racial, a la «revolución» mundial (el «Internationale Erlöser», para hablar con las palabras de Kautsky). A mi juicio, el defecto principal del libro de Puente Ojea, «desde su propio punto de vista», consiste en no valorar suficientemente la importancia de esta «acción simbólica».

Al sobrevalorar lo zelote que, no olvidemos, era radicalmente teocrático, el libro, en sus párrafos finales, parece devolvernos a la confusión católico-progresista. ¿Cómo una herencia en lo genuino insignificante ha podido transmitirnos «las categorías esenciales de una novísima singladura ideológica de la esperanza cristiana»: las categorías bíblicas de una «teología de la revolución»? Para mí es claro que sólo por la «mediación» de la «acción simbólica» de la religión cristiana, paulina o como quiera llamársela. Poner a los zelotes o a los «judíos cristianos», simplemente porque no habrían predicado un «Cristo pacífico», por encima de San Pablo y del cristianismo, no me parece acertado desde el punto de vista del marxismo y del de Puente Ojea, no ya desde el mío: sólo pasando por la «revolución» espiritual (es decir, «simbólica» o, dicho menos respetuosamente para con la realidad integral, «ilusoria») de las religiones mundiales, ha sido posible llegar a la revolución material de los marxismos. Claro que la introducción de la categoría de acción simbólica plantea graves problemas a la teoría ortodoxa del marxismo, pues no puede ser reducida a «enmascaramiento ideológico» y de ninguna manera, por supuesto, a «engaño deliberado». (Página 77. Temo que a veces —páginas 296-98— Puente Ojea, pese a su firme presupuesto metodológico, parece recurrir a la explicación por este último.) Pero eso es ya cuenta de los marxistas y no mía.

En cualquier caso, y para terminar, me parece innegable y admirable la «voluntad» clarificadora del autor. Por ejemplo, frente a los puristas de la vuelta a un supuesto cristianismo preconstantiniano, hacía falta decir en España, como Puente Ojea dice, que «la inveterada tesis de que la asociación del cristianismo con el poder político procede históricamente de los decretos constantinianos entraña una grave e inadmisible simplificación de los hechos». Sí, la historia entera del cristianismo ha sido, desde el Evangelio de San Marcos, y como escribe Brandon, una «Apología ad Christianos Romanos». Nos guste o no, el cristianismo paulino, el «catolicismo», ha sido ya en su origen mismo «romano». ¿Podrá alguna vez dejar de serlo?

Y ensanchando aún más el gran foso del problema, ¿hasta dónde puede llegar la desinstitucionalización de las religiones establecidas? «El porvenir religioso —"el porvenir de una ilusión"— nos aparece ahora menos simple de como lo vio Freud. Lo que está en crisis no es la Gran Ilusión, con mayúscula, sino precisamente la «petite monnaie» sensata y humanista que de aquella ilusión habían hecho la sociedad y cultura occidentales.» Con estas palabras de *La estética y sus herejías* —libro del que otro día me ocuparé— y con una referencia a su idea de la religión como «contestación cifrada» que el lector puede poner en relación con la antes aludida de «acción simbólica»—, quiero terminar este artículo, ofreciendo así a Xavier Rubert de Ventós un pequeño desagravio por la gran injusticia que contra él han perpetrado recientemente algunos de mis ex colegas universitarios.

36. ¿CUANTO DEBEMOS ADMIRAR A EZRA POUND?

Hace tiempo que quería hablar de este libro, *La Era de Pound* [1], de título un tanto exagerado, casi mussoliniano. Su autor, Hugh Kenner, fue profesor en Santa Bárbara desde antes de que yo llegase allí hasta el último año académico, cuando se trasladó a Johns Hopkins. Era la «estrella» del departamento de Inglés. Católico y conservador —muy en la línea de los escritores de la «Era»: el propio Ezra Pound, el anglocatólico T. S. Eliot, el católico romano y propagandista un tiempo del fascismo Wyndham Lewis—, es íntimo amigo de William F. Buckley, que, si no estoy confundido, fue su *Bestman* o padrino de boda (el nombre de su hermano, el senador, sonó los meses pasados en España por haber sido el primero entre los republicanos en pedir públicamente a Nixon que renunciase a la Presidencia), y colaborador asiduo de su revista, *The National Review,* la gran institución de la derecha americana intelectual y «europea» [2]. Y, para colmo, discípulo a su modo y admirador de Buckminster Fuller, «Bucky» [3]. Se trata de un libro que pasa por ser la palabra última y decisiva sobre Ezra Pound. ¿Lo es verdaderamente? Yo lo encuentro demasiado fulleriano (decir «fullero» daría pie a un chiste demasiado fácil). Buckminster Fuller, inventor de los coches, casas y mapas Dymaxion, de las cúpulas geodésicas (Exposición de Montreal, 1967) y de no sé cuántos artilugios más que casi nunca cobraron realidad, lo mismo puede ser considerado como

---

[1] HUGH KENNER, *The Pound Era,* University of California Press, 1971.

[2] Sobre la familia Buckley, tan importante desde el punto de vista sociointelectual, dentro del Partido Republicano, como la familia Kennedy dentro del Demócrata, aunque con mucho menos dinero, puede verse el libro de CHARLES LAM MARKMANN, *The Buckleys: A Family Examined,* New York, Morrow, 1973.

[3] *Bucky: A Guided Tour of Buckminster Fuller,* New York, Morrow, 1973, es el título del libro que HUGH KENNER le ha dedicado.

un «pop scientist» (arbitrista americano del siglo XX) que como el máximo orgullo —después de Edison— de este país. El año pasado vino a dar una conferencia en el campus de S. B. y a la vez dio otra, de pago, a beneficio de la Escuela Montessori. Una vecina mía, relacionada estrechamente con este centro, me preguntó: ¿Va a venir a escuchar al gran Inventor, al gran Filósofo? Para los americanos, «filosofía» puede ser cualquier cosa, quiero decir, el conjunto de los conceptos básicos de la menos abstracta ocupación o actividad, por ejemplo, «the philosophy of dentistry». Pero cuando, pasando al otro extremo, llaman a alguien filósofo, quieren decir: *a)* que no saben muy bien lo que es, a qué se dedica y —aun cuando no lo confiesen— que es de temer que sea algo lunático o chalado, pero a la vez, *b)* que es un hombre que sabe de todo, «comprehensivist», sabio al modo presocrático de nuestro tiempo, especie de americano doctor Schweitzer. Hacia el final de la vida de Pound, Fuller y él se encontraron en Venecia, donde el primero dio una conferencia dedicada en parte al segundo. Naturalmente, simpatizaron. Y Kenner se diría que admira indivisiblemente al uno y al otro.

El reproche principal que yo haría al libro de Kenner es su estilo «genialista», incapaz de tomar un hilo y seguirlo porque prefiere enredarlos todos en los «nudos» de la «patterned integrity» de Fuller, tomar en serio el «Coordinate System» de éste, considerar las falacias de William Buckley como «logistical resourcefulness», hablar con desangelado oxymoron de las «orgías de reticencia» de Henry James, contagiarse del hermetismo retórico del autor estudiado y montar demasiada literatura sobre su literatura.

Lo que no quiere decir, de ningún modo, que en este libro, escrito por un gran conocedor del período, falten finas observaciones, así la dependencia «arqueológica» del grupo, bajo el efecto del descubrimiento de Troya por Schliemann y de libros de erudición poco académica como *The Authoress of the Odyssey* (¡Viva el feminismo!), de Samuel Butler. Gracias a Kenner sabemos que en el primer *Ulises* de Joyce, donde su protagonista se movería por Dublín como el héroe de Homero por el Mediterráneo, se intentaba dejar un «mapa» de la ciudad que, pasado el tiempo, permitiese su reconstrucción piedra por piedra y vecino por vecino. Y de hecho, la versión definitiva también admite esta lectura (lo que ha dado pie a Juan Benet para hablar de Joyce como escritor costumbrista).

Si de Joyce pasamos a Pound y a su siempre íntimo amigo Wyndham Lewis, nos encontramos con el gusto dinámico y constructivista por las máquinas —Marconi— y un estilo futurista, visible ya en el «manifiesto» del primer número de *Blast,* editado por ambos, o mejor dicho, por el segundo con la colaboración del primero. Como se sabe, hubo un futurismo ruso, el verdaderamente creador, y un mal futurismo, el italiano. Los Hombres de *Vortex,* el movimiento dirigido por Pound, intentaron desligarse de éste, porque negaba la tradición, pero finalmente los dos amigos cayeron en la admiración por Mussolini. No así el «Reverendo Eliot», de quien dijo su sastre, y Kenner piensa que lo definió exactamente: «Hombre notable, míster Eliot. Muy buen gusto. Sin excederse nunca en nada.»

Fue la época de la reacción frente al simbolismo (que influyó mucho, especialmente con Laforgue, en el primer Eliot), de lo que el grupo llamó *Imagism,* es decir (recordemos aquí la «correspondencia» alemana de Stefan George y la española de d'Ors), la poesía para la cual ya no es la música sino la escultura «avant toute chose» (Gaudier-Brzeska, escultor del grupo, es considerado por Kenner como precursor de Henry Moore). Arte antiintimista (el arte no tiene nada *dentro,* nada que no se pueda *ver*) y antihistoricista (que, como dice bien Kenner, se adelanta en veinte años a la teoría del *New Criticism*). Por este camino de impersonalidad y discreción, Eliot, capaz de escuchar las «dulzonas» conversaciones de Virginia Woolf y su grupo, de soportar sus «treacly minds» (según el a todas luces injusto juicio de Kenner), pudo llegar a ser el gran maestro del Anonimato. El autor del neoclásico *The Waste Land,* «enigmático y casi cómico poema, había ya dejado de existir —según Kenner— cuando lo escribió».

Los demás siguieron viviendo. Joyce prosiguió su camino, ya solitario, «egoísta», introvertido, según el diagnóstico de Jung. Pound, tras pasar por su «erudición», provenzal, griega, latina —pero el profesor W. G. Hale dijo que le encontraba «increíblemente ignorante en latín»—, «inventó», como rotula bien Kenner, a China y a Confucio. Estudió chino bajo la dirección del orientalista americano, de nombre catalán, Ernest Francisco Fenollosa, excelente conocedor del Japón, pero no, en realidad, sinólogo, e hizo sus mitopoéticas traducciones. Sin duda, lo que a Pound entusiasmó de la lengua china fueron sus ideogramas, y el gusto por ellos se corresponde bien con la invención caligráfica de los caligramas por Apollinaire. Plástica dibujística y pictográfica de la poesía, hermetismo conceptista, prosodia interlingüística con su infinita riqueza de efectos, «poesía concreta», todo eso y mucho más procede de Ezra Pound.

La simpatía de Kenner por él es evidente que desborda la valoración estrictamente literaria; sin duda, merecidamente muy alta. Aunque con mesura, yo también la comparto.

No cedió a ningún «lenguaje natural», como el de Eliot en *The Cocktail Party,* de verso disfrazado, de sufrimientos privados despersonalizados, de un juego de aligerada tragedia griega habilmente traspuesto para no abrumar al espectador común. Se dio del todo a todo, incluso a causas como la del fascismo. Y no puedo olvidar que la única obra que he traducido en mi vida para su publicación —según mi modo de ver no hay trabajo menos lucido y más difícil que éste para el escritor responsable— fue, hace ya veinte o veinticinco años, un largo estudio de mi amigo el profesor Luciano Anceschi, probablemente lo primero que, en serio, se publicó, en castellano, sobre Pound.

Pero francamente, y dejando aparte el estilo general del libro, tan diferente no ya del mío propio, sino de lo que hoy parece ha de ser la crítica literaria, hay afirmaciones en él de las que no sólo tengo que disentir, sino que me parecen disparatadas. Permítanseme, para terminar, dos ejemplos. Los *Cantos* poetizan material antiguo, en el caso que ahora me importa, de la historia de China, mediante giros idiomáticos orientales, fonemas que resuenan como gongs, e incrustaciones en francés, evocadoras de la penetración del espíritu de la Iustración occidental. En el Canto 61, Pound compara esotéricamente la política cerealista de Yong Tchin con la fascista de los años 30. Allí, en juicio de Kenner, una interpolación entre paréntesis se propone rimar el recibimiento de Han Sieun al rey Tártaro con el despliegue de maniobras submarinas efectuadas ante Hitler (el rey Tártaro) en la Bahía de Nápoles el año 1938. Y por eso el autor se duele profundamente de que «aquí y en otros lugares la falta de la información pertinente prive a los lectores angloamericanos de un punto», a su juicio, tan importante, de exégesis del poema.

Esto aun puede tomarse a broma de *scholar*. Pero cuando se compara a la prisión simbólica de un gran héroe político americano como Henry Thoreau, aunque sea interrogativamente, la de Ezra Pound, «otro prisionero simbólico», me parece que Kenner va demasiado lejos. Pound por sí solo se basta, mezclando multilingüismo y confucionismo, fascismo y Vivaldi, para la siembra de la confusión más perfectamente elaborada.

37. LA CULTURA ESPAÑOLA ACTUAL, PUESTA EN CUESTION

Los lectores de este libro tendrán presentes los artículos que más concretamente en él dedico a la cultura española. Mi tesis era que la España de la postguerra, incapaz, obviamente, de obra cultural, lo único positivo que hizo —que en su tiempo no fue poco— fue recuperar de «los desastres de la guerra» una parte de la cultura anterior a ella, recomponerla y prolongarla, sin apenas aportación creativa seria. Y concluía que así como, a mi parecer, el *Establishment* político desde entonces montado no tiene arreglo, por más que se le remeta o saque, porque es malo el patrón conforme al que se cortó, el *Establishment* cultural, bueno en su tiempo —literatura del 98, filología histórica de la escuela de Menéndez Pidal, filosofía de Ortega, poesía y poética de la generación del 27— no sólo admite, sino que está demandando su desamortización y liberación o, como se dice ahora en la jerga política, su apertura. Dicho en otros términos, lo que yo proponía era procurar una continuidad entre aquella cultura (preservada casi como en invernadero, gracias, paradójicamente, al prestigio con que la envolvió su persecución y merced también a la incapacidad total del Régimen para suscitar otra de nueva planta) y el «descubrimiento» actual de lo que culturalmente se viene haciendo últimamente por el mundo.

De que pese a la indignación pseudónima que aquellos artículos levantaron, se expresaba en ellos una posición moderada y presidida por la voluntad de no romper con el valioso y próximo pasado cultural, viene a confirmarnos, por contraste, el reciente número monográfico de *Cuadernos para el Diálogo* [1] dedicado a plantearse la

[1] *Cuadernos para el Diálogo,* Extra XLII, agosto de 1974, «¿Existe una cultura española?».

cuestión de si existe o no una cultura española. Cultura no en el sentido antropológico cultural: esa cultura popular española, esa verdadera tradición cultural, rica y varia, que Unamuno situaba en la intrahistoria, está desapareciendo y para levantar acta de su destrucción, oficialmente fomentada y sustituida por representaciones «folklóricas», tendría que haberse pedido su colaboración a Julio Caro Baroja. No es ésa la pregunta, ni tampoco la de una «españolidad», al modo como se hablaba de la «filosofía alemana» o la «cultura francesa». Los «caracteres nacionales» impresos en la cultura son cada vez menos visibles y ésta se universaliza, se convierte en «empresa cultural» supranacional, pudiéndose dar a esta expresión, a gusto del lector, sentido peyorativo o no. De lo que en realidad se trata es de valorar la contribución actual de España a ese común acervo cultural. La respuesta, aunque oblicua, más radical, es, como a él le correspondía darla —cada uno de nosotros tiene su papel o, según en este caso, el pertinente Cioran, su máscara— la de Fernando Savater, que escribe sobre el hastío de la cultura o «la cultura como forma de hastío». Quien dentro del número mantiene una postura parecida a la mía de entonces es Félix de Azúa. Otros colaboradores subrayan, en distintos campos, la colonización cultural de España y, a la vez, la dificultad subsistente de que en ella penetren aires culturales de fuera para su respiración en público. E incluso donde más suelo firme se pisa, la historiografía, Tuñón de Lara reconoce, como no puede menos de hacerse, ni quita mérito, que la renovación de ésta en los años 50 por Jaime Vicens Vives, partió de la recepción de los *Annales* de Francia. Si pasando hojas vamos a quienes más por derecho y desde los observatorios de diferentes casas editoriales responden a la pregunta, el primero de ellos, Jesús Aguirre, nos dice con precisa, impecable radicalidad, que de tomar como indicador la influencia que sobre culturas de otras lenguas está ejerciendo la producción hecha en España, resulta obvio que no se da en este sentido una cultura española presente. «En los últimos treinta y cinco años España no ha dado cultura, sino que la ha recibido.» Con ritmos distintos, es verdad: hasta los años 60 con retraso y denodadamente, lo que convertía a los receptores en mártires —casi literalmente— del existencialismo, del neopositivismo y no digamos si del marxismo; ahora, mucho más de prisa, pero con una hondura de recepción, en cuanto que lo nuevo se aprende casi como una lección, sin comprometerse en ello, muchísimo menor. Y casi todos los otros encuestados vienen a decir, con mayor o menor rotundidad —el más tajante, Jaime Salinas— lo mismo.

Permítaseme que me detenga en uno de ellos, Jacobo Muñoz (quien, con mayor gasto de palabras, da la respuesta más parecida a la de Jesús Aguirre), porque, sin mencionarme nominalmente, se refiere a mí por modo inequívoco. Ruego a los lectores y, por supuesto, al interesado, que no vean aquí la menor voluntad de polémica, tanto más cuanto que, en líneas generales, estoy de acuerdo con él. (No sé si me incluye entre los «mandarines» de la cultura española; si, como parece, es así, creo que la palabra no cuadra a mi situación digamos profesional, desprovista de todo poder; tendré, a lo sumo, merecida o inmerecidamente, alguna autoridad o, para usar orsiana expresión, «jerarquía inerme». Y si he de decir toda la verdad, lo único que realmente me molesta de la alusión, y no por modestia, es que me llame «ilustre»). Si me detengo en la referencia es porque me da ocasión para hablar un poco de mí y justificar así el sobretítulo de «Diario» que doy a estos artículos. Mas vayamos a lo que dice. Abundando en la idea de la precipitación con que ha sido necesario ponernos al día, agrega que su precio, «como no podía ser de otro modo», ha sido «cierta superficialidad e incluso frivolidad». Y cita dos ejemplos, el de cierto crítico literario y el de quien suscribe «que a lo largo de apenas veinticinco años de carrera publicista ha «visitado» por orden cronológico, el existencialismo, la teología posconciliar *avant la lettre,* el marxismo, el estructuralismo, la teoría de la comunicación y la contracultura». La verdad es que, puesto a citar «visitas» podía haber aumentado fácilmente la lista añadiendo, pongo por caso, la teoría literaria, la ciencia política, la teoría de los sistemas, la teoría actual de la educación, etc. Y aunque no suele gustarle a uno servir de cobaya, me parece que, en efecto, sirvo tan bien como cualquier otro para ilustrar su tesis, la de «la grandeza y miseria de nuestra incorporación al pensamiento contemporáneo» que, un poco menos retóricamente, comparto. (¿Por qué grandeza y, sobre todo, por qué «miseria»? Tengo la impresión de que este juicio de valor encierra una suerte de triunfalismo al revés, triunfalismo frustrado. ¿Qué es, en definitiva, la cultura española, desde su refugio literario, al perder pie científico y filosófico en el siglo XVII, sino una sucesión de más o menos afortunadas incorporaciones?).

Desde un punto de vista autobiográfico, la «ilustración» me plantea ciertos problemas. Por el existencialismo y el marxismo hemos pasado todas las gentes de mi edad —y aun bastante más jóvenes— que nos ocupamos de problemas culturales, y el mismo Gonzalo Torrente Ballester se refiere a los criterios sucesivamente historicista, existencialista y estructuralista con que ha ido leyendo las obras clásicas. De «teología postconciliar» (*avant et après la lettre*) me ocupé ya, sí, en 1952, pero también me he vuelto a ocupar en 1970 y después. Por otra parte, nadie ha denunciado mi «infidelidad» antes que yo mismo. Inquieta infidelidad que puede denominarse también, si se quiere, versatilidad. Ahora bien, esta palabra tiene significados distintos en castellano y en inglés (*versatility*). En el primer sentido se trataría de un vicio mío que, como subjetivo, nada tiene que ver con la tesis sociocultural sustentada por mi amigo —aunque personalmente le conozco poco, le tengo por tal— Jacobo Muñoz. En el segundo sentido, aparte una virtud, que también personalmente poseería —supongámoslo así— capacidad o flexibilidad de espíritu para tratar de diversos temas (y qué caramba, alguna, sin exagerar, debo de tener, cuando mi primera «visita» a la teoría de la comunicación, el libro *La comunicación humana,* ha sido publicada en nueve lenguas, y mi «visita» más detenida al marxismo, *El marxismo como moral,* ha sido traducida a tres), lo que me importa es la convicción que a ella subyace, que he expuesto en otros artículos de este mismo libro, al hablar de la poesía simbolista y la antropología estructural en Lévi-Strauss. Decía en ellos que una de las cosas que menos aprecio y que, sin embargo, aparentemente cultivo, es la «poligrafía»; sólo aparentemente, porque lo que procuro es mantener una actitud interdisciplinar, lo cual es completamente distinto. Pues pienso que hoy, en una época de crisis de la filosofía abstracta, es menester mantenerse multi e interdisciplinarmente abierto, si no se trabaja, si no se puede ni se quiere trabajar como «especialista».

Tras este intento de dar en este artículo una página de Diario, permítaseme volver, ya brevemente, al tema del título. Me imagino a aquel objetor que surgió para contradecir mis ideas sobre la cultura española y desaparecer inmediatamente después, absolutamente desmoralizado, no ya tanto por el tono general y la «impertinente» pregunta de los *Cuadernos para el Diálogo* como, lo que es muchísimo más grave para él, por el hecho de que la mismísima *Revista de Occidente* dedique todo un número monográfico, sin orteguismo alguno, a «Análisis y Dialéctica» [2], considerados por Alfredo Deaño, que lo ha dirigido (y, por supuesto, por mucha gente más) como «las dos tendencias filosóficas con mayor "vocación de imperio"» y las que más importan a la filosofía española actual.

No es posible ya entrar en ese debate. Quiero, en cambio, terminar con dos elogios. Uno dirigido a Alfredo Deaño, que en su introducción al tema vuelve a unir, de lo que ya nos dio buena prueba en el libro *Introducción a la lógica formal* [3], la clara, brillante e incluso divertida prosa, con el máximo rigor —«intenso» y también «extenso»— intelectual. El otro, a la *Revista de Occidente* misma que, después de varios años de una cierta indecisión, está ya en el buen camino de ocupar, en el contexto de la modesta cultura actual

[2] *Revista de Occidente,* núm. 138, septiembre de 1974, «Análisis y Dialéctica», número dirigido por Alfredo Deaño.

[3] Madrid, Alianza Editorial, 1974, 200 pp. («Alianza Universidad», número 64).

—pero a quien hace lo que puede no se le puede pedir más— el lugar que le corresponde, que no puede ser ya (los tiempos han cambiado), el que tuvo en la época de Ortega, pero que como entonces, y aún más, debe seguir abierta, al Occidente de su título, y al Oriente que es ya el mismo y único mundo, al que se llega por el otro lado

38. MARXISMO E IMAGINACION

Si, empalmando con lo que decíamos anteriormente sobre los esfuerzos de reincorporación de la cultura española a la cultura europea, recordamos los años universitarios de las gentes de mi edad, podríamos lamentarnos de que no se nos hubiese enseñado nada del Círculo de Viena o del de Cambridge, pero perderíamos la razón si incluyésemos en el conjunto de las informaciones filosóficas que nos fueron por entonces vedadas, la referente a la Escuela de Francfort. ¿Por qué? Porque pese a que su Instituto para la Investigación Social había sido inaugurado ya en 1924; pese a que autores tan tempranamente traducidos al castellano como Scheler y Landsberg estaban relacionados con ella, el primero en tanto que cultivador de la «Sociología del Saber», polémicamente próxima a las tareas del Instituto, y el segundo porque era «un filósofo en quien el *Institut* había puesto grandes esperanzas»; y porque pese, en fin, a que Karl Mannheim, también muy pronto conocido aquí, haya sido, con su sociología del conocimiento, decisivo para la configuración de la tarea de la Escuela, ésta no cobró verdadera existencia social hasta muchos años después y, curiosamente, dándose a conocer, sobre todo, al desgajarse, en sus ramas antes que en el tronco del que surgieron. Y también en su doctrina, mejor que en su historia.

Es a esta última a la que Martin Jay ha dedicado un libro [1] traducido al castellano antes que a ninguna otra lengua y que, como era de esperar, nos llega desde América. En efecto, fue allí adonde casi todos sus miembros se trasladaron, con la guerra mundial. El *Institut* funcionó primero en Nueva York, en Los Angeles después, bastante apartado de la vida académica americana —en contraste con los inmigrantes del Círculo de Viena, con Lazarsfeld y con el filósofo-

---

[1] *La imaginación dialéctica. Una historia de la Escuela de Frankfurt,* Madrid, Taurus Ediciones, 1974, 511 pp. (Colección «Ensayistas» ,núm. 112).

teólogo Paul Tillich, tan amigo de ellos—, publicando en alemán, en una «espera» que, hasta cierto punto, recuerda la de los núcleos de españoles exiliados poco tiempo antes, en 1939. Y, sin embargo, estos hombres, que se resistieron a «americanizar» su estilo de pensar, acabaron haciéndose ciudadanos americanos, e incluso conservando tal nacionalidad al volver (los que volvieron) a Alemania; y puede decirse, sin excepción, que deben a América la gran reputación que la Escuela ha adquirido. Durante los primeros años de funcionamiento, el Instituto no llevó una vida culturalmente importante. En realidad hasta 1930 o comienzos de 1931, en que Max Horkheimer —catedrático ya de «Filosofía social», título expresivo de lo que ha sido la Escuela toda— asumió su dirección, su proyecto era confuso. Fue él quien vio lo que había de hacerse y, con su capacidad de organización, dotó de figura y sentido al grupo. Grupo-encrucijada, esencialmente interdisciplinar, y sometido a diversas influencias. La inicial y ya aludida de Karl Mannheim, por muy criticado que éste fuese, es innegable en su relativismo, en su mayor interés por las no-verdades que por la verdad. La del psicoanálisis, no hay que decir. El neohegelianismo de casi todos sus miembros, notorio. La impronta de Husserl y Heidegger (de éste sobre Marcuse), visible. El marxismo con imaginación —«imaginación dialéctica», buen lema de lo que la Escuela ha querido ser, con su gran sensibilidad para el arte y la literatura— por nadie ha estado mejor representado que por ellos durante años. Marxismo imaginativo, pero, a la vez, crítico y aun negativo. Todos los que pensamos hemos aprendido de ellos la lección, y Javier Muguerza, en el número de la *Revista de Occidente* sobre «Análisis y Dialéctica» al que antes me refería, hablando precisamente de ellos, de quienes, como se sabe, no está demasiado cerca, decía, sin embargo, al final de su excelente artículo, que la filosofía ya no puede ser más que crítica y más crítica. Marxismo humanista, reivindicador de la felicidad y, frente al ascetismo, de la sensualidad. Marxismo comprometido en la pureza inexorable de la *teoría,* en la versión moral de la política y en la «acción simbólica» de la que hablábamos hace poco, propia del intelectual que, como ve bien Jay, cumple de modo más «político» su función, manteniendo celosamente su independencia de filiaciones de partido. No, ciertamente yo no reprocharé a esta Escuela que haya vivido la *theoria,* de acuerdo con Aristóteles, como una forma de *praxis.*

Pero hay otro aspecto del Instituto, y consiguientemente de la Escuela, más discutible: el de su siempre bien asegurada viabilidad económica. ¿Es casualidad que todos sus miembros procediesen de adineradas familias judías, que fuese la familia judía Weil la que aportó el fondo financiero principal y que, ya en los Estados Unidos, encontraran sin gran dificultad el apoyo de las Fundaciones americanas, cuando no colaboraron directamente ellos mismos con el Departamento de Estado, cuya política, de todos modos, en aquellos tiempos en que acababa de terminarse la guerra, era todavía muy diferente de lo que había de ser en seguida? Bertolt Brecht fue uno de quienes denunciaron esas dependencias y no hay duda de que uno de los rasgos decisivos en la simpatía que hoy suscita Walter Benjamin es su relativa marginación del grupo, su gran aprecio de Brecht, penuria económica, semiabandono, soledad y triste muerte.

¿Es, en fin, casualidad el perfecto ajustamiento académico-social del Instituto y de sus miembros a la americanizada Universidad alemana de la postguerra? En cualquier caso, la Escuela de Francfort es una prueba más de la imposibilidad de la *pureza absoluta.* Siempre «usamos» o «somos usados» y, con frecuencia, ambas cosas a la vez.

Lo que no puede negarse es que esta Escuela constituyó el primer círculo marxista independiente, heterodoxo, abierto, lo que en gran parte se debió, sin duda, a que sus miembros se formaron filosóficamente fuera del marxismo, antes de adscribirse a él. El libro de Jay pone de relieve, a lo largo de todo un capítulo, «La génesis de la teoría crítica», las raíces de un pensamiento de grupo que, con indudable simplificación, tiende a atribuirse sin más a Marcuse, que se incorporó a aquél tras su alejamiento de Heidegger. Hoy mismo seguimos moviéndonos en torno a los grandes problemas planteados por la Escuela. Así, el de la vigilancia frente al neopositivismo y toda suerte de empirismos, punto éste muy bien tratado en el trabajo de Muguerza que antes cité. Del mismo modo, en cuanto al buscado equilibrio entre la repulsa de una fusión pasiva e irracional con la naturaleza, a lo Knut Hamsun —exaltación de lo *völkisch,* camino del nazismo— y la negativa a ver en el hombre el «amo» de aquélla, reducida así a una especie de taller gigantesco (peligro, a la vez, del marxismo ortodoxo y del primer Heidegger). La *Dialéctica de la Ilustración* fue en este sentido, y con toda su posible exageración, libro capital. Martin Jay tiene mucha razón al considerar injusta la afirmación del discípulo de Althusser, Göran Therborn [2], de que el tema de la no-dominación de la naturaleza fue relativamente secundario para la Escuela. Más bien habría que decir lo contrario y, desde este punto de vista, extraña que en libro tan bien documentado como el que comentamos, no se cite a M. Theunissen, cuya crítica de la Escuela subraya su excesiva dependencia hegeliana de un sentido «natural» de la historia y del hombre en ella. De cualquier modo, la conciencia de nuevas alienaciones, la de la cultura de masas —en principio, para la Escuela, la cultura popular que sus miembros vivieron en América—, así como la del consumismo (y tanto, o más, contra el ascetismo puritano), se la debemos a este grupo. Y tantas cosas

[2] Véase *La Escuela de Frankfurt,* Barcelona, «Cuadernos Anagrama», Editorial Anagrama, 1972.

más, entre las cuales es imprescindible citar, frente a la razón tecnológica o reducción de la razón a «razón instrumental», su voluntad de distinguir entre la técnica y la praxis. Veíamos antes que, frente al marxismo ortodoxo, la Escuela de Francfort afirmó, enérgicamente, el carácter de praxis que posee toda auténtica teoría. Vemos ahora que, frente a la tecnocracia, distinguió, con no menor energía, la auténtica Razón práctica de la mera razón tecnológica. Los hombres de este grupo, por reticentes que se mostrasen en cuanto a la posibilidad de alcanzar lo absoluto, tras ese absoluto, buscándolo, se movieron siempre.

Mi experiencia del trato directo con sus textos está envuelta en nostalgia, lo que de ningún modo les va mal. Jesús Aguirre, recién terminados sus estudios en Alemania, retornó entusiasmado de ellos, mas habían de pasar bastantes años hasta que estuviese en condiciones de poder, él mismo, traducirlos y editarlos. Sin duda, tuvo que ser él quien me convenció —lo que no fue difícil— de que en el Seminario de Etica comentásemos, en el comienzo de los años 60, *Minima Moralia* [3], de Adorno. El ponente, mucho más que por afinidad con lo que el libro decía, por voluntad de cooperación y por la falta de traducción, que él podía suplir, fue Víctor Sánchez de Zavala. Muy probablemente ha sido la primera vez que se trató en la Universidad española de lo que pensaban aquellos «vecchi signori —un po' nichilisti e un po' *démodés*— in lite con la storia» [4]

---

[3] En preparación en Taurus Ediciones.

[4] LUCIO COLLETTI, final de su artículo «Da Hegel a Marcuse», en *De Homine,* Centro di Ricerca per le Scienze Morali e Sociali. Istituto di Filosofia della Università di Roma, núm. 26, junio de 1968.

39. "ACAPULCO, CAPITAL MUNDIAL DE LA COMUNICACION"

Hoy no voy a hablar de libros, aunque sí de «lecturas», de «legibilidad» de los mensajes, de un cierto y fomentado analfabetismo funcional, de lo que de verdad se dice a través de los *media,* y hasta del modo de «escribir», no sobre el papel, sino en el aire. Voy a escribir sobre el Encuentro Mundial de la Comunicación que se celebró en Acapulco, Méjico, del 20 al 26 del pasado mes de octubre. Fui el único conferenciante español, el único también que habló en español (había traducción simultánea), pues Joaquín Rodrigo lo hizo en el lenguaje universal de la música. Asistieron también como invitados representantes de organismos, el director y el subdirector generales de Radio Televisión Española —¿lo seguirán siendo cuando se publiquen estas líneas?—; Rosón y Ezcurra, quienes no se me dieron a conocer, y Eugenio Fontán, director general de la Sociedad Española de Radiodifusión, los cuales guardaron un silencio discreto y total. Estuvo presente también F. Fernández Shaw, pero más bien, me parece, en nombre del Instituto de Cultura Hispánica y en relación con OTI, Festival internacional de la Canción iberoamericana, el cual tuvo lugar al mismo tiempo y en el mismo lugar que nuestro Encuentro. Hubo una buena intervención en el primer Coloquio del español residente en Méjico, Modesto Seara; el buen amigo Joan Costa fue el único representante de Cataluña y en la Organización misma dos españoles, Eulalio Ferrer desde la Presidencia, con muy activa colaboración, y Paco Ignacio Taibo en Prensa, contribuyeron muy eficazmente al éxito del Encuentro.

Gacetilla: Todos los actos, organizados por Televisa, S. A., «el complejo de Televisión y Comunicaciones electrónicas más amplio de América latina» (desde luego, aunque las comparaciones sean odiosas, enormemente superior, desde el punto de vista técnico y, por supuesto, desde los demás, a la mediocre TV española) tuvieron lugar en el magnífico Centro Cultural y de Convenciones, «uno de los mejores del mundo, perfectamente equipado para esta clase de eventos», inaugurado hace menos de un año. Todos los actos se televisaron, gran parte de ellos a 39 naciones, vía satélite, y el Encuentro en su totalidad grabado en video-tape.

Junto al fabuloso despliegue de medios —el *slogan* «Acapulco, Capital Mundial de la Comunicación del 20 al 26 de octubre de 1974», por más que a mí me gusten poco tales expresiones, se hizo verdadero —el interés del encuentro consistió en la originalidad de su organización. La mañana era dedicada a las conferencias sobre comunicación —o, para decirlo pedantemente, a la metacomunicación, a hablar de la comunicación— que tuvieron lugar en la espléndida Sala Teotihuacan, con cabida para más de 2.000 personas. La tarde en la Sala Tajin, a los testimonios orales de excepcionales comunicadores, los de dos astronáutas, G. Garr y P. Conrad, los de los nuevos músicos, los de los cineastas, representados por R. Polanski y S. Leone, los que se enfrentan a la multitud, en la ocasión el futbolista Pelé, los de los actores, personificados, según el lector podría predecir, por Mario Moreno, «Cantinflas», y, en fin, el mismo Festival OTI. La noche, en el bello teatro Juan Ruiz de Alarcón —está bien la asociación de este nombre mejicano-español a los otros, prehispánicos— a la comunicación artística: exhibición privada de la película *Terremoto,* no estrenada aún, espectáculo musical de *The Fifth Dimension,* concierto Joaquín Rodrigo, ejecutado por la Orquesta Sinfónica del Estado de México, Liza Minnelli, por primera vez en Méjico, igual que *La 5ª Dimensión* y, en fin, en Netzahualcayotl, el grandioso teatro al aire libre, el estupendo Ballet Folklórico de Méjico, de Amalia Hernández.

Centrándonos en la parte teórica, la primera sesión, presidida por Miguel Alemán Velasco, director general del Encuentro también, tuvo por tema «El porvenir de la comunicación», y en ella participaron el francés Abraham A. Moles y el americano Wilbur Schramm. El primero es bien conocido entre quienes en Europa se dedican a estas investigaciones, pero casi totalmente desconocido por los estudiantes de Méjico —de los que, nota simpática, y que dio su máxima vitalidad al Encuentro, había cientos y cientos en Acapulco, venidos de diferentes partes del país, y en estrecha comunicación con algunos de nosotros—, los cuales conocen, en cambio, muy bien la obra de Schramm, quizá el teórico con más prestigio hoy dentro de los Estados Unidos. (Vi con satisfacción que en algunas escuelas se tiene como libro de texto mi libro *La comunicación humana*). La segunda sesión, dedicada a la «Tecnología de la comunicación», fue dirigida por R. W. Beaton, presidente de UPI, y en ella hablaron H. A. Rosen, conocido tecnocientífico de la comunicación vía satélite, y J. T. Johnson, presidente y vicepresidente de las dos más importantes *Corporations* de este tipo de comunicaciones. La tercera sesión, dirigida por el profesor de Comunicación de masas de la Universidad de Minnesota Robert Lindsay y dedicada al tema «Recepción del mensaje y respuesta», tuvo como conferenciantes al profesor L. M. Nelson, de Stanford, y a G. Blechta, técnico en los aspectos comerciales de la comunicación. En la cuarta sesión, que presidió Jacques Fauvet, director de *Le Monde,* hablamos J.-L. Servan-Schreiber y yo sobre «Etica de la comunicación». La quinta, bajo la presidencia del brasileño Walter Clark, congregó a J. Goodman, presidente de NBC, asistido por su colaborador Herminio Traviesas, y a Umberto Eco, para hablar de la «Transmisión del mensaje». Y, en fin, la sexta y última sesión, presidida por Fausto Zapata, subsecretario de la Presidencia, en representación del presidente de la República, tuvo por conferenciantes a M. M. McLuhan y a J. K. Galbraith.

Personalmente las sesiones que más me interesaron fueron la primera, en la quinta la intervención de Umberto Eco y en la sexta, pese a todos los pesares, la de McLuhan. Hay el intento europeo —Moles, Eco— y el intento americano —Schramm— de creación de una teoría de la comunicación, en el primer caso mucho más puramente «teórica» que en el segundo. McLuhan, más que una voluntad de ciencia encarna el espíritu profético-poético, profecía del presente, de la nueva Era que habría comenzado ya, y una visión filosófica, histórica, cultural y literaria de la transformación del hombre como consecuencia del apresamiento de su vida entera en la red de los *media* audiovisuales. Como todos los profetas, tiene poca capacidad de diálogo y tiende al dogmatismo. Despectivo para lo que llama «conventional communication theory», cuanto dijo en su conferencia estaba en la línea de su último libro, *Take Today.* Curiosamente, quien mayor sensibilidad posee para lo que en un plano profundo significan los *mass media,* no tiene la menor simpatía por ellos, particularmente por la TV, como reiteró en el coloquio que tuvimos en la mesa presidencial con el presidente de la República, Luis Echeverría, el día que le fue ofrecido el banquete de honor por los organizadores del Encuentro y en nombre de todos por Rómulo O'Farrill. J. Fauvet, quizá como director de un diario que, como todos, ve amenazada su audiencia por la TV, abundó en las ideas de McLuhan y antes del presidente de la República, si bien las de aquellos se hacían desde un punto de vista conservador, en tanto que las de éste respondían a un talante de populismo ruralista. Otros, Umberto Eco, Wilbur Schramm, yo mismo (que raras veces miro la televisión) sostuvimos una posición matizada en cuanto a su valoración.

Es claro que por debajo de nuestros propósitos, teorizantes y extranjeros, transcurría un diálogo político del presidente con los mejicanos. Luis Echeverría está sumamente interesado en cambiar su imagen, inclinándola, no sé con qué éxito, hacia la izquierda. Pero esto es otra historia, justamente la del Méjico de la Revolución, el PRI y la Pseudo-revolución, en la que no puedo entrar aquí [1]. Sí quisiera poner fin a este artículo haciendo notar que el Encuentro me recordó en su estilo triunfal, y salvando todas las distancias pertinentes, a lo que supe de los penúltimos Juegos Olímpicos. Y que, sin grandes recursos, en Barcelona se han celebrado ya dos Congresos de Comunicación que tanto en la valía de los investigadores participantes como en la decidida voluntad de unir a la teoría experiencias prácticas de comunicación, no tuvieron nada que envidiar a este Encuentro. Aunque sí, claro, en cuanto a los medios materiales de que se dispuso, indispensables para hacer viable una plena Comunicación Internacional.

---

[1] Quien esté interesado en el tema puede leer el librito muy reciente de DANIEL COSÍO VILLEGAS, *El estilo personal de gobernar,* continuación de otro, *El sistema político mexicano. Las posibilidades de cambio,* publicados ambos por la Editorial Joaquín Mortiz, S. A., México.

40. McLUHAN EN EL ENCUENTRO MUNDIAL DE LA COMUNICACION DE ACAPULCO

Ya he dado cuenta de lo que fue el Encuentro Mundial de la Comunicación de Acapulco en cuanto espectáculo que estuvo llegando durante una semana a la nación entera de Méjico, a otros países también, y espectáculo en el que el propio Presidente de la República se vio enmarcado. Comunicación por televisión y para los que asistieron, duplicando la imagen directa con la televisiva y aun la voz por el medio acústico electrónico de los auriculares de traducción simultánea. La reunión tuvo sin duda importancia en el orden de la investigación o, mejor dicho, de la comunicación de la investigación. Pero lo nacionalmente importante fue la exaltación del poder mítico de la TV, la transmutación del bello Centro en que tuvieron lugar los acontecimientos y se reunieron las figuras más o menos mundialmente conocidas, en enorme caja de resonancia; la transmutación, así, del Encuentro en Medio y la transmutación del Evento —como dicen allí— en Propaganda de una Imagen de Méjico.

Con lo que acabo de escribir parece que estoy dando la razón a McLuhan, la gran estrella de los Profetas de la nueva Comunicación. Y, en efecto, frente a la «teoría convencional de la comunicación» fue verdad que, por ejemplo, ningún «mensaje» de Liza Minnelli fue transportado sino que, al revés, todos los televidentes fueron trasladados allí, junto a ella cuando, agobiada de calor, se desprendió las pestañas postizas y se secó el rostro, los brazos y las piernas con una toalla, para no dejarnos solos mientras se duchaba. Sí, es cierto, según pienso, que la red de comunicaciones crea un nuevo «espacio comunicatorio» en el cual, y no en el de nuestras casas, estamos. Cuando nos llaman, de larga distancia, por teléfono, se nos avisa diciendo «F. está *ahí,* al teléfono», pero en casa de F. se tiene la misma sensación de que somos nosotros los que estamos *allí,* llegados instantáneamente, más allá del tiempo y de nuestro espacio, en una quinta dimensión y, como dice McLuhan, desencarnados, convertidos en «ángeles».

Ahora bien, lo que más me impresionó en el personal encuentro con McLuhan es que él no tiene la menor afinidad con su descubierto nuevo Mundo y en realidad rehúsa pertenecer a la Era cuyo advenimiento ha profetizado. Le gustaría, sí, que los *media* nos transportasen a otra época, pero no ya al tiempo anterior a la Imprenta, sino mucho antes, al mundo homérico y a las comunidades primitivas [1]. Y como esto es imposible, reniega de esos «cuentos de hadas» —que, sin embargo, identifica como tales— de la Publicidad, y descubre su verdadera faz de cristiano reaccionario y dogmático. (Es curioso: los amigos y antiguos discípulos, ya profesores, de que me habló —así Hugh Kenner, cuyo libro *La Era de Pound* comenté aquí mismo— son, como él, a la vez apasionados por las creaciones modernas... y reaccionarias.) Es sin duda este talante dogmático-profético, cerrado al diálogo, y su modo de hablar gnómico, revelatorio, metafórico, lleno de juegos de palabras, «puns» resonantes más allá de ellos e imposibles de traducir, lo que le alejó de su juvenil auditorio.

En realidad, a medida que las ideas de McLuhan maduran, se van situando, como él mismo, no en la nueva Era sino en la transición hacia ella, a la vez que él insiste en hacernos ver la continuidad entre un poema —todo lo *impreso* que se quiera— de Joyce o Eliot y la TV, en cuanto que en ambos casos nos llega mucho antes y mucho más la experiencia del «medio», que su sentido o «mensaje».

Tal como yo veo las cosas, el profeta de la nueva Revolución no la desea, cada vez pone en ella menos esperanzas. Es verdad que el hombre medio va dejando de ser conceptual —conceptuoso o conceptista lo es mucho, en su prosa, McLuhan—, se hace visual de una manera directa y mucho más acústico-táctil. ¿Más pluridimensionalmente, más plurisensorialmente perceptivo? McLuhan desconfía de ello y ve en la TV una «droga del alma», según afirmó en el Banquete al Presidente de la República. Me pregunto si no se estará convirtiendo él también en un «vecchio signore in lite con la storia», y si tras sus brillantes síntesis histórico-culturales no habrá que volver —incluso con respecto a sus propias intuiciones— al análisis, a la contrastación con los hechos y, en suma, desde la «poesía» de la comunicación a la teoría de la comunicación.

[1] Desde este punto de vista, es instructivo el acercamiento, llevado a cabo en un librito puramente ensayístico, es cierto, y bastante ligero, por JEAN MARABINI, entre McLuhan y Marcuse, con quien, por cierto, también se quiso contar para el Encuentro de Acapulco. El librito, *Marcuse & McLuhan y la nueva revolución mundial,* ha sido publicado en castellano por el muy meritorio Fernando Torres Editor, Valencia, 1974.

41. ANTONIO MARICHALAR Y LA GENERACION DE 1927

Pienso que con ocasión de la muerte, todavía reciente, de Antonio Marichalar, no se escribió sobre él tanto como merecía. Y no es que, en mi opinión, la obra que ha dejado publicada, con ser más que estimable, sea muy importante. Lo verdaderamente importante fue su presencia en la vida literaria de la época. Particularmente la Generación de la Dictadura se entendería mal sin él, uno de sus *seniors*. Está por hacer un estudio sociológico de la base socio-cultural y socio-económica española cuyos «samples» identificables constituyen la nómina de la Generación. Generación de Profesores, se la ha llamado. También, casi, de aristócratas, pues además de Marichalar, marqués de Montesa, pertenece a ella, por la fecha de sus versos, el poeta tardío Fernando Villalón, conde de Miraflores de los Angeles. Si por la polarización en torno a éste y a Ignacio Sánchez Mejías, la Generación —García Lorca, Alberti— se inclinó del lado andaluz; Marichalar más que nadie, incluidos los «Profesores», significó la apertura a Europa, a Francia por supuesto, pero en especial a Inglaterra. Fue colaborador de *The Criterion,* la revista de Eliot, e introductor en España de *El retrato del artista adolescente,* de Joyce. Fue el mejor conocedor de la literatura inglesa contemporánea, de esos grandes ingleses —nacidos algunos en los Estados Unidos— con los que, sin duda, sintonizaba bien en su gusto por la vanguardia artística y, a la vez, en el conservadurismo político y, en el fondo, cultural. Es esta clase de derecha muy civilizada la que se echa de menos hoy en España: la derecha de Marichalar, la de d'Ors (con quien nuestro autor tenía, sin duda, «buena relación», pero, podría agregarse, parafraseando frase atribuida a Santiago Montero Díaz, que ni el uno ni el otro «querían mejorarla»), la derecha, sobre todo, de Ortega, cuyo europeísmo continental complementó Marichalar con el insular.

Antonio Marichalar recogió algunos de sus ensayos en el libro

Mentira desnuda (*Hitos*)[1], del que lo único anticuado es el título. Un índice de nombres citados es seguro que no dejaría fuera ninguno de los que, entonces, era, para un dandy de las letras como Marichalar, un *must* citar. Es curioso advertir cómo en su conocimiento de la literatura contemporánea se encuentra un prurito de precisa «erudición» que, andando el tiempo, habría de servirle, y mucho, para su labor erudita estrictamente dicha. En el arranque del libro hay alguna nota levemente cursi —«Poesía eres tú», «la chica tiene novio» y «éste es Gerardo Diego»—, no insólita en algún otro miembro de la Generación y aun en otra anterior. (Pero recordemos el elogio de *Lo Cursi,* de Ramón, escritor que enlaza la una y la otra.) Tras este primer ensayo, el más ambicioso, viene, no menos importante, el ya citado sobre Joyce, «James Joyce en su laberinto». Mallarmé y Valéry fueron autores bien conocidos y muy frecuentados por Marichalar, y de Baudelaire nos da una interpretación bastante personal. Supongo que fue el primer español que escribió sobre Rilke, «Rilke el ido», un trabajito necrológico, ligero pero muy fino. Hay también en este libro un ensayo, «Las "Vidas" y Lytton Strachey», que me interesa especialmente porque me pregunto si no sería este nuevo estilo de biografiar lo que movería al propio Marichalar a dedicarse al género biográfico, de un modo, por supuesto, muy diferente del de aquél.

Riesgo y ventura del Duque de Osuna[2] es, sin duda, el libro que ha dado más nombradía a Antonio Marichalar. En realidad se trata de dos libros, de dos biografías: la del «malogrado» Don Pedro, el XI Duque, «apuesto doncel», exquisito, entusiasta del *bel canto,* introductor en España de las carreras de caballos de pura sangre, moderado en política, romántico, melancólico, muerto de amor o casi; y la biografía de su más famoso hermano Don Mariano, XII Duque, el del rumbo, el de «¡Ni que fuera Osuna!», «El Grande de los Grandes de España», el del «Quedar bien» por encima de todo, el que tiró la Casa de Osuna por el ventanal de Rusia y de Europa; nietos ambos de aquella duquesa, condesa-duquesa de Benavente, creadora de «La Alameda», cuyo rastro se encuentra uno cerca del aeropuerto de Barajas, rival de la de Alba en la vida cortesana y en la pintura goyesca. En réplica a la crítica de «haber dedicado minuciosa atención a la vanagloria de un tonto», este Don Mariano —por cierto tan mal entendido por su secretario de embajada don Juan Valera como lo habría sido bien por quien, recuérdese, también fue embajador, Américo Castro—, escribió Marichalar esto en la tercera edición del libro: «En cuanto a Osuna, es obvio afirmar que si me hizo gracia no fue ciertamente por ser una

[1] Madrid, Espasa-Calpe, S. A., 1933.
[2] Madrid, Espasa-Calpe, 1930, con muchas ediciones posteriores, traducido al inglés ya en 1932.

gran inteligencia, sino por ser algo que aprecio sobre todo: una gran persona, un alma grande, generosa. De ese bizarro desprendido me atrae el ánimo, el arrojo. Y su magnánima liberalidad. El corazón, en suma.» (Obsérvese el estilo, discretamente conceptista, no raro en Marichalar. Su admiración por Gracián —común con d'Ors— explica que el doble juego de palabras «certero/cierto», «veraz/verdadero» se mantuviese en su obra desde 1930 hasta 1952.)

Antonio Marichalar, el crítico de la vanguardia literaria que, como todos sus colegas, admira al casi católico Eliot, como no todos ellos al católico Claudel, y más que todos al Reverdy católico y casi diría yo que a Massis —por lo menos al Massis de una cierta hora—, con el paso del tiempo irá, igual que otros muchos españoles, dividiéndose en sí mismo: división que trajo consigo la República, división católica en el seno de *Cruz y Raya,* «tajo» de la guerra civil. La España de la postguerra hizo imposible al antiguo Antonio Marichalar quien, tras pasar por la revista *Escorial,* fue convirtiéndose en contenido reaccionario —culto y civilizado siempre, claro—, y se replegó de los siglos XX y XIX a los XVI y XVII. ¿Fue también un «tajo» en su vida la dedicación de los últimos tiempos a la erudición? No diría yo tanto. A la mitad de su excelente estudio sobre Joyce había escrito ya: «Yo imagino a fray Juan de Santo Tomás —el docto portugués, confesor de Felipe II— discurriendo por entre el súbito trajín que fue la fábrica de El Escorial y discutiendo, acaso, con el propio Herrera, acerca de su próximo *Tratado de la figura cúbica.* Y supongo que a Juan de Santo Tomás no le hubiera sorprendido excesivamente una obra como el *Ulyses.* Su extensión, lejos de parecerle desmesurada, se le hubiera antojado "la medida de la cosa como artificiosa y factible"....» Recíprocamente, tampoco a nosotros, los admiradores del primer Marichalar, nos sorprende demasiado ni nos parece desmesurada su biografía de *Julián Romero* [3], comendador de la Orden de Santiago, pintado por el Greco y cantado por Lope de Vega, Maestre de Campo que consumió su vida entera y, a lo largo de ella, sus mil veces herido y mutilado cuerpo, al servicio del emperador Carlos V, del rey Felipe II después, en Inglaterra y Francia primero, y lo más del tiempo en las guerras de Flandes. La factura del libro, con la preciosa cita buscada y a punto, a la cabeza siempre de cada capítulo, y la dedicatoria «A FLANDRINA, hija de Guillermo el Taciturno, que abrazó la fe católica y murió en olor de santidad, abadesa del monasterio de Santa Cruz de Poitiers», sigue siendo la de los anteriores, y asimismo, al inicio, se mantiene la distinción, no inventada por los poetas del 27, pero convertida en su autodefinición, entre «literatura» y «poesía». Yo diría que hasta el hecho de

[3] Madrid, Espasa-Calpe, 1952 (Colección «Grandes Biografías»).

que cinco años antes, al editar Henry de Montherlant su obra de teatro (cuya acción transcurre en España y precisamente en Avila) *Le Maître de Santiago,* la encabezase con el retrato de Julián Romero por el Greco y con un texto sobre tal retrato sacado de su obra de 1943, *Croire aux âmes,* nos está mostrando que Antonio Marichalar, aun refugiado en la lejana y gloriosa historia, continuaba con sus lecturas de antes y, en suma, siendo el mismo.

El mismo, sí. Parece que el Marichalar joven y dandy fue en la vida —literaria— irónico, cruelmente a veces, como su admirado Strachey. En la obra, no. En la obra fue siempre, como su «contemporáneo», el M. Teste hijo imaginario de Valéry, espíritu callado y cohibido por su «obstinado rigor». En estos tiempos de graves irresponsabilidades, literarias y de las otras, no se considerará inoportuna la evocación del rigor obstinado, la poesía verdadera y el gesto verbal certero y acertado de Antonio Marichalar, emplazados en su lugar literario natural, la Generación de 1927.

42. SOBRE ENGELS Y OTROS ANTIVICTORIANOS VICTORIANOS

El autor de los dos libros que hoy vamos a comentar, Steven Marcus, no es un crítico formalista de la literatura, a quien nada importa *lo que* las obras dicen. Pero tampoco un sociólogo (más o menos frustrado) que sólo atienda al valor social de los libros que lee. Le interesa, a la vez, lo uno y lo otro: señalar en la literatura, la subliteratura y sus presentaciones «científicas», su relieve social; y viceversa, en los textos de literatura social, su calidad literaria.

El mundo que el norteamericano Steven Marcus se ha dedicado a estudiar es el inglés victoriano. Tras un libro dedicado a Dickens [1], publicó *Los otros victorianos* [2]. Como se sabe, la «moral» victoriana, el estilo victoriano de vida consistió en «guardar las formas», abroquelar la exterior respetabilidad burguesa ocultando cuidadosamente debilidades y vicios, y considerar que «es peor hablar de ciertas cosas que hacerlas». Pero, y de ahí el título del libro, hubo «otros victorianos», muy poco conocidos hasta él, que escribieron miles de páginas precisamente sobre uno de los dos temas de los cuales, según la mentalidad de la época, no se debía escribir, sobre sexualidad. Nuestro autor analiza los testimonios que, con pretensión científica o presociológica, se conservan y, entre ellos, el *Index* de «Pisanus Fraxi» que se arroga el título de Pornógrafo Real, y la extensísima obra (11 volúmenes) *The Secret Life,* de la cual circulan profusamente extractos en los Estados Unidos, bajo títulos sugestivos. Y analiza también las obras que se presentan, sin más, como novelas, desde *El turco lascivo,* en 1828, pasando por *Rosa Fielding o una víctima de la lujuria,* hasta *Las experiencias amorosas de un cirujano* y *Randiana* (1884), relato de otras experiencias semejantes, en este caso de un «Filósofo erótico».

---

[1] *Dickens: From Pickwick to Dombey,* 1965.

[2] *The Other Victorians. A Study of Sexuality and Pornography in Mid-Nineteenth Century, England,* Nueva York, Basic Books Inc. Publishers, 1966.

Como crítico social de toda esta subliteratura, Steven Marcus pone de manifiesto que el sexo fue eróticamente vivido por los victorianos en función de la clase social y el dinero, por lo cual los personajes femeninos son sirvientas, cuando no prostitutas. La prostitución en la Inglaterra victoriana fue, escribe, la China Roja (hasta hace poco) de aquel tiempo: existía, claro, pero era intolerable el reconocimiento de que existía. Y agrega que aun cuando sería demasiado simple afirmar que la revolución sexual de hoy se ha producido *porque* no se ha llegado a la revolución social (y quizá, agregaría yo, también viceversa, en los países del Este), es indudable que existe una relación profunda entre ambas.

Atento a la penetración en el campo sexual de la concepción materialista-burguesa, Steven Marcus muestra que el cuerpo del varón era concebido como un sistema de producción limitada (se estaba lejos, todavía, de la economía de consumo), por lo que las fantasías sexuales tenían relación con la economía. ¿Cómo entender, si no, que la expresión coloquial para referirse al trance del orgasmo (lo que hoy se llama *to come*) fuese, hasta fines de siglo, *to spend,* es decir, literalmente, «gastar»? (Las connotaciones son obvias: «Gastar demasiado» o «gastarse» y, por contra, «ahorrar energía sexual» [3].)

La crítica literaria del género en cuanto tal —la novela pornográfica o erótica ideal, más allá de estas concretas muestras de subliteratura— es interesante, aun cuando me parece que discutible [4]. Según lo que el autor llama Pornototopía —es decir, el topos (utópico) o las coordenadas espacio-temporales de la Pornografía, que son el «siempre» como tiempo de la relación sexual y la conversión de todo lugar en «lecho» o universo, en «donde» pansexual— quedaría inhabilitado este género, en cuanto sucesión de experiencias infinitas, para cobrar *forma* y, por ello, para llegar a ser auténtica literatura o arte genuino.

Mas en realidad yo sólo quería hablar de este libro para poner en relación el tabú sexual victoriano, que en su tema se quebrantó (sólo en parte, puesto que tales obras o no fueron publicadas o lo fueron clandestinamente o casi), con el que verdaderamente me importa, el que dentro de este año ha publicado el mismo autor sobre «Engels, Manchester y la clase obrera» [5], cuyo tema es la debelación por Engels del tabú social. El método que en él sigue Marcus es el mismo: interesarse *a la vez* por la significación socio-

---

[3] Sobre el economicismo mercantil de las relaciones sexuales en esta época (virginidad, matrimonio, fidelidad conyugal, adulterio femenino), puede verse mi libro *Erotismo y liberación de la mujer,* Barcelona, Ariel Quincenal, 1972 y 1973, pp. 40 ss.

[4] *Ob. cit.,* pp. 73 ss.

[5] *Engels, Manchester and the Working Class,* Nueva York, Random House, 1974.

moral y por la calidad literaria de la obra de Friedrich Engels *Die Lage der arbeitenden Klassen in England in 1884*[6]. Como se sabe, la base del conocimiento directo por Engels de la condición de la clase obrera inglesa fue Manchester, la ciudad más puramente industrial-comercial, por entonces, en el mundo entero. Otros eminentes ingleses, Dickens, Carlyle, Disraeli, etc., habían escrito, con más o menos acierto, sobre ella. La calidad incomparable del libro de Engels procede, según el autor (que juzga aquí, con fina sensibilidad urbanístico-social), de que, frente al caos ininteligible que eran, para sus contemporáneos, las grandes ciudades modernas, Engels mostró su «legibilidad». Y pudo hacerlo porque, según dijo, conoció Manchester «tan íntimamente como conozco mi propia ciudad natal». En parte gracias a Mary Burns, obrera irlandesa en la ciudad, con quien estableció una relación sexual importante en su vida, tuvo acceso a los cobijos más miserables, escondidos por aquel *unplanned planning* que Engels acertó a «descifrar».

La mención de Mary Burns lleva al autor a plantearse la cuestión del «estilo de vida» del joven empresario Engels. De niño, nos dice, guardaba sus pequeños ahorros para «los pobres». En la juventud distinguió entre aquel «socialismo» caritativo y la identificación con la «causa» del proletariado. Ni vivió como un proletario ni siquiera totalmente con Mary Burns; tampoco como un bohemio, sino que eligió ser «un revolucionario respetable y, al mismo tiempo, un respetable hombre de negocios de Manchester». Frente al estilo bohemio de los socialistas utópicos, Engels, según su propia declaración, infundió «filisteísmo» (es decir, espíritu burgués, en el sentido de anti-romántico) en el comunismo, convirtiéndolo así, junto a Marx, en «marxismo».

Pero volvamos a la «lectura» de Manchester, según Marcus, la parte del libro que constituye la obra maestra de Engels desde el punto de vista literario. (Pues piensa que el *Manifiesto comunista* fue, en lo esencial, escrito por Marx, aunque el título y ciertos pasajes procedan de Engels.) Manchester fue la primera gran ciudad creada por la revolución industrial. Engels, en su libro, no «entra» directamente en ella. Tras describir superficialmente Londres, se va acercando poco a poco, en un bien graduado *crescendo,* a través de un conjunto de ciudades puramente industriales, estrictamente uniformes, cuasi militarmente disciplinadas —lo que hoy llamaríamos «el gran Manchester»—, al núcleo industrial-comercial que era Manchester mismo. Allí el centro comercial y los barrios residenciales de la periferia estaban comunicados por un sistema de omnibuses que hacían su recorrido por una red de buenas calles

[6] *La situación de la clase obrera en Inglaterra en 1844.* Versión española de Jordi Solé Tura, en *Escritos económicos,* Barcelona, Ed. Península, 1969, páginas 22-91.

con función de escaparate y de fachada aseada que «tapaba» lo que había detrás y servía así para evitar a la burguesía la visión de la miseria proletaria. La topografía de la ciudad re-vela, es decir, vela a quien prefiere no enterarse, y des-vela a quien, como Engels, traspasa esas bambalinas, lo oculto tras ellas. La enorme habilidad con la que, sin plan urbanístico, se llevó a cabo la reclusión de los obreros en ghettos, miserables todos, pero con cierta gradación de miseria en cuyo fondo vivían los irlandeses, sólo es comparable a la enorme maestría literaria de Engels al exhibirnos como un plano (de hecho, el libro de Marcus es ilustrado por uno), pero un plano que nos diese, con el dibujo, la horrenda pintura del hacinamiento infrahumano, con frecuencia subterráneo, en el que vivía la mayor parte de la población. En la espesa cerrazón se abrían algunos boquetes, el del cementerio de los pobres, los del trazado de las líneas del ferrocarril, que traicionaban el encubrimiento del inmenso crimen en que *consistía* la ciudad.

Steven Marcus nos hace ver que en el libro, junto a la inmediata, apasionada, muy temprana visión, que elogió Marx, hay ya anticipación de teoría crítica de la atomizadora división del trabajo y de sus secuelas, la alienación y la desmoralización. Según el autor, este libro es, en parte, más insular o inglés que continental o «marxista» y en él Engels encarna una actitud moral que venía a compartir, sólo que con mayor fuerza, la de ingleses nativos como Blake y Dickens. A la manera de los románticos, Engels ve en el criminal, en el delincuente en general, al rebelde frente a una sociedad injusta. Mas en el libro se encuentra ya el tránsito al nuevo socialismo, pues la delincuencia es subversión insuficientemente racional, meramente «simbólica», y la rebeldía, para ser eficaz, ha de hacerse plenamente consciente —conciencia de clase— y organizarse. Este será precisamente el argumento del *Manifiesto.*

Pero recordemos lo que dijimos al principio, Steven Marcus se propone hacer crítica *literaria* de una obra socialmente comprometida. Todos los que antes de Engels intentaron la descripción de la ciudad moderna fallaron porque cayeron en los viejos clichés, inaptos para la nueva visión, la de un mundo emergente. Engels es muy parco en metáforas, su lenguaje es poco figurativo, porque confía la intensificación a la realidad misma, a su pura, inmediata, directa presentación verbal. Para Marcus, las mejores páginas de este libro acreditan al alemán Engels como máximo escritor entre aquellos «otros victorianos» que denunciaron la inmensa hipocresía del victorianismo. Victorianismo que, por supuesto, se extendió bastante más allá de los dominios de la Reina Victoria.

43. LA BIBLIA Y EL CASTELLANO BIBLICO, LA SECULARIZACION Y EL RE-ENCANTAMIENTO, LA VIOLENCIA Y EL SACRIFICIO

Voy a hablar hoy de libros religiosos, pero más desde un punto de vista lingüístico-literario y sociológico que estrictamente religioso. Y, para empezar, del más importante entre todos los libros religiosos, la Biblia, con motivo de una muy reciente traducción al castellano del Nuevo Testamento [1]. Publicada por Ediciones Cristiandad, aprovecho la ocasión para elogiar como se merece —y, según mi impresión, no se ha hecho aún bastante— a esta editorial que publica la versión española de la famosa revista católica holandesa-internacional *Concilium,* y que ha lanzado ya al mercado una veintena de títulos en la colección «Epifanía» de libros de bolsillo, a alguno de los cuales se hará referencia más abajo.

El *Nuevo Testamento,* cuya versión aparece ahora, forma parte de la *Nueva Biblia Española,* traducción de los textos originales, dirigida por L. Alonso Schökel y Juan Mateos, y se trata, sin la menor duda, de una gran empresa que honra al Escriturismo español. Su modernidad y estilo postconciliar acercan el Nuevo Testamento a la nueva sensibilidad religiosa. Sus autores, en las diversas introducciones, en el capítulo o apéndice titulado «Algunos conceptos del Nuevo Testamento» y, sobre todo, en la autocrítica publicada en *Razón y Fe* [2], han razonado sus innovaciones desde los puntos de vista exegético, lingüístico y estilístico. Es una admirativa y amistosa discusión de esos puntos de vista lo que yo quisiera esbozar.

Como se sabe, la primera traducción de la Biblia a una lengua moderna fue la alemana de Lutero. Era su época la de la creencia en la posibilidad del Re-nacimiento o vuelta a la época clásica, de

[1] *Nuevo Testamento,* traducción de Juan Mateos con la colaboración de L. Alonso Schökel. Introducciones y comentarios de Juan Mateos, Madrid, Ediciones Cristiandad, 1974.

[2] Número de noviembre de 1974, «Hacia una 'Nueva Biblia Española'».

la Re-forma o vuelta al cristianismo paulino. Con la traducción de la Biblia, Lutero contribuyó decisivamente a la creación literaria del alemán moderno (y, por otra parte, a la germanización y luteranización de la Biblia). Mas ¿es repetible *hoy* el intento de que ella hable igual que «la madre en su casa, los chicos en la calle o el hombre común en el mercado»? Creo que el historicismo no ha pasado en vano y que nuestro sentido histórico nos impide saltar por encima de los siglos. Pensemos en la literatura profana y en la distancia meramente geográfica. Cuando, por ejemplo, se traduce un libro escrito en *slang* americano, ¿recurrimos al argot o germanía castellanos para verterlo? Yo diría que, tras lejanos intentos en esa dirección, como *Manhattan Transfer* de Dos Passos, cada vez menos. Preferimos un castellano con anglicismos y hasta palabras inglesas comúnmente conocidas sin traducir, porque pensamos que nos «trasladan» más eficazmente a aquel mundo ajeno a nosotros, más o menos exótico. Naturalmente que, para un cristiano, la palabra bíblica debe trascender las limitaciones geográfico-históricas. Pero, ¿puede la traducción cargar sobre sí con todo el peso de la exégesis? ¿Traducir la expresión «Hijo del Hombre» por «el hombre» o «este hombre» sin más, no es cortar, sin desatarlo, el nudo teológico o, cuando menos, tomado por tal, de la identidad, del «título» de Jesús? ¿Y no ocurre otro tanto al enredar el concepto de la «Justicia de Dios», punto central de la polémica luterana y no luterana sobre la gracia, en la palabra y la idea de «amnistía»? Destaco estos dos casos porque involucran graves cuestiones de interpretación teológica. Aunque no ocurra así, ¿es tan condenable como parecen pensar los autores el «castellano bíblico»? Todo lenguaje religioso posee una dimensión tradicional y aun arcaizante. Que no debe ser la única es cierto. Pero la extirpación del castellano bíblico, con sus metáforas incorporadas al habla religiosa —así, «beber el cáliz», sustituido por «pasar el trago»—, ¿no nos hace caer en una opuesta unidimensionalidad? ¿Y cómo hacer decir a Jesús «*so* hipócritas», con un vocativo despectivo que, para no buscar más lejos, yo mismo, que no me tengo por remilgado, nunca he usado?

Hay luego el capítulo de los semitismos. Admito, pues no soy competente, que lo sean. Pero aun así, ¿por qué no mantenerlos, advirtiendo en nota, como a veces hace la Biblia de Jerusalén, que se trata de hebraismos? No es sólo que se preserve así el «colorido», el «exotismo» del texto. También, lo que es mucho más importante para el cristianismo, su modo *escandaloso* de hablar («odiar a su padre y a su madre», obrar «con temor y temblor»— otra expresión impregnada de problemática teológica). A veces creo que se trata de pseudoproblemas. Por ejemplo, es verdad que llamar «zorro» a Herodes en el contexto de Lc. 13, 32 parece excesivo, mas ¿por qué no atenerse a la traducción «raposa», de Nácar-Colunga, despectiva sin más, en vez de alejarse tanto de la letra, proponiendo un «don nadie»?

Sería un error pensar que estoy criticando esta traducción, a todas luces encomiable. Mi problema es otro. Es el problema de los límites de la vulgarización del lenguaje religioso. O, para no empequeñecerlo, el problema de su versión a un castellano que, precisamente por actual y vivo, por propio de nuestro tiempo, está completamente secularizado. Con lo cual pasamos al segundo de los temas que me proponía tratar, la secularización, no tanto, ni principalmente, del lenguaje como de la vida.

La palabra «secularización» puede tomarse en varios sentidos y no sólo en el de «ocaso» de la religión, sino, como ya vimos al comentar, hace un par de años, en *La Vanguardia,* el libro de Juan Estruch *La innovación religiosa,* en las acepciones de independización de la sociedad con respecto a lo religioso de adaptación (*aggiornamento*) de la religión a los «signos de los tiempos» (pero más que *leer* esos signos, ¿no importaría ser capaz de escribirlos?, se preguntaba Estruch), de la puesta del acento en una teología —y una praxis— política, de la revolución o de la liberación, y de la de-sacralización, *Entzauberung* (Max Weber), o des-encantamiento del mundo, explicable por la ciencia y la razón tecnológica.

El mismo Juan Estruch, junto con Jesús Jiménez Blanco, ha dedicado un libro de investigación empírica al tema de la secularización en España [3], atendiendo a los diversos indicadores de ésta. En algunas de sus páginas (66-7, 192) aparece mentado el nuevo proceso que, tras el de secularización o des-encantamiento, le interesa ahora estudiar, para lo cual ha institucionalizado mínimamente su trabajo, asociado a Antoni M. Güell, a través de ISOR (Investigaciones de Sociología de la Religión). Es un tema que yo mismo apunté en *La crisis del catolicismo* [4]. ¿Significa este nuevo proceso que, según quieren Thomas Luckman y Andrew Greeley, este último en uno de los libros de Ediciones Cristiandad [5] a que antes me referí, quepa empezar a hablar de una re-sacralización del mundo moderno o postmoderno? Naturalmente, si por «sacralizar» se entiende convertir en absoluto un sistema de símbolos y significaciones, sí. Pero ¿no parece un poco exagerado considerar el movimiento ecológico, por ejemplo, como una vuelta a la sacralización del mundo? Personalmente prefiero hablar, como me parece que también Estruch y Güell, de una tendencia a su re-encantamiento, palabra

---

[3] Bilbao, «Biblioteca Fomento Social», Mensajero, 1972. Véase también el libro de Antoni M. Güell, *Capvespre de creences. Estudi de sociologia religiosa,* Barcelona, Editorial Laia, 1973.

[4] Madrid, Alianza Editorial, 1969, especialmente en el capítulo 7, «Teología radical y Catolicismo».

[5] Madrid, colección «Epifanía», 1974.

menos comprometedora y más libre y poética. Por una parte, el protestantismo y, por supuesto, el catolicismo, vuelven a la «religión», considerada no hace mucho como incompatible con la fe. Paralelamente, las nuevas generaciones recuperan el sentido del misterio y la encantación, del *spell,* si no del *Godspell.* Sí, quizá asistimos a los albores de una nueva época de salida del predominio unilateral de la razón tecnológica.

En conexión con este tema querría referirme a un último libro, de Ediciones Sígueme, que en estos últimos años ha publicado muchos de los libros teológico-religiosos más importantes aparecidos en castellano. Me refiero al de Luis Maldonado, *La violencia de lo sagrado. Crueldad versus Oblatividad o el ritual del sacrificio*[6], tan sintonizado, desde el título mismo, con una sensibilidad religiosa completamente actual. El autor, a la vista del «pleamar de violencia» de nuestra época y de la prueba de su implantación no solamente en las estructuras sociopolíticas, sino también en las internas de cada animal humano (agresividad puesta de relieve por la etología, el psicoanálisis, etc.), con toda valentía (y también con la pertinente ambigüedad: ¿Es lo sagrado violento, o más bien violentado?) se hace la pregunta por la relación entre un fenómeno tan actual como el de la violencia y otro tan en crisis como el de lo sagrado. ¿Será o habrá sido lo sagrado «la más potente fuerza generadora de violencia en el mundo»? Piénsese en los sacrificios humanos de las religiones antiguas y de las inquisiciones modernas, en los rituales de limpieza y las modernas «depuraciones» y «liquidaciones», la «guerra santa» y las Cruzadas. La solución de la antítesis parece orientarse hacia una relación dialéctica entre el impulso de violencia y destrucción y el sacrificio de sí mismo, entre la agresividad y el amor, la crueldad y la oblación, la muerte y la resurrección.

Luis Maldonado aporta a su libro, inspirado en una concepción interdisciplinar de los datos necesarios a la teología, una porción de estudios procedentes de los más diversos campos que de cerca o de lejos son pertinentes a su tema. El peligro que la obra no acaba de vencer, pese al excelente planteamiento de la «Presentación», es el de quedarse en una bien compuesta y ordenada recopilación de lecturas y resúmenes, todos sugerentes y aptos para provocar una reflexión muy a cargo del lector, al no estar suficientemente sintetizados. La «dialéctica» por la que la violencia, purificada de sí misma, ha de sublimarse (y empleo deliberadamente este término, tornado ambiguo) no acaba de percibirse en el desarrollo de la argumentación y en el uso unificador, a través de todas las mediaciones necesarias, de los bien escogidos materiales aquí compilados.

---

[6] Salamanca, Ediciones Sígueme, 1974.

44. LAS FIESTAS DE GEORGES BATAILLE

La muy reciente publicación en castellano de *Obras escogidas* [1] y de *El Culpable* [2], de Georges Bataille, nos impulsa a hablar de él y, aun a riesgo de describirle *desde* fuera (como hizo Sartre, pero conviene, según el propio Bataille, verle *también* así, «cómicamente», momento esencial de su pensamiento), acercarle intelectualmente un poco —no demasiado— a la comprensión del lector. Naturalmente, puede discreparse. Rafael Conte inició acertadamente tal acercamiento. Fernando Savater ha preferido, con todo el cuidado posible, traducirlo sin más. Yo pienso que, precisamente a causa del desconocimiento, por parte de su lector en castellano, de una parte muy importante de la obra, no es inconveniente suplir un poco lo que, como elemento de juicio —o de necesaria pérdida poética—, no está todavía a su alcance. Y por de pronto —horror de los horrores— empezar por situarle como filósofo antiacadémico, como místico, política y literariamente.

En cuanto a lo primero, como tantos otros contemporáneos, viene de Hegel. De aquella lectura de Hegel del París de los años 30, que fue, sobre todo, lectura de la *Fenomenología del espíritu,* mucho más exigente, según Bataille, que la fenomenología moderna. Fue la lectura hecha por A. Kojève, por Jean Hyppolite, por Jean Wahl, muerto recientemente, mucho más jugosa y fiel que la que, confundida con la de Heidegger, y resecadas ambas, nos daría luego Sartre en *El ser y la nada.* Y con Hegel, detrás y delante de él, Bataille viene de Nietzsche, de un Nietzsche desnudado de toda «utilización».

Por otro lado, ejercieron una gran influencia sobre él Jean Baruzi,

---

[1] Barcelona, Barral Editores, 1974.

[2] Madrid, Taurus Ediciones, 1974. De BATAILLE han sido publicados, también por la misma editorial, *Sobre Nietzsche,* 1972; *La experiencia interior,* 1973; *La Literatura y el mal,* 1959 y 1971, y *Teoría de la Religión,* 1975.

el gran estudioso de la mística de San Juan de la Cruz, el gran historiador de las religiones, por entonces en París, Mircea Eliade, a quien le aproximarían, quizá, el compatriota de éste Cioran, su discípulo Roger Caillois, grandes amigos, ambos, de Bataille; y asimismo la sociología y la etnología francesas, que su amigo Leiris cultivaba.

De sus actividades en el plano literario —relación con el surrealismo— y en el político, nos informan bien las citadas *Obras escogidas.* El «descubrimiento», por aquellos años, de Sade; la lectura de los «poetas malditos», de cuya experiencia su obra es, en buena parte, reflexión metafísica, y la proximidad, en el estilo de pensar, de Maurice Blanchot, nos ayudan eficazmente a entenderle. Políticamente luchó, como *gauchiste,* por una «revolución real» indivisible de la revolución moral y la debelación (Nietzsche a la francesa) de los valores burgueses de la «patria» y la «familia».

Dentro de estas coordenadas se desarrolló su pensamiento, a la vez erótico, moral, metafísico y místico. El erotismo de *Madame Edwarda*[3] revistió la forma de fragmentario relato surrealista. *Histoire de l'Oeil*[4], publicado con el pseudónimo de Lord Auch, inserta en el surrealismo elementos de misa negra y de españolada. (Recordemos, dentro del mismo género erótico, a otro aficionado a españoladas, Pierre Louys.) Más explícita en su moral de transgresión (lesbianismo, corrupción, incesto) es la novela póstuma *Ma Mère*[5], y nota estilística interesante, aquí como en *Histoire d'O,* presuntamente de Jean Paulhan, y en todo el género, desde Sade y sus contemporáneos, el lenguaje, en contraste con el anglo-americano, es siempre correcto, casi académico. (Si no recuerdo mal, en *Ma Mère* sólo una «palabra de cuatro letras» aparece justo al final.)

El erotismo de Bataille —que el lector español entendería mejor si estuviesen traducidos el libro de este título, las novelas a que acabo de referirme, y *La part maudite*— es el centro y la «carne» de su moral, su metafísica y su mística. La moral de Bataille lo es de realización, pero no de «proyecto»: busca alcanzar una «cumbre», ir siempre más allá, transgredir las reglas morales que, sin embargo, no propone suprimir. (¿Cómo transgredirlas si no existiesen?) Son ellas mismas las que por «cansancio» se hundirán en el «ocaso». Mas la moral entendida como sentido de la vida no siempre fue así. Los estudios antropológicos nos muestran el arcaico sentido de la Fiesta —risa, danza, sacrificio gozoso de dilapidación—, derroche de energía vital, desbordamiento y no «ahorro» de energía sexual (recordemos el *to spend* de la sexualidad victoriana, de la que hablábamos en páginas anteriores), «gasto» económicamente improduc-

---

[3] *Oeuvres Complètes,* III, Paris, Gallimard, 1971, pp. 15-23.
[4] *Ob. cit.,* I, 1970, pp. 9-78.
[5] Roman inédit, Paris, J. J. Pauvert [1966], 1967.

tivo o en el que la producción es un secundario subproducto (*potlach*). Los padres y los hermanos no habrían renunciado al goce del incesto por imposición de una «regla» inexistente aún, sino en aras —sacrificio— del mayor valor de la generosidad y la comunicación —comunión— de bienes. Más tarde se vuelve a la Fiesta, es decir, a la orgía y la oblación, al levantamiento festival del copular en entera libertad y de matar con gratuidad total. La Fiesta, en esa época relativamente tardía, es la «suspensión» de la norma moral. (Es muy bella la página en *Sobre Nietzsche* acerca de «la espera» y «el día siguiente» de una Fiesta.) En nuestra situación, desgraciadamente ya sin Fiestas, su correspondencia es el dar lo suyo al fuego, a la locura (actualidad antipsiquiátrica de Bataille), a «la parte maldita», al mal, y el «tomar el partido de la libertad».

Naturalmente, más allá de la moral y «antes», por decirlo así, de la metafísica y de la mística, hay el gusto, que llaman perverso, por lo erótico en sí. Bataille rechaza las «languideces calculadas» del tantrismo, que utiliza el placer sexual como simple medio para alcanzar una turbia experiencia religiosa, sin hundirse abismalmente en aquél. Lo erótico absoluto, desde el punto de vista del gusto común, es inmundo: «El sexo está unido a la basura: es el orificio de ella.» «Lo que en el ser de carne atrae es su herida.» Herida que no mata, pero ensucia. El sexo son «tus partes peludas bajo el vestido», «tus partes sucias», la lubricidad o «viscosidad del placer». Bataille, como veremos en seguida, es místico, pero su espíritu puritano no tolera la transmutación mística de lo erótico: «El erotismo, la exhibición de mujeres de senos pesados, con la boca chillona, que es su horizonte, me son tanto más deseables cuanto que apartan toda esperanza. No ocurre lo mismo con el misticismo, cuyo horizonte es promesa de luz. Yo lo soporto mal y vuelvo pronto al vomitado erótico...» Lo sexual, vivido en toda su pura impureza, es indisociable de la abyección y la destrucción, y está tan cerca del horror como del pasmo, del padecimiento como del placer, de la muerte como de la vida.

La muerte devuelve a la unidad de la continuidad, la unión sexual establece transitoria continuidad, el erotismo es nostalgia de esa continuidad, y así se revela su sentido metafísico. Es la vida «di-soluta» o de disolución del ser individual (en contraste con la vida trivialmente «relajada»). La acción de desnudarse, preludio erótico, es el aleluya del acercamiento a la tumba, a la muerte, a la perfecta continuidad.

El lazo más estrecho del erotismo de Bataille es el que le une con la mística —palabra que disgusta a nuestro autor—, una mística en ruptura con el cristianismo y que sin embargo es propuesta —«cómicamente», es cierto— como *hipercristianismo*. Para empezar y por supuesto, la mística de que aquí se trata no tiene nada que ver con la ascética usual, inseparable del «proyecto», en este caso proyecto de salvación. (Por cierto, la interpretación de los *Ejercicios* de San Ignacio que nos da en las páginas 24-25 y 142 de *La experiencia interior* es, a su modo, un precedente importante de la de Barthes.) Y, paradójicamente, descansa en esa anticipada salvación, resultando así «un reposo comparado con las vías febriles de la carne». Por eso escribe: «Para renunciar a mis costumbres eróticas debería inventar un nuevo medio de crucificarme.» La mística lleva a «perderse y *no salvarse en modo alguno*», a la renuncia a toda esperanza. «Hay en el interior del hombre tanta inquietud que no está al alcance de ningún Dios —ni de ninguna mujer— el apaciguarlo.» La mística de Bataille es postcristiana («cuando yo era cristiano», «al salir de una larga piedad cristiana»). La miseria del cristianismo consiste en su refugio ascético, en la sustanciación de lo sagrado. Como *hipercristianismo,* la experiencia mística o interior tiene que negar a Dios: «bebido hasta las heces, el cristianismo es ausencia de salvación, desesperación de Dios», o dicho de otro modo, «pureza del infierno».

Reconozco que todo esto es demasiado abstracto como exposición de Bataille, y por eso, salvo «El Aleluya» y los fragmentos sobre la muerte de Laura incorporados como apéndice a *El Culpable,* se necesita acudir a textos no traducidos para entenderle. Para entenderle mínimamente, a sabiendas de que se nos escapa, y de que su gusto por el rigor verbal y «las condiciones del agrimensor» es engañoso en su tersura aforística, desgarrada, rota y, pese a ello, impenetrable.

Ante lo impenetrable no cabe apenas hablar. ¿Qué decir entonces? Desde el punto de vista de una sensibilidad actual —pero en ninguna parte está dictado que la actualidad sea la instancia suprema— yo diría que el erotismo trágico de Bataille es demasiado patético —en el fondo, su liso pathos, sólo estilísticamente enfriado, es hermano del pathos sartriano— y, pese a sus invocaciones al juego, demasiado poco lúdico. Ríe sí, pero con una mueca casi sardónica, con la risa cuajada de las máscaras. Es demasiado anticristiano y, por lo mismo, hipercristiano; ateológico y, por lo mismo, transteológico. Su retórica blasfematoria y correctamente coprolálica nos transporta a un ambiente demasiado existencialista aún, ya o todavía. Su revolver en la podredumbre a la búsqueda del dios inencontrable, nos hace pensar que, como en Cioran, según escribí, no quiere o no sabe distinguir entre la «descomposición» y la «des-composición». Creo haber hablado en otro lugar de un decir místico que, siendo erótico (o viceversa), no es sucio. La obsesión de la inmundicia ¿no conserva, vuelto del revés, un puritanismo que se resiste a desaparecer? La obsesión por «levantar la falda de las chicas», ahora que ya hasta la minifalda pasó de moda, ¿no nos parece una actitud que sólo trabajosamente va dejando atrás fijaciones infantiles? Su lenguaje sigue siendo, como de su época, retórico-existencial, su ansia de liberación retorcida, sadomasoquista y —me lo hace notar una mujer joven— masculina, consumista-consumatoria del otro sexo, de los desgarrones, de las hendijas de las chicas, de su delantero y su trasero. Fallas eróticas, *potlach* sexual introvertido, «Fiesta», en fin de cuentas, más bien lúgubre, o cuando menos triste.

45. HACIA UNA ANTROPOLOGIA FUNDAMENTAL

Me pregunto si lo que ha hecho Edgar Morin en *El paradigma perdido* [1] es la más alta pretensión, todavía legitimable, de residuo filosófico que él llama «bioantropología»: el estudio interdisciplinar o transdisciplinar de la naturaleza humana, una reorganización de nuestro saber acerca del hombre, sacándolo del «ghetto de las ciencias humanas», por no hablar del de la pura literatura filosófica, para implantarlo en la biología molecular, la cibernética y la teoría de la información, la ecología o ecosistemología, la etología, la General Systems Theory o teoría general de los sistemas, como yo prefiero traducir, y, naturalmente, también en las diversas ciencias sociales. Hay que tomar indivisiblemente la expresión «naturaleza humana». La palabra «paradigma», acuñada por T. S. Khun en este sentido [2], se refiere al modelo conceptual que preside la ciencia en un estadio de su desarrollo. El paradigma de la antropología al uso era el de una «ciencia cerrada». Sabíamos, sí, desde Darwin, que procedemos, por evolución, de los primates, pero *nosotros no somos primates.* El entorno propio del hombre era el «paraíso», a cuya sombra seguíamos viviendo, y no la tierra en la que nos sentíamos exiliados. La Antropología se negaba a volver la vista atrás y se movía entre la filosofía (la llamada antropología filosófica) y las ciencias sociales (la llamada antropología social o cultural). El antiguo paradigma, el paradigma ya perdido, oponía la cultura y el hombre a la naturaleza, al animal.

---

[1] Barcelona, Editorial Kairós, 1974. ¿Por qué en la traducción del título se ha sustituido su segunda parte, «la nature humaine», por «el paraíso olvidado», todo lo sugerente y «poético» que se quiera, pero que oscurece el original, sobre todo a causa de la palabra «olvidado»? Se trata no del olvido, sino de la definitiva pérdida del «paraíso».

[2] Puede verse mi artículo «¿Una crítica de la razón colectiva?» [En este volumen, pp. 140-143.]

El nuevo paradigma

El nuevo paradigma, cuya entrevisión constituye el tema del libro, reestructura o reformaliza nuestro saber acerca del hombre. A la «revolución biológica» o apertura de la biología al estudio de las estructuras físico-químicas, corresponde una «revolución antropológica» o apertura total de la antropología a la biología. Pero estas revoluciones nada tienen que ver con los reduccionismos pseudocientíficos del siglo pasado. No hay, ciertamente, una específica «materia» viva, pero sí organización, sistema, información, código, de tal modo que los aparatos cibernéticos construidos por el hombre son solamente simplificaciones —y no complicaciones— de lo que él mismo y también los animales son. Todo sistema vivo es un sistema abierto. La biología se abre al universo físico-químico, mas también a formas más complejas de vida, la «protocultura», detectable ya en algunos animales jóvenes entre los macacos, «jóvenes curiosos, con afán de juego y exploración, a la vez que marginales y alejados de los centros de poder del grupo». Ramas de la biología, la ecología o ecosistemología, estudio del animal en su entorno propio, y la etología, estudio del comportamiento —organizador— del animal en libertad, han mostrado la importancia sistemática del «nicho» y el «territorio» animales, como ámbito de una protosociedad, mucho más compleja de lo que se suponía antes de observar a los animales en libertad, y objeto, por tanto, de lo que ya puede llamarse sociología animal. Es en esta protosociedad donde se produce la protocultura a que antes hacíamos alusión. Falta ciertamente la capacidad física de hablar, pero se encuentran ya comportamientos simbólicos. El relativo retraso de la pubertad en el chimpancé desarrolla la relación madre-hijo y, por otra parte, se da una cierta estabilización de la relación macho-hembra, así como la aparición «ocasional» de comportamientos típicamente humanos (bípedo, bimano, masturbador, acariciador).

¿Cómo concebir, a partir de aquí, el proceso de hominización? Multidimensionalmente, como resultante de cambios genéticos, ecológicos y etológicos, cerebrales, sociales y culturales. Mutación cromosómica del código genético, transformación ecológica del bosque en sabana, conversión anatómica a la posición erecta, fortalecimiento de la pelvis, posibilidad física de desarrollo del cerebro, caza y emancipación de la caza, invención del fuego que hace posible la cocción de los alimentos, el hogar y, en él, frente a la alerta permanente, el sueño y el ensueño. El paso de la ecología a la economía (administración de las provisiones) es muy visible en diferentes especies animales. La hipercomplejidad del cerebro en sus «tres subsistemas de una máquina policéntrica», «epicentro organizativo de todo el complejo bio-antropo-sociológico», libera plenamente la capacidad simbólica y con ella el lenguaje que crea al hombre, pero es creado por el homínido, y que se hace posible con la adquisición de la aptitud glótica. El cerebro es el «lugar» de la conciencia, hecha posible al no tener que estar ya el animal humano siempre «fuera de sí», y poderse volver sobre sí mismo: conciencia objetiva que reconoce la muerte, conciencia subjetiva, que inventa la inmortalidad (recuérdese a Unamuno). Chomsky ha visto bien, aun cuando su modo de verlo sea discutible, la inserción del lenguaje y la lingüística en la antropología.

El hombre, animal sapiente-demente

Y esto, un sistema genético-cerebro-sociocultural, es el hombre. El animal que de la moción por impulsos ha pasado a la sistémica creación de símbolos. El animal que es consciente y sabe —*sapiens*—, es decir, se atiene a la realidad; y es también imaginante, soñador, «loco», *demens*. Animal de realidades y de irrealidades, símbolos, mitos, ritos. Animal que convierte el impulso sexual en sueño erótico, el dominio de su territorio en desenfrenada ambición de posesión y poder. El hombre es, indivisiblemente, *sapiens-demens*, loco-cuerdo. («La demencia es el precio de la sapiencia».) Es el «animal en crisis», «neurótico», «patológico», creador inagotable —frente a los modestos rituales animales— de toda suerte de magias y religiones.

Zubiri otra vez, después del «mito Zubiri»

El lector perspicaz es muy probable que, atento a mi preocupación fundamental aquí, la cultura española, y ayudado por alguna que otra indicación terminológica, haya visto adonde voy a parar con mi llamada de atención a este libro, oportuno ensayo de síntesis transdisciplinar antropológica. El tema ha de ser tratado así y entre nosotros fue Zubiri quien dio este giro a la reflexión antropológica. Según Zubiri el hombre es un animal de realidades (y no simplemente de estímulos y respuestas). Y, por lo mismo, un animal de «irrealidades» también, sirviendo el concepto de «posibilidad» de enlace o paso de la irrealidad, en que —todavía— consiste, a la realidad; y también de, una vez transcurrida la realidad física de una situación pasada, «lugar» donde «quedarse», jugando, poetizando, soñando.

¿Ha de volverse, tarde o temprano, a la realidad? No necesariamente, y el que no lo haga será considerado loco. Mas, por otra parte, se puede, bien volver a la realidad establecida socialmente (convencional, tal vez), reajustándose a ella; o bien, incorformistamente volver sí, pero para intentar ajustarla al proyecto «demente», loco, utópico, que se ha forjado como posibilidad. (La antipsiquiatría, como en otro plano la sociología crítica y radical, nos han enseñado a no aceptar sin más lo establecido como lo incuestionablemente válido.) El hombre está «sobredeterminado», es decir, por encima de toda determinación, también, ni que decir tiene, por encima de la determinación social recibida.

Las ideas sobre antropología de Xavier Zubiri siguen, pueden seguir, creo yo, conservando su fecundidad. Para verlo es menester contrastarlas con el estado actual de la ciencia, que no es ya el de la época en que él, por vez primera, las pensó. Lo que Zubiri nos sigue enseñando (aparte de todo lo que de él hemos aprendido: para citar sólo los dos casos más próximos, Pedro Laín, el fundamento de toda su obra madura, y yo mismo lo mejor de mi *Etica*), es una *actitud* o, como él diría, una «habitud», un modo abierto, interdisciplinar de referirse al hombre y a la realidad. Lo duradero de Zubiri no es, naturalmente, el curioso fenómeno de «moda» que suscitó, incluso de moda entre intelectuales —alguna vez he hecho alusión a la «obligación» en que éstos se sentían de citarle, aun cuando no viniese a cuento—, ni tampoco la escolástica— reduplicativamente escolástica, Escolástica remozada y escolástica de Zubiri—, sino justamente esa apertura a la ciencia.

El Seminario Xavier Zubiri

Precisamente desde este punto de vista, y a juzgar por el libro recientemente publicado[3], hay que denunciar el fracaso del Seminario Xavier Zubiri, fundado por la Sociedad de Estudios y Publicaciones, pese a la inteligencia y buena voluntad de sus directores Ignacio Ellacuría y Diego Gracia. Lo que en los trabajos incluidos en ese libro se dice es glosa, explicación, escolástica de Xavier Zubiri, o escolástica contra su pensamiento. Ni la reproducción discipular ni la crítica abstracta de sus categorías habrían de constituir, creo yo, la función de este Seminario. Bajo sus auspicios habría de desarrollarse en España algo paralelo al CIEBAF (*Centre International d'Etudes bio-anthropologiques et d'anthoropologie fondamentale*), a la *Fondation Royaumont pour le progrès des sciences de l'homme,* a los Encuentros interdisciplinares en torno a «La unidad del Hombre», a movimientos y organizaciones parecidos de este

[3] *Realitas. Seminario Xavier Zubiri. I, Trabajos 1972-1973,* Madrid, Sociedad de Estudios y Publicaciones, 1974.

país, los Estados Unidos, desde donde escribo. Algo de algún modo semejante al estudio de Edgar Morin, que he comentado en este artículo, es lo que yo propondría como la tarea del Seminario, en este primer plano de la Antropología fundamental. Sólo después, bastante después, de acuerdo con el método del propio Xavier Zubiri y, por supuesto, entrando en diálogo con las nuevas ontologías y metafísicas que empiezan a cundir, sería el momento de enfrentarse críticamente con su filosofía primera...

46. CIENCIAS DE LA INFORMACION Y LIBERTAD DE INFORMACION

Voy a comentar hoy un libro sobre ética de la información[1], mucho más como pretexto u ocasión que por su valor intrínseco. De lo que en realidad quiero hablar es de las llamadas «ciencias de la información», que cada vez tienen más cultivadores, los cuales se organizan en Facultades, Departamentos, Escuelas, e irrumpen, con dudosos títulos, en la vida académica de todos los países. Por ejemplo, largo ejemplo, gracias a ese libro me entero y conmigo supongo que la mayor parte de los lectores, de la existencia en España de dos supuestamente importantes estudiosos de estas ciencias: el profesor Alfonso Nieto, decano de la Facultad de Ciencias de la Información en la «Universidad de Navarra, Pamplona», cuya «autonomía intelectual» ha sido una «inspiración» para el autor; y la del «filósofo yugoslavo» Luka Brajnovic, que enseña en el mismo Centro, autor de una *Deontología periodística*[2], publicada hace ya cinco o seis años, y a quien aquél cita no parcamente. Una de dos: o bien es muy lamentable que los españoles ignoremos que trabajan en España tales autoridades intelectuales, o bien es todo un tema de investigación el de descubrir los canales de comunicación de los dedicados a la información, gracias a los cuales algunos de éstos pueden adquirir en la Universidad de Missouri una reputación de la que, de acuerdo con mi modesta «información», carecen en el país al que pertenecen o en el que trabajan. La cosa es más grave aún, pues nuestro «libertario» autor reconoce y lamenta la falta de libertad de Prensa en España, por la cual viene a decir, están luchando sus dos amigos. ¡Y nosotros, los españoles, sin enterarnos de su lucha!

---

[1] JOHN C. MERRILL, *The Imperative of Freedom. A Philosophy of Journalistic Autonomy*, Nueva York, Studies in Public Communication, Hasting House Publishers, 1974.

[2] Pamplona, Ediciones Universidad de Navarra, 1969.

Tal como yo veo las cosas, tales «ciencias de la información» son un tanto fantasmales. O bien, como en el caso de McLuhan, quienes reflexionan sobre la comunicación tienen mucho más de intuitivos cuasipoetas y de dogmáticos profetas de un tiempo nuevo, presente ya y que, sin embargo, no vemos, no acabamos de ver los demás; o bien lo que están elaborando es una teoría de la comunicación, o una semiología (o semiótica) o una semántica general. Ahora bien, todo este tipo de investigaciones posee un archisubido carácter teórico y abstracto, a muchas leguas por encima de la vocación de los alumnos matriculados en tales Centros, los cuales, en su inmensa mayoría, lo que pretenden es, sencillamente, llegar a ser periodistas o trabajar para la Televisión o la Radio. Creo que si se quiere llevar tales profesiones a la Universidad, lo que ya en sí es discutible, bastaría con crear un programa de graduados, o incluso de licenciados y hasta de doctorado en la materia, pero sin la inflación de toda una «Facultad», como se dice en los países latinos, o Escuela o Departamento. Los inscritos allí tomarían sus cursos de Sociología, Etica, Semántica, Semiótica, etc., en las Facultades o Departamentos correspondientes (Sociología, Filosofía, Lingüística general) y lo específico de sus estudios se limitaría a las «técnicas» de los medios de información o comunicación de masas (cuya teoría general correspondería tratar también a la teoría de la comunicación y la sociología). Estoy convencido de que es una razón social (y no científica ni académica) la consistente en la importancia profesional que han obtenido los informadores de oficio, ya sea como servidores del sistema, ya, por el contrario, como sus denunciadores (ejemplo, Watergate), lo que ha determinado semejante desorbitación.

El libro de J. C. Merrill es una buena, doble prueba de cuanto vengo diciendo. Es la obra de un profesor de periodismo y de un periodista, y carece de toda consistencia, de toda originalidad en cuanto investigación. No es sino una ética trasnochada, tomada enteramente de otros autores, en extraña mezcolanza, desde Kant, su autoridad máxima, pasando por Nietzsche, B. Russell, Jung y Erich Fromm, Ortega —sí, también Ortega—, Jaspers, Camus, Sartre, hasta F. A. Hayek, Eric Hoffer y Ayn Rand. Lo que tiene de pretendida aportación personal es ingenuo o imposible: la síntesis de kantismo, humanismo y existencialismo, de teoría y razón por una parte, arte, impulso y *engagement* o capacidad de comprometerse por la otra, o, como él dice, con un desafortunado neologismo, la síntesis «apolinisíaca» (*Apollonysian,* de Apolo y Dionysos), imperativo de búsqueda de la verdad, e imperativo de lucha por la libertad, de razón objetiva y de subjetividad existencial. (Ortega, en *El tema de nuestro tiempo,* ya dijo todo esto mucho antes y mucho mejor.)

Por otra parte, en la medida en que el autor trasciende su superficial pseudosíntesis y nos da lo que realmente constituye su pensamiento, es para quedarse en un exacerbado y quimérico individualismo de la «libertad de Prensa», un periodismo de completo «laisser faire», una concepción ajena a todo «servicio público», «deber de información» y aun «responsabilidad social» (la teoría que, en América, se presentó por Wilbur Schramm y otros frente a la comunista, la autoritaria y la «libertaria»).

Es extraño cómo el autor, que, siguiendo a Fromm, reconoce el fuerte deseo humano de escapar de la carga de la libertad, piense que el periodista, por hallarse «en una posición especial», ha de estar inmune de esa tentación. Y cómo, reconociendo con Ayn Rand que «la libertad *intelectual* no puede existir sin libertad *política;* y la libertad política no puede existir sin libertad *económica*» (los subrayados no son míos, están en el libro), no vea que los periodistas pocas veces poseen plena libertad política y poquísimas libertades económicas; y que quienes, con libertad económica escribimos en los periódicos, en realidad no somos periodistas.

Sin embargo, para Merril sí, porque somos los únicos a quienes esa libertad nos posibilita «creativity and fun». Mas ¿cómo sigue sin ver que eso es un verdadero privilegio, que el auténtico periodista de profesión está sometido a la dirección del periódico, y ésta a la Empresa? (Merril, naturalmente, cree en el capitalismo).

En cierto modo sí ve algo de lo anterior, pero continúa prisionero de su utopía individualista. Ponía yo en cuestión antes la pertinencia de una carrera periodística universitaria autónoma, porque me parece que ésta daría una teoría que de nada sirve al periodista, y, en cambio, le cerraría otros horizontes, abiertos, en cambio, mediante estudios interfacultativos; o, si se renuncia a la exigencia intelectual, sólo servirá —pienso en países como España— para proporcionarle la ficción de un *status* de universitario. Merrill es en esto mucho más radical —siempre en la irrealidad— que yo. No admite que el periodismo sea una «profesión». Ni que lo sea, ni que deba, ni que pueda serlo, so pena de desnaturalizarse. Su «libertario» temor es el de que, al profesionalizarse, sea sometido al consabido «ajustamiento» social. Su noble *desideratum* es el de que el periodista solamente sea determinado por su «filosofía personal». Lo que —otra vez— no ve es que una filosofía personal no es nunca una filosofía individual, sino que, de un modo u otro, viene inspirada socialmente, y nadie parte del grado cero de determinación. Pero será menos determinado y, por ende, más libre quien reconozca que la influencia de la sociedad —de la sociedad global o de un grupo minoritario e inconformista dentro de ella— es esencial para la constitución de su filosofía personal.

Esta dimensión social de la moral, en Europa hasta a los liberales les parece —teóricamente— obvia. En América no. O, mejor dicho, negar la «responsabilidad social» de los medios colectivos de comunicación puede parecer, como en este caso, luchar una batalla «libertaria», con una palabra que, en inglés, *libertarian,* no tiene necesariamente, claro está, todas las connotaciones anarquistas que, de encontrarse en este libro, lo habrían hecho otro y, sin duda, más interesante.

47. LITERATURA, DIS-CURSO E INFRACCION

Hace tiempo que deseaba ver traducido al castellano el libro de Jean Starobinski *La relación crítica*[1]. Conocido mío su autor desde hace bastantes años, le traté más largamente durante el verano de 1971, con ocasión de las *Rencontres Internationales* que él dirigía y en las que yo, aquel año, participé. Starobinski pertenece inequívocamente al movimiento de la «nouvelle critique», pero como otro amigo nuestro, Jean-Pierre Richard, sin someterse a ninguna estricta obediencia de escuela, pues, conforme a un bien entendido sincretismo, piensa que cada obra o tipo de obras demanda un tratamiento crítico diferente, acomodado a ella, por lo cual uno de los requerimientos de la buena crítica es su flexibilidad.

Desde este punto de vista, el primer capítulo, que da título al libro entero, es muy pertinente, al mostrar las limitaciones de un estructuralismo radical, plenamente adecuado sí, para una literatura como, en general, ha sido la francesa (no es casualidad que la crítica literaria estructuralista se haya desarrollado en Francia), «jeu réglé dans une société réglée», y por eso da pleno resultado en los análisis, así los de Jakobson, de los mitos primitivos y los cuentos populares (también, agregaría yo, en su aplicación a la subliteratura, a causa de la estructura fijada, estereotipada de ésta). Pero tan pronto como en la cultura se introduce una dimensión histórica, y más si, como en nuestro tiempo, la historia es sacudida por toda clase de rupturas, la rigidez estructuralista resulta inadecuada (el mismo Barthes lo ha reconocido así). La infracción, la transgresión, escapan a los «patrones» estructurales. Literariamente hablando, Starobinski prefiere denominarlos, siguiendo a Spitzer, como «desviación» (*écart*) estilístico con respecto a la lengua «media» culta en la

[1] Madrid, Taurus Ediciones, 1975, ya citado. Esta crítica ha sido hecha sobre el original francés.

que «irrumpe». Esta desviación puede darse a tres niveles: de la obra nueva con respecto a lo anterior (es la desviación a la que acabamos de aludir); de la obra con respecto a su autor (es el «descentramiento», lo no-autobiográfico *en* lo que toda obra tiene siempre de autobiográfico), tensión que escapa al estructuralismo y de la que, antes, prescindió enteramente el *New Criticism;* y, en fin, de la identidad de un mismo autor a través de sus diferentes obras.

Para Starobinski, como para toda la crítica actual, el punto de partida es, rigurosamente, el texto. Pero el texto, la obra misma, consiste en un «trayecto», dis-curso o flujo. Consecuentemente la «démarche» crítica también ha de seguir, itinerante, el trayecto de aquella. Trayecto recorrido una y otra vez, inacabado siempre y del cual el «círculo crítico», del que hablaremos en seguida, es una forma. En este «recorrido» acompañante, y no en el escrupuloso inventario positivo (simple precondición —necesaria, sí— de la crítica), ni en la emisión de juicios de valor, o en la sumisión a la obra, o en la independencia frente a ella, tomándola como pretexto u ocasión; y ni siquiera en el esfuerzo para su «recuperación» (la asimilación de lo revolucionario, característica de la etapa cultural contemporánea, en la que toda *deviance* está de moda), para su inserción, a toda costa, en el patrimonio literario recibido, nivelador de todas las «diferencias»; en ese fiel acompañamiento, digo, y no en otra cosa, es en lo que ha de consistir la crítica.

El capítulo segundo, dedicado a Spitzer, y el mejor estudio actualizador del pensamiento crítico del fundador de la Estilística literaria, nos ayuda (como discípulo que Starobinski es de él, a la vez que, por supuesto, de la gran escuela suiza, y continuador de la línea de Georges Poulet) a entender su propia posición. El «círculo crítico», aplicación del círculo metodológico heideggeriano, es, como decía antes, un aspecto del trayecto crítico. La lectura del crítico que todavía, propiamente, no lo está siendo, comienza por una «endopatía». Mas en seguida el crítico, para serlo de veras, ha de prestar una «atención flotante». Así, la inmersión en la lectura va seguida de un situarse «sobre» ella, viéndola desde un «fuera» que es la creciente totalidad de lo que va leyendo (comprensión de la «seducción» primera), pero también, inevitablemente, un «fuera» del libro, en la secuencia estructural de la literatura correspondiente. Y desde uno y otro de estos «fuera» se ha de volver «adentro», al «encuentro» de la obra y cada una de sus páginas; y de nuevo, otra vez, a la totalidad. Es justamente en ese vaivén en lo que consiste la estructura circular de «anticipación» y «repetición».

Estructura que, después, puede operar más o menos ampliamente, según la decisión del crítico, en círculos concéntricos, delimitadores del campo de la totalidad que elija: del poema, por ejemplo (en la sigularidad de cada uno de sus elementos respecto de su totalidad), a la obra a la que pertenece; de ésta, a la totalidad de la obra de un autor; de ésta a la vida del autor (la comprensión de la estructura obra-vida y del «descentramiento» efectuado es, para Starobinski, una tarea crítico-literaria perfectamente legítima); y de ésta a la totalidad sociohistórica. La contextualización progresiva del primordial hecho lingüístico-literario abre así una tarea de perspectivas inacabables, en la que toda suerte de orientaciones —la filológico-textual, la lingüística, la psicológica y psicoanalítica, la sociológica y, por supuesto, la estructural—, ocupan, pueden ocupar su correspondiente lugar. Jean Starobinski aspira a unir el máximo rigor metodológico con la máxima disponibilidad reflexiva. Hace poco hablábamos aquí de las Fiestas de Bataille. La Fiesta es la sacralización, para la comunidad, de un comportamiento no-cotidiano. Pues bien, piensa Starobinski, la Fiesta literaria es literaturización o acotamiento de un espacio literario también común. La gran literatura —como el argot en el plano no-literario— no es creación individualista sino participatoria en un patrimonio colectivo.

El tercer capítulo de la primera parte nos da una teoría de la interpretación. El intérprete —de su obra, de su vida— está, como el creador, como el crítico, siempre «en progreso», recorriendo su trayecto. Starobinski analiza la interpretación autobiográfica a partir de las *Confesiones* de su compatriota Rousseau. (El estudio del «dîner de Turin» es de una finura extraordinaria). También en la autobiografía se da un *écart* (motivo éste conductor del libro entero de Starobinski), una desviación del yo a través del tiempo: distanciamiento entre el pasado, la historia, y el presente, el discurso. Puede privilegiarse el pasado, y entonces se cae en la nostalgia y en el tono elegíaco. Puede privilegiarse el presente, como en el tono picaresco, en las «confesiones», en la «ironía» en general (Hay un eco aquí de Northrop Frye.) El presente entonces se vive como tiempo del «reposo», de la experiencia de la vida, de la sabiduría adquirida a través de ella y asimismo, posiblemente, del desengaño. En el caso de la «gran cena», la interpretación de la divisa noble sólo adquiere su pleno sentido como interpretación del intérprete mismo: es Rousseau quien la convierte en emblema suyo y de su situación con respecto a la mujer admirada. Rousseau, concluye Starobinski, es, al escribir sus confesiones, «un hombre desgraciado, pero absolutamente independiente», independiente incluso con respecto a sus recuerdos momentáneamente felices, que no le hacen ceder a la nostalgia. El recorrido en que consiste la obra de Rousseau —en este caso, a la vez, creadora y crítica, interpretativa— se corresponde con el recorrido en que ha consistido su vida.

Confieso que la segunda y la tercera parte del libro, «El imperio de lo imaginario» y «Psicoanálisis y literatura», personalmente me interesan menos que la primera y además no dispongo ya de espacio para hablar suficientemente de ellas. Sin embargo, la segunda constituye un excelente estudio sobre la imaginación, siempre siguiendo el hilo conductor de *écart*. La imaginación puede, bien representar lo distante, y sirve en este caso a la acción; bien distanciar lo presente, y se entrega entonces a la ficción, al juego, al ensueño. (Recuérdese lo que escribí hace poco, con ocasión del libro de Edgar Morin.) Al tratar, en «La imaginación proyectiva», del conocido test de Rorschach, y examinar sus fundamentos teóricos, reaparece el «círculo hermenéutico», esta vez con apelación a Jaspers en cuanto psicopatólogo. En la tercera parte —que debe ponerse en relación con la crítica literaria psicoanalítica, tal la de Charles Mauron— se ilumina la relación entre los clásicos «paradigmas literarios» y su estudio, en nuestra época, por el psicoanálisis. Fue Benveniste quien puso de relieve la correspondencia entre las astucias de la represión subconsciente y los tropos de la retórica clásica. La relación entre Hamlet y Edipo según Freud, y los precedentes del surrealismo, parcialmente en Freud, sí, pero más aún en la patología francesa prefreudiana y, sobre todo, en el ocultismo, son los temas con que se cierra este bello y penetrante libro.

48. EL JARDIN DE SANCHEZ FERLOSIO

Bello título, con el fino, autoirónico juego de palabras, bello libro o libros [1], con la andadura —paso de andadura, que las gentes de ciudad no saben lo que es, pero el autor y yo sí— de un «discurso del método» y morosa pesquisa, con un contenido que acredita al autor como teórico de excepción, y estoy pensando, claro, más allá del modesto rango nacional. Me gusta mucho el feliz «azar» de que, entre los pocos libros españoles de que me ocupo figuren los de esta piña de amigos, Rafael Sánchez Ferlosio hoy, anteriormente Agustín García Calvo y Víctor Sánchez de Zavala. Y lamento que se me escapara, por una pura cuestión de *timing,* la oportunidad de hablar de los *Usos amorosos del siglo XVIII* de la cuarta «amiga», como Sánchez Ferlosio llama en el segundo de estos volúmenes a Carmen Martín Gaite, separando las relaciones íntimas y/o legalizadas de la relación sencillamente amistosa, un poco a la manera del nuevo tratamiento inglés de «Ms.» para una mujer que, a los efectos concretos de su mención, no proceda echar en seguida por delante si es soltera o casada; separación en la que nuestro autor viene a coincidir, curiosamente, con la actitud del Movimiento de Liberación de la Mujer, por el que no parece tener demasiada simpatía. Dionisio Ridruejo y el Padre Llanos están o estaban revisando sus relaciones con amigos y conocidos de algún tiempo atrás. Convendría que alguien —uno de ellos mismos— escribiese sobre este grupo de grandes escritores —«generación» si se quiere, para entendernos o malentendernos con la convencional palabra—, formados «por libre» —¿de qué otro modo, si no?— en *su* «universidad de Gambrinus» los tres que acabo de citar y Juan Benet, y Luis Martín Santos, Ignacio Aldecoa, José María Valverde, Curro

[1] *Las Semanas del Jardín. Semana Primera: Liber scriptus proferetur* y *Semana Segunda: Splendet dum frangitur,* Madrid, Nostromo, marzo y diciembre de 1974.

Soler, Alfonso Sastre y los tantos más, muertos algunos, exiliados voluntariamente al exterior o al interior, encarcelado increíblemente uno, pero «libres» de por vida todos los que, fieles a aquel espíritu, han sabido no dejarse institucionalizar o establecer.

En estos dos primeros volúmenes, Sánchez Ferlosio nos presenta respectivamente, diría yo, una «teoría de la narración» (autocríticamente puesta en cuestión) y una «teoría del espectáculo». De ambas voy a hablar, pero el lector no debe extrañarse de que, poco aficionado como he sido siempre a las competencias deportivas y a las corridas de toros, perdida ya —quizá por desgracia— la infantil afición al circo, y puesto que de teatro y cine apenas se habla, por ahora, en la obra, dedique mucha mayor atención a la primera teoría que a la segunda.

En cine siempre, o al menos desde Eisenstein, se ha reconocido el «montaje» como esencial. En la narración no lo es menos, y la mayor parte de las innovaciones técnicas de la novela contemporánea proceden de la alteración del orden cronológico. Mas antes que de tales innovaciones, procede darse cuenta de cómo, con qué método se fija tal orden cronológico. Sánchez Ferlosio ve que corresponde a un proceso de «penetración» en la realidad, desde un conocimiento supuestamente superficial a otro supuestamente profundo, de des-cubrimiento o revelación del «fondo», de averiguación o de reconocimiento o anagnórisis. Ahora bien, la tesis de Sánchez Ferlosio es que el des-cubrimiento (heideggeriana verdad como *a-létheia*), lejos de hacernos avanzar, nos reenvía atrás, a un pasado (si se permite esta inadecuada expresión temporal) primordial, preestablecido —el «ser» en el *fondo* de las «acciones» [2]— predestinado teológica o cuasi teológicamente desde siempre. La existencia o actualización secuencial de las acciones no sería sino la re-presentación de la esencia, el programa de retransmisión diferida de lo que, en verdad, ya ocurrió, la ordalía que pone de manifiesto el «juicio de Dios» o, como también podría decirse, el revelado fotográfico de una película. (*Blow-up,* de Antonioni, nos presentaría una interesante problemática desde el punto de vista en que Sánchez Ferlosio se sitúa, pues aquí no se trata de descubrir la verdad «ahondando» en la realidad, y menos «descifrándola» —ya volveremos sobre esto último—, sino mirándola más de cerca, viéndola en detalle, gracias a la ampliación de su fotografía.) El esclarecedor recurso a la teología y la pintura religiosa es el primer «jardín en que se mete» Sánchez Ferlosio, según él donosamente dice, usando la jerga de los cómicos. Y, como siempre, sale bien de él. Podría objetarse que el sentido de la teología jesuítica fue, precisamente, defender la libertad

---

[2] Sobre esto puede verse mi *Etica,* capítulos II y III de la Primera Parte y I y II de la Segunda.

humana no ya sólo contra la doctrina calvinista de la predestinación, sino incluso frente a la «premoción» dominicana. Y, sin embargo, ¿qué más da ser predestinado, o ser premovido a hacer algo —en realidad, todo—, que encontrarse dentro de una situación existencial tan minuciosamente preparada en el contexto de todas las circunstancias, posibles estímulos y respuestas, vueltas y revueltas, trampas y coartadas, de tal modo que «libremente» el agente no se apartará en un ápice del comportamiento que la Providencia ni siquiera se molestó en pre-escribir (prescribir) como «papel», sino que se limitó a, infaliblemente, pre-ver? Los «signos» de la predestinación, ausentes en la ingenua pintura medieval que Sánchez Ferlosio analiza, son tan visibles, por lo menos, en la pintura católica contrarreformadora (bello análisis del «Martirio de San Esteban» de Juan de Juanes), como en la pintura protestante o semiprotestante de la misma época. La historia entera poseería un sentido previamente establecido, bien religioso, bien escatológico-secular, como en el marxismo. (Entre paréntesis: el que yo no comparta ciertos prejuicios del autor, como el antimarxista, o el racista contra «la raza sajona», importa tan poco aquí como el que Sánchez Ferlosio sea aficionado a los toros y yo no, o el que ambos deseemos que cambie el Régimen político español.)

De esta *convicción* extremosa pende la suavizada *convención* de que todo acontecer y, lo que aquí importa, su narración, venga ya dada dentro de una situación, se encuentre contextualizada. Yo diría que el mérito mayor de Sánchez Ferlosio consiste en la fusión —sin confusión, luego lo veremos— del análisis literario (en el amplio sentido de la palabra) y el análisis lingüístico. Es la «circulación anafórica» (continua referencia gramatical de lo que se dice a lo ya dicho, y también viceversa), su marcado «hueco» o elipsis, la inercia verbal y, en suma, la unificadora concentración —y no la simple conexión— lo que distingue una auténtica narración de los innumerables cuentos posibles de la buena pipa.

Mas por otro lado que el del sentido, la narración debe ser distinguida de la información y de su formalización, la Historia. La convención sobre la que descansa la verdadera narración es la de no «adelantarse», la «inmanencia narrativa», como la llama el autor. «O se narra o se informa.» El punto de vista histórico es trascendente a la narración porque conoce, o cree conocer, el final del relato. (De ahí el que géneros como la «biografía novelada» o la novela histórica sean «deplorables»).

La centralización narrativa tiende a ser egocéntrica. La ignaciana «composición de lugar» (y de tiempo también, claro, composición espacio-temporal) constituye, en esta dirección, la máxima exigencia, ponerse en el lugar del sujeto de la narración, identificarse con él. Sin llegar a tanto, toda narración demanda una participación afectiva por parte de quien la escucha o lee. Esta participación puede serlo, bien en la materia objetiva de la narración, bien en el tomar partido a favor del personaje que el lector, junto con el autor, convierte en protagonista. El placer que en la narración encuentra el niño sería el de la primera participación, en tanto que el adolescente no puede jugar sin apostar, curiosamente, por quien de antemano sabe —predestinación secularizada de la narración moderna— que ha de ganar.

Esta es la conclusión a la que se llega en la Semana Primera y que la Segunda, al comenzar, pone en cuestión. La vigencia del factor de expectativa en los niños, a pesar de que conocen ya el cuento e incluso gustan de oirlo siempre igual, palabra por palabra; y el apasionamiento de los adolescentes por la apuesta en una competición, pese a que el ganador se conoce por anticipado, son las dificultades con las que tropieza la expedición dirigida por el autor. ¿Se resolverán éstas en la Semana Tercera? La Segunda —al darse cuenta aquél de que se ha metido en un nuevo jardín, ahora no ya teológico sino psicológico, psicología de las edades, infancia y adolescencia y sus respectivas visiones de la realidad—, consiste en un muy largo rodeo a través de cinco géneros de espectáculos, a saber: competiciones deportivas, corridas de toros, circo, teatro y cine. En ese rodeo le seguiremos, pero, como ya anuncié, deteniéndonos especialmente en lo nuestro, en lo que atañe a la teoría de la narración.

49. FIGURAS, TEXTO Y CIFRAS

La Segunda Semana [1] del Jardín de Sánchez Ferlosio, tras hacerse cargo, como veíamos el último día, de las aporías contenidas en las conclusiones de la Primera Semana, y después de soltar unos cabos que a su tiempo, sin duda, habrán de anudarse —así el de la naturaleza psicológica de la participación en lo fingido— se dedica a desarrollar la teoría de los espectáculos más importantes, a saber: competiciones deportivas, corridas de toros, circo, teatro y cine. La oposición más visible entre ellos es la de que los dos primeros constituyen un *acontecimiento* y los tres últimos no. ¿Pero qué es positiva, y no sólo negativamente, lo que caracteriza a éstos? Que proceden conforme a un *texto* (en el más amplio sentido de esta palabra, el que se encuentra en toda ejecución como «interpretación»). No confundamos la narración, de cualquier clase que ésta sea, con su posible textualización o texto. Se narran hechos —reales o imaginarios—, no textos. Contar lo que dice una novela es, incluso gramaticalmente —formas verbales que usamos para ello—, cosa muy distinta de leerla. Al subrayar la modernidad de las corridas de toros en su forma actual, Sánchez Ferlosio hace la importante observación, que vale contra las exageraciones de McLuhan, de que con frecuencia los medios tecnológicos de comunicación, así una película del Oeste, no hacen sino reproducir la vieja estructura de los impresos, en este caso la novela del Oeste, en tanto que otros tipos de novelas constituyen estructuras completamente diferentes. La corrida de toros no tiene texto pero sí *figura.* Y cada vez más, apartándose así progresivamente de lo que pudo haberse llamado navarra competición deportiva con el toro y de la habilidad circense —«más difícil todavía»— frente a él. (Por una vez,

[1] *Las Semanas del Jardín. Semana Segunda: Splendet dum frangitur,* Madrid, Nostromo, diciembre de 1974.

y sólo en cuanto al tema, la reflexión de Sánchez Ferlosio enlaza, me parece, con la de otro gran aficionado a los toros, Ortega. Puestos a elegir habría que decir, sin embargo, que su estilo es mucho más orsiano que orteguiano. A este respecto no será inoportuno evocar aquí el nombre del muy buen prosista, aunque limitado, y mal novelista, que fue Rafael Sánchez Mazas.) Apurando las cosas podría decirse que la corrida tiende a consistir en «composición de figuras», igual que la danza y en contraste con el deporte y el circo, en los que la figura se dará, a lo sumo, «por añadidura». Pero las figuras de la tauromaquia *acontecen* y las de la danza no. Como yo voy, según ya dije, a lo mío, la teoría de la narración, permítaseme que de esta Semana Segunda destaque lo que a aquélla importa. El lenguaje en cuanto tal, la dimensión estrictamente lingüística y, dentro de ésta, lo que ella tiene de cierre sobre sí, lo que no se abre a la significación —semántica— ni a la praxis —pragmática—, sino la pura morfo-sintaxis, no es figurativa. «Donde hay ideogramas no hay figuras.» Pero en el lenguaje, en tanto que literario, claro que sí. ¿Cómo? Porque según dijo el autor al comentar, con gran belleza emotiva, el hai-ku de los kimonos, la representación presta figura a los sentimientos y en definitiva, mucho más ampliamente, configura la realidad entera (invención poética del paisaje, *campagna* romana o campos de Castilla). Pero pongamos cuidado, con el autor, en no confundir, como el último día previnimos, el análisis gramatical con el literario, aunque nos sirvamos de ambos a la vez para leer un texto. La crítica literaria tiene por objeto las figuras perceptibles —a veces perceptibles sólo tras cuidadosa atención, pero siempre perceptibles— y no las «descifrables» a través de una atención cualitativamente diferente (lectura al revés, de arriba abajo o de abajo arriba, rimas a quinto verso, conexiones a distancia, confusión del campo sintáctico con el espacio ecológico, como en ciertas interpretaciones de «las cabras de Polifemo», en los criptogramas, charadas y, en general, todo recurso al expediente del desciframiento). Si como algunos pensaron durante el siglo pasado y comienzos de éste, *El Quijote* contuviese de verdad un mensaje crítico, su desciframiento nada añadiría a la obra en cuanto literaria.

De ahí provendrían, pienso yo, nuestras reservas con respecto al valor poético de muchos versos de Ezra Pound, y con respecto al valor literario de bastante del último Joyce. Lo que necesita ser descifrado carece de existencia literaria. Pero no nos precipitemos a descalificar literariamente, prosigue Sánchez Ferlosio, ciertas oscuridades, por modo eminente literarias, como las de Faulkner, que proceden precisamente de la rigurosa separación entre la narración y la infomación (llamadas de atención o avisos al lector, muletas para la comunicación), y de la retracción a la más estricta «inmanencia narrativa». Al lector, en casos tales, se le pide su inmersión en el acontecer. Si así lo hace, el que los pronombres queden «irreceptos», el que no se informe de quien es este «este», aquel «aquel» o cual «aquí» o «allí», no supondrá ningún obstáculo, puesto que se dan situaciones tales que, vividas desde dentro, no pueden comportar sino un único «éste», un único «aquél», un único «aquí» o «allí». La falta de circulación anafórica o referencia explícita a antecedentes y consecuentes («trombosis anafórica», la llama, con expresivo barroquismo, el autor) en su función meramente comunicativa o informativa —no en su función significativa, es claro— dificulta, por supuesto, la intelección, pero no disminuye el sentido literario de un texto. Simplemente, exige *más* del lector en tanto que lector, no, de ninguna manera, como «descifrador».

En fin, que me parece evidente que estamos ante una obra espléndida, que verdaderamente *splendet* pero *non fragitur,* que *proferetur,* avanza y prosigue, perdura y perdurará, y, en el pleno sentido de la palabra, se realizará. Ahora bien, el lector ingenuo —y todo lector debe poseer una dosis suficiente de ingenuidad— tiene perfecto derecho a preguntarse: Rafael Sánchez Ferlosio ¿no es o era novelista? ¿Qué se ha hecho de su capacidad de novelar? ¿Será que como en otros casos, especialmente franceses, la conciencia teórica y crítica, hipertrofiadas, están paralizando la actividad creadora, o bien que la literatura está transformándose, como he escrito en otro lugar, en literatura de la literatura, conciencia literaria en acción? Yo espero que no sea así. En la obra que acabamos de comentar hay no sólo gran calidad de precisa prosa, sino también altísima calidad poética cuando el tema lo reclama, y me atrevería a agregar que asimismo una como voluntad de búsqueda de estilo nuevo, de narración que sea lúcida y, a la vez, simbólica, exacta y, a la vez, poética. En definitiva lo mágico y lo mítico-simbólico estaban ya presentes, y bien presentes, respectivamente en sus dos novelas de 1951 y 1955. Sólo la manía de la «objetividad», que no era tal, pudo, en la última fecha y después, extraviar a los críticos. Sánchez Ferlosio no creo que nunca se haya sentido perdido, se haya extraviado.

50. ESTRATEGIAS PARA EL FUTURO

Tras la etapa de la invención, con pretensiones científicas, de una Futurología optimista que confiaba a la tecnología el desarrollo general y la extensión universal de la prosperidad, surgió, frente a ella, y como en el caso de la sociología establecida, una Futurología crítica. Hoy, el cariz que están tomando las cosas en el mundo no es muy alentador. La población mundial aumenta enormemente y los recursos y fuentes de energía parecen revelarse, contra lo que hasta hace poco era el presupuesto general, como no inagotables. El viejo concepto de infinitud se conservaba, a efectos pragmáticos, como inagotabilidad de las materias primas, cuando menos hasta que las conocidas y explotadas fuesen sustituidas por otras, tecnológicamente superiores. Mas hoy ya ni siquiera en tal infinitud creemos.

¿Cuál es la respuesta que se está dando a tales predicciones? Simplificando posiciones podría decirse que, bien, tras Forrester, Meadows y *The Limits to Growth,* la limitación del crecimiento, incluso hasta el grado cero; o bien no creer en tan siniestros augurios y atribuirlo todo a una «maniobra» de los países árabes y a una «supermaniobra» de los Estados Unidos para «justificar», si llegase el caso, una guerra contra ellos, que les arrebatase los pozos de petróleo (amenaza insinuada por el propio Kissinger y explicitada por otros en su apoyo). Hay otra actitud que, triste es decirlo, se observa en España: la de que *nadie* con responsabilidades se sienta interesado en el problema, un síntoma más, pero muy grave, de la desmoralización en que ha caído —o al que ha sido empujado— el pueblo español. (Incluso quienes se oponen al Régimen se encuentran obsesionados por la lucha *contra* él, sin pensar más allá de él, quiero decir, de cualquier Régimen «nacional» en España.)

En medio de esta situación el libro de Erwin Layzlo que hoy me propongo comentar [1], sumamente escéptico en cuanto a la predictibi-

[1] *A Strategy for the Future. The Systems Approach to World Order,* Nueva York, George Braziller Inc., 1974 (escrito bajo los auspicios del Center of International Studies, Princeton University).

lidad del futuro, se limita, muy deliberadamente, a proponer una estrategia con respecto a él y unas disposiciones (me he sentido tentado a escribir «disposiciones testamentarias») sacadas como aplicación de la «General Systems Theory» o «Filosofía de los Sistemas», según aquí la denomina el autor, bien conocido en los Estados Unidos como miembro activo de este grupo de teóricos.

La receta de la renuncia al crecimiento económico y de la renuncia al crecimiento demográfico convertiría al mundo, desde el primer punto de vista, en una economía totalmente estancada, en la cual se implantaría una competitividad desenfrenada hasta el exterminio; pues al no ser ya posible *ganar* sino haciendo *perder* al otro —el llamado *zero sum game,* juego en el que la suma de las pérdidas y las ganancias es igual a cero— queda eliminada la posibilidad de que, aun cuando sea en muy diferente medida, se enriquezcan todos. En cuanto a lo segundo, el mundo entero se volvería una «ciudad de los retirados» de antemano, que mientras llega la jubilación carecerían de todo incentivo, pues no habría nada que hacer, ninguna motivación psicológica, tampoco ninguna «válvula de seguridad», América o Australia adonde emigrar, nada absolutamente por lo que esforzarse.

De la misma manera que la invención del marxismo y la implantación de regímenes comunistas sirvieron, cuando menos, para forzar el paso del paleocapitalismo al neocapitalismo, el embargo o encarecimiento del petróleo árabe ha hecho «sentir» lo que sin él no se vería sino como un futurible. En los Estados Unidos se vive este problema, en tanto que en España, por ejemplo, no. En los Estados Unidos la velocidad legal máxima por sus excelentes autopistas es ahora de 55 millas (unos 88 kilómetros) por hora y es mucha la gente que reemplaza el automóvil por la bicicleta. Podrá pensarse que esto es la adecuada preparación psicológica para que llegue a sentirse la necesidad de declarar la guerra del petróleo a que antes aludía. Es posible. Pero aun cuando fuese en la mente de los «persuasores ocultos» sólo un efecto lateral, se está produciendo un cambio de actitud, la renuncia a las suntuosidades en serie, y el gusto por cosas menos toscas que la superación cuantitativamente mensurable del vecino, en suma, un nuevo sentimiento de los goces del mundo, un nuevo estilo de vida. Pero vayamos al libro de Laszlo.

Hasta ahora hemos vivido en una era de especialización, de fragmentación y compartimentalización del saber. Y lo que a ellas se oponía, en un extremo, la metafísica de un continuismo evolucionista, o bien el simplificatorio reduccionismo de la Ciencia Unificada. La teoría de los Sistemas habría venido a sacarnos del *impasse* teorético y del *impasse* práctico, del sentirse sin salida. Laszlo invoca el «dismal theorem» de otro cultivador de la G.S.T., el economista Boulding: si la única salida es la vaga amenaza de una extinción de la humanidad por el hambre y la miseria, la humanidad seguirá aumentando en población y consumo hasta su autoextinción. Laszlo espera que eso no ocurra porque también la Humanidad es un «Sistema». ¿Qué quiere decir esto?

La teoría de la evolución desarrollada durante el siglo pasado era optimista, progresista, o interpretada al menos como tal (recuérdese, sin embargo, la visión muy diferente del darwinismo que ha presentado Toulmin y que resumí en otro artículo). Pero a la vez que aquélla, se descubrieron las leyes de la termodinámica y la segunda, de degradación de la energía, entropía, nos presenta el desenlace final de un equilibrio de desagregación y extinción de la vida y de toda estructura sistémica. Ahora bien, ¿cómo se resuelve esta contradicción? El universo, globalmente cerrado y condenado a su termodinámica disolución, mantiene «regiones» o «enclaves» de conservación y aun producción de energía: son las «estructuras disipativas» dotadas de invariancia y capaces de auto-regulación, continuidad y expansión energética (piénsese en nuestra fuente natural máxima de energía, el sol), que se interorganizan en ecosistemas y éstos en el sistema de la ecoesfera. Los diferentes sistemas no forman, como pensaban los metafísicos monistas, un continuum homogéneo, sino internamente muy diferenciado. Hay sistemas cerrados, sistemas abiertos, dentro de estos sistemas vivos, dentro de estos organismos humanos, los cuales se interrelacionan constituyendo sistemas sociales, que culminan —éste es el punto al que va a desembocar Laszlo— en el sistema de la humanidad. En la situación actual, paralelamente a como en el siglo XIX la conciencia de clase, es decisiva la concienciación mundial, la toma de conciencia de que la humanidad —con su entorno— constituye un sistema. La existencia y conciencia de *un* sistema no es incompatible, de ninguna manera, con la de plurales subsistemas, regionales, nacionales, subnacionales, locales y vecinales, con «a hundred flowers bloom». Hay que desideologizar la concepción del sistema global, pero esto tampoco requiere, de ningún modo, destruir ni la realidad ni la ideología de los Estados nacionales, para sustituirlos por una ideología y un Estado mundiales, sino simplemente advertir su limitación y llevar a cabo su relativización.

Para ello el primer paso —la primera fase— consiste en que las gentes aprendan a pensar sistémicamente el mundo. Todos, cada cual desde nuestra propia posición, sin renunciar a ella, podemos hacerlo. Ciertas instituciones lo están haciendo ya. Laszlo recuerda el programa de la UNESCO sobre «El hombre y la Biosfera», el Congreso de Estocolmo sobre «El entorno humano», etc. La segunda fase, tras lograda la plena conciencia, es la de decisión retroalimentada por la información. Ambas se han de desarrollar democráticamente, en movimiento que parta de la base y sea participatorio a todos los niveles. Al científico, mediante la «simulación» de modelos reales probables, de modelos posibles deseables o preferibles, mediante la medición de la «distancia» entre unos y otros modos de salvarla. Al nivel local, en ciudades como Düsseldorf, Vancouver en Canadá y Madison en Wisconsin, Estados Unidos, sus habitantes se están esforzando por controlar su futuro. Y, por ejemplo, la comunicación MINERVA para congresos a distancia, de hasta 20 personas por teléfono, hasta 200 por cable de TV de doble dirección, facilitan tomas de decisión a altos niveles. La tercera fase es la de constitución, a imagen biológica —recuérdese la formación biológica de von Bertalanffy, fundador de la G.S.T.— de un «sistema homeostático del mundo» (expresión que, nos reconoce el autor, no ha de tomarse demasiado a la letra y habrá de ser sustituida por otra más «poética»). Un sistema homeostático no es nunca estacionario y sí siempre mudable, pero auto-regulador del *input* informativo y energético. Especialmente en sociología y ciencia política, quienes han pensado conforme a la categoría de sistema, han sentido la tentación conservadora de la estabilización a toda costa. Mas puede ocurrir que la «mutación» y la «revolución» sean necesarias, en determinadas condiciones, para salvar el equilibrio homeostático. También el des-desarrollo (*de-development*) de los países más avanzados tecnológicamente, gracias a la diseminación de una concepción de la vida que dé la prioridad a otros valores, y haga posible el crecimiento suficiente de las zonas menos desarrolladas. Tampoco es que haya de renunciarse al desarrollo material de los países avanzados, cuando inventos tecnológicos lo hagan posible sin que acontezca a expensas de otros países o con peligro para el equilibrio mundial. El objetivo, como se ve, es una «homeóstasis global», dentro de un estado siempre cambiante, hacia una meta siempre inalcanzada totalmente, pero cuyo progresivo aunque parcial logro no defraude el esfuerzo humano.

La crítica de este libro no es difícil. Su lado positivo es la renuncia a oscuras predicciones que la ciencia no se encuentra en condiciones de hacer. La función futurológica de la ciencia es, hoy por hoy, predominantemente «moral»: prevenirnos con «avisos» y «cautelas» y presentarnos otras alternativas. El modelo que Laszlo nos ofrece es mucho más *formal* —una estrategia, un *qué* hacer, un quehacer— que *material* anticipación de *lo* que ha de ser el mundo futuro. En cuanto al lado negativo, a cualquiera se le ocurre que el problema está en cómo conseguir ese consenso mundial, ese desarme no ya solamente atómico sino, por decirlo así, del bienestar, acaparado por unos pocos Estados nacionales a expensas de todos los demás. Temo que, en el mejor de los casos, será menester llegar al borde mismo de la catástrofe y casi tocarla, para que los poderosos de la tierra modifiquen su actitud.

SEGUNDA PARTE

RECAPITULACION

1. FILOSOFIA ESTABLECIDA

Se comprenderá bien que, en esta revisión de la cultura establecida, comience por el campo que conozco mejor o, cuando menos, el que profesionalmente me ha sido más familiar, el de la filosofía. Con la guerra, y como consecuencia de ella, *académicamente* se estableció en España una filosofía que nada tenía que ver con la que, por entonces, se hacía en el mundo. (Si nuestra consideración se extendiese a lo no-académico, es decir, a lo por entonces no-establecido y simplemente tolerado, habría que matizar esta afirmación.) Esto es hoy para todos tan evidente que no requiere mayores comentarios. Más notable me parece el hecho, que pude observar desde mis primeros años de profesor universitario y aun antes, del progresivo divorcio, filosófico y extrafilosófico, de la «cultura de los Profesores» y la «cultura de los Estudiantes». En nuestra sección de Filosofía los primeros vivían inmersos en la Escolástica «pura», la del Padre Ramírez y otros dominicos, cuyas vetusteces eran definitorias. Las posiciones de los jesuitas, mucho menos asentadas en la Universidad («Suárez, principio de todos los errores modernos»), no por ello eran, en general, menos hostiles al pensamiento moderno y, muy en particular, al de Ortega. Y marginalmente podía cultivarse, con muchas precauciones, una neoescolástica de corte lovaniense, un aguado personalismo o, ya en los linderos del error importado de Alemania, una neoescolástica de influencia existencial. En cualquier caso, el basamento y el fuste de las columnas era «aristotélico-tomista». Que el edificio se levantase con las viejas piedras —paleoescolástica— o con otras talladas, en lo esencial, como aquellas; que los capiteles y la decoración incluyesen motivos modernos, que, de todos modos —se ponía buen cuidado en puntualizar—, estaban ya, *avant la lettre,* en el tomismo —«personalismo» y aun «existencialismo» de Santo Tomás, de los que tanto se hablaba por entonces— era, en definitiva, secundario. Por otra parte, una modesta apertura al modesto neoescolasticismo balmesiano no era ninguna garantía de apertura real y, por el contrario, Maritain, el tomista más estricto de por entonces, era la *bête noire* —cuña de la misma madera— de nuestros académicos filósofos, el inventor del más peligroso «mito», el filósofo que no solamente erraba, sino que consistía, él mismo, en error. («El error Maritain», como escribió un converso profesor de Derecho, parafraseando el título de un famoso artículo del Ortega de las vísperas de la República.) Por el contrario, la cultura filosófica de los Estudiantes rechazaba toda Escolástica y se alimentaba de la filosofía existencial y del existencialismo de Sartre y Camus, de Unamuno y de Ortega, y también de marxismo. La separación de una y otra cultura era tan grande, y la ignorancia de la «cultura viva» tan crasa entre los Profesores, que ello otorgaba ciertas sorprendentes libertades, por ejemplo la de que, bajo la cobertura del SEU, los Estudiantes pudiesen organizar una lectura de Bertolt Brecht o un recital de poemas de Gabriel Celaya y Blas de Otero, sencillamente porque a la autoridad académica competente nada le decían estos nombres.

Naturalmente hoy todo aquello nos hace sonreír (aunque probablemente no a los estudiantes, sometidos a aquellos mismos profesores o a sus fieles discípulos y herederos) y, en cuanto a lo último, en esta época de cultura policíaco-profesoral, hasta añorar aquella *simplicitas* no precisamente *sancta.* Pero realmente ¿han cambiado mucho las cosas? Aparte de que, como acabo de decir, los profesores universitarios, ocupado «patrióticamente» el escalafón en los primeros años de la postguerra, y perpetuado luego el sistema por cooptación, sigan siendo los mismos, lo radicalmente grave, lo antifilosófico por excelencia, es el concepto mismo de «ortodoxia» filosófica, la conversión de cualquier filosofía —la de Ortega, la de Zubiri, la de quien sea— en «escolástica», en verdad oficial, en sistema establecido. Con referencia más o menos específica a la filosofía, es el tema que he tratado en los capítulos 1, 2, 3, 37, 38 y 45 de la primera parte de este libro. Durante algún tiempo se pudo reposar, retibetanizada España, en la Escolástica medieval. Pero gradualmente volvieron a aparecer en nuestro país «las perniciosas ideas modernas». En gran parte gracias a lo que otras veces he denominado el «falangismo liberal», volvieron a recuperar vigencia social las directrices del *Establishment* filosófico anterior a 1936. El horror al vacío en el que se ha ido advirtiendo que, para nuestro tiempo, consistía la Escolástica, se ha calmado mediante la admisión, convertidas en escolásticas, de otras filosofías, las que había ya en la España de la anteguerra. La evolución, levísima pero a estos efectos suficiente, del Régimen político establecido, con su aminoración del control cultural, ha permitido llenar, bien o mal, aquel vacío. Ha ocurrido, como la historia nos muestra que sucede siempre en casos tales, un triunfo tardío pero cierto de los militarmente vencidos, pero culturalmente superiores, sobre los vencedores con las armas. En toda la línea cultural y no sólo en el frente filosófico, ha triunfado el exilio: el exilio exterior y más aún el exilio interior. Pues el exilio exterior, anclado en la nostalgia, tardó mucho —en la medida en que ha logrado hacerlo— en volver a tomar contacto con la realidad española que hacía imposible ya, como ellos soñaban, la vuelta a la situación de la República. En cambio, el exilio interior estaba aquí y no tenía pues sino que, puesto a la hora, reaparecer, volver a la luz. Por eso yo entiendo muy bien —aunque, por supuesto, no comparta— las alarmas de los guardianes de todas las ortodoxias. Aunque esto no haga al caso, me parece que son de día en día más los españoles convencidos de que el Régimen político fundado en julio de 1936, bueno o malo entonces, ha dado ya de sí cuanto podía. Ahora bien, sí importa, y mucho, decir aquí que *culturalmente no ha dado absolutamente nada.* Tal infecundidad e indigencia nos ha traído, por la fuerza de las cosas, a la extraña situación presente de convivencia, o si se prefiere de coexistencia, ciertamente no sin tensiones y fricciones —pero que es un hecho— de un Régimen y una Cultura, originariamente contrapuestos y ambos «establecidos».

2. CULTURA CASTELLANA ESTABLECIDA

Régimen y Cultura que en algo, sin embargo, se han asemejado desde sus orígenes: en su centralismo castellano. Como vio muy bien el Unamuno de *En torno al casticismo,* la fecundación por una cultura diferente, profundamente asimilada, lejos de debilitar impulsa el desarrollo cultural de un país. El krausismo, como tiempo antes el erasmismo, son, para España, excelente testimonio de ello y, personalmente, lo es el propio Unamuno, vasco de origen, enormemente influido por lecturas extranjeras y tan honda, exorbitantemente español. La Institución Libre de Enseñanza, continuadora del krausismo, muy abierta a lo inglés, fue profundamente nacionalista y pese a su importancia en algunas regiones, como Asturias o, mejor dicho, probablemente en su Universidad de Oviedo, enormemente castellana, en contraste con el descentralizador krausismo. El «descubrimiento» del Greco por Cossío transfirió a la historia del arte la actitud general de toda la historiografía de la Institución y, coronándola, la de Menéndez Pidal. (Menéndez Pelayo no fue castellanista.) Los mitos del Cid, de Fernán González, de Castilla deben gran parte de su vigencia actual a esta escuela, que ha conformado una comprensión *castellana* de la historia de España [1], mantenida en la misma dirección, pese a sus «heterodoxias», por Américo Castro. Y la generación del 98 llevó a cabo una labor paralela de poetización y literaturización de Castilla por hombres que, curiosamente, y como la mayor parte de los de la Institución, no eran castellanos. El castellanismo de Menéndez Pidal es mucho más ostensible que el de Ortega —cualificado, además, en *España invertebrada*—, pero sólo una visión muy miope pudo darnos una versión descastadamente «europeizante» del filósofo que, de todos modos, con el paso de los años se fue haciendo más y más castellano y aun madrileño.

---

[1] Véase el artículo «Sobre qué es Historia» en las pp. 197 ss. de mi libro *Entre España y América,* Barcelona, Ediciones Península, 1974.

La actitud de todos los hombres de la Institución y la de Ortega y sus discípulos con respecto a Cataluña siempre fue, cuando menos, reticente. (Como he señalado en el capítulo 3 de la primera parte, la colaboración catalana en la *Revista de Occidente* fue prácticamente nula.) ¿Es una casualidad que, comparada con el culturalismo ontologizante castellano, la filosofía catalana haya sido, por decirlo así, doméstica y burguesa, y que frente al culturalismo, institucionalismo y personalismo historiográficos castellanos, la historiografía fundada por Vicens Vives se haya orientado socioeconómicamente?

Se habla de la necesidad de una descentralización administrativa, económica, política. La descentralización cultural no es menos importante. La cultura académica española establecida es la castellana de las escuelas de Menéndez Pidal y Ortega-Zubiri. Lo demás que pasa por académico no es sino el subproducto pseudocultural del Régimen político establecido.

3. ESTABLISHMENT ECLESIASTICO

En la primera parte he hablado del origen eclesiástico-anglicano del concepto de *Establishment.* Ahora bien, sin existir el término correspondiente, en España ha habido a lo largo de casi toda su historia un Estado católico establecido y, por ende, un *Establishment* eclesiástico también.

Durante los años del pasado inmediato hubo, formalmente de modo semejante al de la Inglaterra histórica, un enfrentamiento de la *Low Church* o conjunto de los «curas jóvenes» y la *High Church* o Jerarquía eclesiástica. Mi impresión es la de que, como he escrito muchas veces y aquí mismo, tal tensión ha disminuido mucho y tiende a desaparecer. En efecto, los «curas jóvenes» o envejecen y se adaptan o se marchan, se secularizan, sin ser reemplazados por otros, a causa de la crisis de vocaciones. (He aquí la diferencia esencial que separa al inconformismo sacerdotal del universitario, siempre renovado por las nuevas promociones.) Y por su parte la Jerarquía eclesiástica está ensayando, al fin, un prudentísimo *aggiornamento* y una distinción sin separación del Estado. Que no se haga nadie ilusiones sobre este último punto: la Jerarquía española no quiere —ni puede: en el capítulo 8 de la primera parte he explicado por qué— separarse del Estado. Lo único que intenta es terminar con el sistema «gibelino» del franquismo y recabar —demasiado tarde ya— una relativa autonomía. O sea, seguir dependiendo económicamente del Estado y, a la vez, afirmar un *désengagement* de su política. Se comprende bien la indignación ultrafranquista ante una actitud como ésta, expresión, dirían las gentes del *Establishment* político, si supieran lo que es eso, de *mauvaise foi* en el sentido sartriano. De ahí que la anterior tensión entre Jerarquía y clero joven se haya transferido al seno mismo de la Jerarquía. Y que lo que queda de aquél, incluso del jesuita —joven de edad, como Juan

José Coy, de espíritu, como José María Díez-Alegría— se desentienda de la presión jerárquica y del dogal obediencial, y tienda a la práctica de una religiosidad que se sigue viviendo como católica, sí, pero en libertad y convirtiendo en central para el cristianismo la lucha por la justicia social. Por otra parte, junto a la inspiración «profética» de denuncia social, quizá esté surgiendo, o vaya a surgir —con el retraso al parecer irremisible de España— una vuelta a la «religión» más o menos difusa o, como vimos en el capítulo 43, un «re-encantamiento» del mundo —el *Godspell* actual sería el intento de enlazar, por decirlo así, «reencantamiento» y «resacralización»— una recuperación poética del «misterio» de la realidad, un reencuentro de los símbolos literarios y los religiosos y, en suma, de todas las actividades «no-disciplinables» del espíritu humano. Pero, por supuesto, y como vimos en el capítulo 9, sin participar en las responsabilidades institucionales eclesiásticas.

Pero no abandonemos nuestro problema, el del *Establishment* eclesiástico, y veamos ahora la nueva faz que tiende a presentar tal *Establishment.* Yo diría que de un catolicismo «gibelino» se quiere pasar a un catolicismo «güelfo», no menos *establecido* que aquél, pero establecido *en Roma.* La política eclesiástica española quiere hoy ser decididamente vaticanista. Y paralelamente a como, en el plano cultural, el vacío franquista ha sido llenado, según hemos visto, por la cultura anterior, en el plano eclesiástico hay una recurrencia a la prudente, pacata actitud democristiana, que hoy no hace ascos a pasar, de cuando en cuando, por católico-progresista, pero que es estrictamente obediencial. La diferencia entre el pasado y el futurible sería simplemente de acento que, muy despacio, se transferiría de lo que representaba *El Debate* y hoy representa *Ya,* a lo que representan los *Cuadernos para el Diálogo.* Es fundamentalmente una diferencia de estilo, la que distingue a los dos hombres que, al nivel jerárquico y al nivel laical respectivamente, mejor personifican el nuevo *Establishment* eclesiástico, Tarancón, que conserva el de la vieja democracia cristiana, y Ruiz-Giménez que, sobre todo por la impresión que producen los jóvenes de quienes se rodea, parece ajustarse al del catolicismo progresista. El hecho de que no se dé ya la cuasiidentidad de miras de Estado e Iglesia —más bien infeudación de ésta a aquél— y que, por el contrario, se hagan cada vez más patentes las fricciones entre uno y otra, no debe hacernos perder de vista que ambos son *Establishment.* Volvamos los ojos a Italia y entenderemos bien los rasgos que caracterizarán a la Iglesia establecida en España el día que conquiste la modesta liberación a que aspira. (Entiéndase bien, con la que no es simplemente que se conformaría, sino que de ningún modo desea más).

En resumen, que la Iglesia establecida, lo mismo que la cultura establecida en España, se dan por contentas con la «innovación» (confróntese capítulo 4 de la primera parte, «A vueltas con la religión», sobre la acepción en que se toma esta palabra), con el poner al día lo que ya fueron. Y que ambas carecen de capacidad de creación.

4. MORAL ESTABLECIDA Y NUEVO ESTILO DE VIDA

Volvamos de nuevo al órgano de la futurible Iglesia establecida, *Cuadernos para el Diálogo.* Aparte la crítica del Régimen político establecido, encontramos en ella, de acuerdo con su título, diálogos, abundantes diálogos y sobre todo, diálogos, más o menos abiertos, entre cristianos y marxistas, pero siempre al nivel de la praxis. Sería vana la tarea de buscar en tal revista artículos de crítica teológica o bíblica, de historia del cristianismo, de crítica de la moral vaticana o convencionalmente cristiana (salvo en cuanto estrictamente burguesa). El *Establishment* eclesiástico emergente en España tiene en común con el *Establishment* marxista la ausencia de un sentido crítico radical, el puritanismo y, en definitiva, en su sentido más estrecho, la «ortodoxia». Se trata en el caso de la Iglesia de una ortodoxia que, por exigencias de los tiempos, es tolerante, por la misma razón que la ortodoxia marxista del PC es colaboracionista con los partidos burgueses. Pero será inútil buscar en la Prensa católica española artículos que, para centrarnos en el tema del presente capítulo, analicen tema tan capital como el de la economía y finanzas de la Iglesia, o que tan directamente afectan a la vida de muchos católicos como los del divorcio y la llamada anulación de matrimonio, el aborto, el celibato sacerdotal, etc. (por tolerancia mayor o menor que en la práctica se tenga sobre las relaciones sexuales preconyugales o sobre la limitación artificial de la natalidad). En general, los criterios de esta Iglesia conciliar española sobre cuestiones eróticas, liberación de la mujer, moral social, etc., siguen siendo muy conservadores.

Podría compararse el cambio que está aconteciendo en España en cuanto a la moral vivida, en su relación con la moral tradicional, con el cambio, del que otras veces he hablado, de la sociedad española por debajo de su costra política. Es desde este punto de vista como se entiende mejor, pienso, el distanciamiento de la juventud de la moral cristiana establecida (y de la moral marxista ortodoxa) y de una escatología que, por falta de vivificación poético-simbólica y de revisión crítico-creadora (o, dicho de otro modo, de desmitificante remitologización) pierde sentido para ella. ¿Por qué las gentes de iglesia son tan romas o rutinarias para una lectura directa del Cantar de los Cantares, de los Salmos, del Libro de Job y el Eclesiastés, de los profetas y los apocalipsis, de los Evangelios, de San Pablo? A propósito de San Pablo, el sentido positivo-prometeico del pecado como trans-gresión, sería sumamente fácil de poner de relieve, acercándolo así, dialécticamente, a la sensibilidad actual (que, como vimos en el capítulo 44, Bataille, aunque demasiado retorcida y desgarradamente, todavía representa). La repulsa de la pseudoinocencia y el puritanismo (el drama americano), la afirmatividad de la rebeldía y la violencia, las hemos visto presentadas en el capítulo 14. La libertad sexual, bastante antes de que se implantara generalizadamente en Occidente la erotización de la existencia, la encontrábamos en el Bloomsbury de Virginia Woolf, capítulo 28. La puesta en cuestión de los conceptos de normalidad psíquica frente a la «demencia», en los capítulos 15, 29 y 45. Y la de la identidad de la personalidad, en los 26, 27 y 29. Revisiones como éstas, de la psicología, el psicoanálisis y la psiquiatría al uso, han de acarrear, evidentemente, muy importantes reformas de la moral.

El lector de *El marxismo como moral* y también, inseparablemente, de «El problema de la moral» (en *Moralidades de hoy y de mañana*)[1] comprenderá bien el sentido del capítulo 38, «Marxismo e imaginación» (es decir, "Marxismo con imaginación") sobre la Escuela de Francfort y, como heterodoxo de ella, con mayor imaginación que ella, la intención de los capítulos 16 y 17 sobre Walter Benjamin. Y junto a la imaginación frente al marxismo establecido, la espléndida imaginación, a la vez sociológica y literaria, de Engels, el primer hombre que fue capaz de ver de verdad la primera ciudad puramente industrial del mundo, Manchester (capítulo 43).

Me importa mucho subrayar, frente a la opacidad acrítica y dogmática de las morales establecidas —cristiana convencional, burguesa, de la sociedad de consumo, del marxismo ortodoxo—, el carácter de «acción simbólica» y modelo para la acción real de toda creación que, en sentido muy amplio, podemos llamar literaria; acción simbólica sobre la cual he escrito en otro lugar[2], y aquí, de pasada, en los capítulos 35 y 42. La literatura verdaderamente creadora es en sí misma revolucionaria, desvelación y revelación de la

[1] Madrid, Taurus Ediciones, 1973, 194 pp. (Colección «Ensayistas», núm. 95).

[2] «Libertad, símbolos y comunicación», en el número 8, enero de 1975, de la revista *Sistema*.

realidad. Hay comunicación franca de la rebeldía literaria a la psíquica, social y moral, y también viceversa. Si la esencia del estilo es «desviación» —desviación organizándose— es también voluntad de cambio social, motor del cambio moral. Fiestas —rupturas incantatorias de la cotidianidad— son la creación literaria, la revolución político-social —la toma de la Bastilla, el 14 de abril— y la revolución moral.

La vida vivida a su propio hilo es inmanente a sí misma, no se sobrepasa, no puede «adelantarse», sino sólo imaginativamente. La narración inmanente configura —todo cuanto el hombre en cuanto hombre hace, es simbólico—, pero, por decirlo así, improvisando, sin hacerse trampas a sí misma, sin retrotraer, como «información» que entonces era imposible poseer, lo que sólo *después* había de ocurrir y, por tanto, saberse. (Capítulos 48 y 5). En cambio el examen de conciencia individual o colectivo en el que consisten la Autobiografía, las Memorias, la Historia, reflexiona ya sobre lo ocurrido, es decir, sobre un «documento» o «texto», el texto escribible de la vida expuesta, configurada o desfigurada y amañada ya. He aquí otro problema moral, el de lo que, en sentido amplio y en sentido estricto podemos llamar «confesiones», y que traté en la Introducción del libro *Memorias y esperanzas españolas* [3]. La Historia establecida en general, la Historia establecida de la España más reciente, no puede hacerse, en serio, sin el planteamiento previo de este problema de moral colectiva.

[3] Madrid, Taurus Ediciones, 1969, 225 pp. (Colección «Ensayistas», número 64).

5. EL DES-ESTABLECIMIENTO DE LA CIENCIA

Si algo había, a juicio del hombre moderno, inconcuso e inquebrantable, *establecido* de una vez por todas, y no por la voluntad o la inercia, sino por la razón, ese algo era la ciencia. Ahora bien, en estos años estamos asistiendo al proceso de des-establecimiento de la ciencia. Si nos atenemos a su actual autocrítica, podemos elegir entre una concepción «revolucionaria» y otra «evolucionaria» de su desarrollo (capítulos 32 y 33). Ambas rompen con el fixismo de un sólido fundamento inconmovible, sobre el cual el esfuerzo científico iría levantando, cumulativamente, nuevas edificaciones, sin solución de continuidad con lo que de una vez por todas, desde que hay ciencia en sentido moderno, fue establecido.

A primera vista podría manifestarse aquí una paradoja, pues, de otra parte, la ciencia se institucionaliza cada vez más, y se convierte en empresa colectiva. Empresa o institución, sí, pero que evoluciona, varía, entra en crisis (la «bancarrota» no de la ciencia, como se escribió, sino del paradigma científico vigente hasta el momento) y experimenta una «revolución», cuando menos una «mutación», cobrando con ella nueva estructura. A su tiempo destacábamos también, como un importantísimo fenómeno socio-científico, la lucha entre el *Establishment* de las viejas autoridades atrincheradas en sus posiciones y los «jóvenes turcos» que intentan debelar no simplemente tal o cual hipótesis generalmente admitida hasta entonces, sino el marco de referencia entero.

El concepto de «disciplina», entendido con flexibilidad, es enormemente iluminador. Vale, a la vez, como disciplina de la teoría —es decir, estructura— y disciplina en la praxis, disciplina institucional. La disciplina en el primer sentido es un concepto «ideal», un «modelo», un *desideratum.* Ninguna actividad intelectual, ni siquiera en el límite, la matemática, está aún completamente disciplinada. Y hay actividades intelectuales que permanecerán siempre indisciplinables, salvajes, mágicas, míticas. Y lo mismo acontece y seguirá aconteciendo —esperémoslo— con la praxis disciplinar, cada vez más institucionalizada, pero que nunca reducirá del todo el pensamiento científico intuitivo, rebelde, marginal, heterodoxo, herético.

Lo cual no quiere decir, de ningún modo, que nuestra época haya renunciado a una visión global, totalizadora. Al contrario, una de sus características es la vocación interdisciplinar, pero de una unidad en la pluralidad que se sabe provisional. En la primera parte hemos considerado (capítulos 46 y 51) dos de estas concepciones unificadoras: la de la Antropología fundamental y la de la Teoría de los Sistemas, tan alejadas ambas, como puede suponerse, lo mismo de la cerrazón medieval de una *Summa,* que de la cerrazón moderna de una *Enciclopedia.*

Entre las actividades intelectuales problemáticamente disciplinables hemos examinado, o aludido al menos, de menor a mayor problematicidad, a la lingüística, la teoría de la comunicación, la semántica general, la antropología estructural y semiótica, la futurología, el generalizado estructuralismo, la nueva teoría literaria y las nuevas terapéuticas psicológica, antipsicoanalítica y antipsiquiátrica (capítulos 24 y 25, 11, 39 y 40, 46, 47 y 50, 31 y 32, 19, 20, 21, 22, 23, 29, 36, 42, 43, 48, 49 y 50, 14, 26 y 27, 15 y 18).

Dentro de este campo constitutivamente problemático en el que ahora nos estábamos moviendo, me importa subrayar, a modo de importante ilustración, la nueva configuración «topológica», por así llamarla, que está cobrando la filosofía de Wittgenstein (capítulo 13), buen ejemplo de la plasticidad hermenéutica de que es susceptible todo sistema de pensamiento problemáticamente disciplinable. (En España tenemos otro buen ejemplo de extremosidad interpretatoria, no en la configuración, sino en la evaluación de la filosofía de Ortega: de la ingenua concepción que vio en ella la culminación de la historia entera de la filosofía, la filosofía para la segunda mitad del siglo XX y quizá, para el siglo XXI, se ha pasado a la inconoclasta negación juvenil de toda su validez). Y, en fin, se dan también configuraciones a mi parecer pseudocientíficas, así las de las «Ciencias de la Información», en cuanto universitariamente institucionalizadas, de las que he tratado en el capítulo 46.

6. CRITICA LITERARIA Y CULTURA ESTABLECIDA

Por las razones obvias del público al que se dirigían los periódicos y revistas en que aparecieron los artículos de la primera parte, predominan entre ellos los que tratan de crítica literaria. Pero creo que, sin forzar en lo más mínimo las cosas, podemos ver en las direcciones actuales de la crítica literaria, con respecto a la crítica establecida, una tensión englobada en la más amplia, que estamos considerando en el presente libro, entre cultura emergente y cultura establecida. Más aún: como vimos en la primera parte y hemos subrayado ya en esta segunda, la función de la literatura actual, que la crítica pone de manifiesto, es fundamentalmente subversiva y revolucionaria. Pero quizá se da todavía un desfase entre la intención (objetiva, por supuesto) de la literatura más avanzada y la captada por gran parte de la mejor crítica literaria. Es lo que, limitándonos siempre a ordenar y resumir lo dicho ya en la primera parte, vamos a tratar de poner de relieve aquí.

Los capítulos 19, 20, 21, 22, 23 y 25 fueron los primeros que, temáticamente, se dedicaron a la crítica literaria. Los dos primeros a la crítica estructuralista, los dos siguientes a la de Northrop Frye, el quinto a la crítica fenomenológica y el último a una visión de conjunto del estado de la cuestión. Por lo que se refiere a la crítica estructuralista, destacábamos como su gran mérito la afirmación de la autonomía literaria de la estructura lo-narrado-en-el-discurso, en el sentido de ser lo único que, frente a lo extraliterario, importa a la crítica y, en definitiva, a la lectura: la narración, en cuanto articulada lingüístico-literariamente, y no lo narrado, ni tampoco la «hipóstasis» de un narrador. El «salto» que, en su última fase, ha dado la *nouvelle critique* consiste en retener la *narración pura,* es decir, *su discurso lingüístico,* como único «sujeto» o «autor» impersonal de la obra, como única precaria consistencia también de cuantos personajes aparecen en ella. Personaje, sujeto, narrador, autor, son así sucesivamente eliminados. ¿Por qué? Esta teoría *literaria* corresponde estrictamente a una teoría *metafísica,* la de la disolución de la personalidad o exaltación del «esquizoanálisis» (Deleuze, capítulos 26 y 27 de la primera parte) y, en definitiva, la de la «muerte del hombre» de Foucault. Se trata, evidentemente, de una concepción revolucionaria —aun cuando no sin muy importantes precedentes— en contra de la cultura establecida.

No me lo parece, en cambio, su característica tendencia a descubrir patrones, estructuras prefijadas y siempre recurrentes. Su repulsa, en suma —lo confiese o no— de lo generativo, de lo verdaderamente creador en el lenguaje, en la literatura, en la poesía. La crítica «mitopoiética» de Northrop Frye se diría a primera vista que se sitúa en la perspectiva opuesta: la simbólica, la del pensamiento inmediatamente mítico, la de la creatividad. Pero los mitos, tal como los concibe Frye, bajo figuras en apariencia diferentes, recurren siempre también, porque desde el principio fueron dados como *arque-tipos.* Son, como él dice, tenaces, obstinados, y no es posible desprenderse de ellos. Ahora bien, con esto cae en la misma concepción anticreativa del estructuralismo y simplemente sustituye el estudio de las estructuras puramente *formales* de aquel por las *poéticas* (o retóricas). O dicho de otro modo, sustituye, como maestro, a Saussure (y la escuela de Copenhague) por Jung y la llamada psicología profunda. Yo creo que una crítica que vuelve los ojos a los *arquetipos,* por saludable que sea en cuanto que nos libera de los *estereotipos* que nos sofocan y paralizan el pensamiento (el tema del primer y más valioso Ionesco), es conservadora y anticreativa: todo lo profundo y creador fue establecido ya en el origen. Y creo asimismo que una crítica auténticamente mitopoiética tiene que alumbrar en las grandes obras nuevas lo que aportan como *prototipos* (en acepción semejante a la que, tecnológicamente, suele darse a este término), mucho más que lo que conservan como arquetipos. Por lo demás, Frye, igual que la crítica estructuralista, afirma la autonomía del discurso, ahora mitopoiético, y desata a la teoría de los géneros literarios de su vieja rigidez preceptiva, valiéndose de ella con gran libertad imaginativa que, lejos de encasillar la realidad, propone cambiantes perspectivas sobre ella. El estudio de las estructuras literarias en tanto que abiertas a la creatividad, decía yo que podía sintetizar la dirección en que habría de moverse la crítica. En el capítulo 29 consideré la obra de Virginia Woolf, tal como podemos leerla *hoy,* a modo de ilustración de esta *libertad* del mito o símbolo —emergente y no meramente recurrente— y de la psicodélica disolución por expansión —y no por «muerte»— de la personalidad, de la individual identidad.

Los capítulos 30 y 31, sobre Lévi-Strauss dentro de una tradición literaria, y 42 sobre Engels, se escribieron para mostrar las grandes posibilidades del análisis literario aplicado a obras no consideradas usualmente como literarias, ampliando así el campo de la teoría de la literatura. Y el 36, sobre Ezra Pound, para, tomando un ejemplo muy distinguido desde el punto de vista profesoral, poner de manifiesto lo que, según creo, por ingenioso que parezca y sea, *no* debe ser la crítica literaria.

El capítulo 47 —que cabe poner en relación con el 44, sobre Georges Bataille— es central. En él, siguiendo a Starobinski, se manifiesta el carácter de «dis-curso» de la obra literaria y de su crítica, atendiendo a otra dimensión, próxima a la del «discurso» estructuralista, pero no coincidente con ella. La obra avanza, es más, consiste en avance o trayecto, pero no seguido sino con retrocesos, de acuerdo con una estructura circular, de vaivén; y el esfuerzo crítico consiste en «repetir» ese recorrido. Dentro de él se sitúa en el primer plano el concepto de «desviación», infracción o transgresión de lo establecido. Y es esa violación, con su valor de novedad y creación —y no la recuperación de los arquetipos— lo que da sentido al «progreso» de toda gran obra literaria, dentro de la estructura abierta de la historia de la literatura a la que pertenece y en la que viene a inscribirse como conquista de un espacio literario común.

En fin, los capítulos 48 y 49, referentes a los volúmenes publicados del libro de Sánchez Ferlosio de cervantino título, *Las Semanas del Jardín,* estudian su «teoría de la narración», tema, como vimos, típicamente estructuralista, que nuestro autor aborda de modo enteramente personal y original. ¿Se sustenta la narración en un «fondo» que subyace a ella y que es menester, ahondando, llegar a alcanzar? Eso sería, junto a la estructuralista y la mitopoiética, un nuevo modo de recurrencia. La narración, para que verdaderamente lo sea, ha de mantener la referencia al pasado, a lo anteriormente dicho, sí (como la cultura: volveremos sobre esto), pero no consiste en des-arrollo o des-pliegue de lo que, plegado o enrollado, estaría ya en el comienzo primordial.

La obra literaria es creación de prototipos y no regreso a arquetipos. (Como, pese a su valor, lo fue, todavía, la novela del mismo Sánchez Ferlosio *El Jarama,* con la fuerza simbólica del antiguo mito del Río —Nilo de barbas fluviales— que no «pasa», como pensó Heráclito, sino que permanece, pues los que pasamos somos nosotros, hombres y mujeres de la sociedad de masas, los no arraigados en lo verdaderamente real, la tierra, la naturaleza.) Alumbrar esa creación exige infringir la cultura establecida. Por eso decía al comienzo de este capítulo, que la nueva crítica literaria, iluminación de la nueva literatura, rompe con el concepto arquetípico, tradicionalista, dado, de la cultura establecida.

7. MISION TRANS-GRESIVA DEL INTELECTUAL

Toda sociedad dotada de una mayor o menor estabilidad funciona a partir de una «constitución» conforme a la que se puso en marcha y que la mantiene en equilibrio dinámico, que no excluye la evolución ni tampoco, por desgracia, la involución, ajustadas a unos principios cuyo conjunto constituye el sistema establecido. Sistema, como hemos visto, religioso-eclesiástico, sistema socio-moral, sistema económico (del que no hemos tratado aquí), sistema cultural... Y sistema político que no es sino la superestructura de aquéllos. El sistema político establecido aparece, según se vea desde dentro o desde fuera, como fetichismo del «orden público» o como insoportable intromisión del aparato policial, y en la realidad es, cerca de nosotros, un irracional —pseudocarismático, legitimista, paternalista o simplemente despótico— autoritarismo. Pero repito, el sistema político, ostensiblemente muy molesto por la supresión o el cercenamiento de las libertades de manifestación, no es, ni con mucho, el más represivo, el más profunda, internalizadamente represivo; y por eso hoy tiende a reemplazar la represión física por la alienación. Y cuando adquiere mayor gravedad es en virtud de su colusión cultural y de su fundamentación en una «imagen» o «configuración» colectiva de la realidad histórica de un país: en el caso de España, el centralismo castellano o, por mejor decir hoy, madrileño. Más honda es, o al menos ha sido, la represión interna ejercitada por el *Establishment* eclesiástico, por el «Gran Inquisidor» que opera al nivel de una seguridad tranquilizadora, de una «salvación» al precio de la renuncia a la razón; represión de la cual la Inquisición era simple instrumento o agente exterior. Por eso los primeros intelectuales modernos, Erasmo, Montaigne, fueron «heterodoxos», más en el sentido etimológico de la palabra que en el eclesial. Lutero fue hereje (aunque hoy ya no sea de buen gusto ecuménico llamarle así), y luchó contra el monopolio papal del cristianismo, pero en su propio terreno, el eclesiástico, y por eso, igual que Calvino y los demás hombres de Iglesia, no fue un intelectual. Nuestro erasmista Alfonso de Valdés, tan moderno, tampoco fue intelectual en el riguroso sentido de la etimológica heterodoxia, pues convirtió el erasmismo en propaganda —que él mismo se creyó antes que nadie, y por eso no se pone aquí en duda su autenticidad— al servicio del emperador y de la empresa política que él encarnaba o pareció encarnar. El intelectual «no se casa con nadie». El intelectual es un excomulgado por sí mismo del sistema establecido, y se sitúa críticamente frente a él. En el capítulo 14 comparábamos dos excomulgados, tranquilo y famoso uno, Ludwig Wittgenstein, inquieto y oscuro otro, Agustín García Calvo. Walter Benjamin fue requeteexcomulgado, excomulgado de quienes se excomulgaron del nazismo. Y en realidad, casi todos los nombres españoles mencionados en la primera parte de este libro pertenecen a personas marginales al sistema establecido. Hoy no ya el sistema eclesiástico sino incluso el sistema socio-moral establecido se encuentran en decadencia. Sin embargo, la misión del intelectual es, fundamentalmente, una misión moral. El intelectual es y tiene que continuar siendo el insobornable moralista de nuestro tiempo. (Sobre lo que en este contexto se entiende por moral puede verse el trabajo «El problema de la moral», de *Moralidades de hoy y de mañana.*) Sería una gravísima tergiversación entender que la empresa intelectual frente al sistema establecido consista en la irresponsable destrucción por la destrucción de la moral. (Sobre esto véase el escrito «Crítica, destrucción, creatividad», en el mismo libro.) La desviación y la transgresión, la violación y la infracción conducen o, mejor dicho, son ya, el inicio de una búsqueda moral que, por su esencia misma, no puede nunca «establecerse». E igualmente hay que declarar de manera abierta que el intelectual no es, pese a su enfrentamiento con el aparato eclesiástico, esencialmente irreligioso sino más bien, en sentido libre de dogmatismos e incluso, tal vez, de creencias «materializadas» —el naturalismo «super-naturalista» de G. E. Moore— profundamente religioso. Sólo así se comprende la decisiva importancia que, en el ejercicio de su función, posee la imaginación creadora de nuevos símbolos y el lugar central que en su inspiración ocupa —escriba él personalmente versos o no— la poesía. Muchas veces he escrito ya que la función crítica y la función utópica, esto es, escatológica, constituyen la entraña misma de la labor intelectual. Función crítica y función utópico-escatológica al servicio de la comunidad. El intelectual puede —y en mi opinión debe— no pertenecer a ningún partido político. Pero tiene que luchar, incluso en el sentido más fuerte de la palabra lucha, siempre que no «establezca» en sí mismo la violencia, por la justicia colectiva. De ahí que la palabra «excomunión», que he estado usando, la actitud del exilio —exilio interior— son aceptables, sin duda, pero con ciertas reservas. Excomunicación del sistema establecido, de sus ataduras y aún más de sus honores; pero no de la sociedad. Exilio y soledad también; pero solidarios, unidos a los demás hombres en el presente y el futuro. ¿En el pasado también?

8. ACTITUD DEL INTELECTUAL CON RESPECTO A LA CULTURA ESTABLECIDA

Sí, también en el pasado. Sería un grave malentendido inferir de lo que aquí se ha dicho que el intelectual debe *negar* la cultura de la que procede, y en su nihilista búsqueda intentar partir de cero. Desde el capítulo 1 de la primera parte afirmé bien claro que no se trata de eso, sino de ejercitar una vigilante crítica que, en buena parte, ha de ser autocrítica, puesto que todos y cada uno de nosotros partimos —¿de dónde si no?— de la cultura establecida.

Ahora bien, la cultura establecida en España se había detenido como, por otra parte, hemos visto que ocurrió con la religión amortizada por la Iglesia —por las Iglesias más bien, no sólo la católica—, ha ocurrido y sigue ocurriendo con el «orden» —desorden, más bien— socioeconómico y sociomoral establecidos y, ni que decir tiene, con el «orden» político. Naturalmente, no desconozco que ciertas actitudes juveniles, en reacción extremosa frente a la parálisis cultural de la que, desde hace solamente pocos años, está empezando a salir España, parecen renegar de todo lo transmitido, por cierto para acogerse, más o menos miméticamente, a revisiones culturales en marcha y camino ya de «establecerse» fuera de España.

El problema no es sencillo. La cultura establecida, liberada de su dogmatización, puede y debe seguir siendo fecunda. Lo que se ha de hacer es cuestionarla y hasta hostigarla, ver lo que se puede «sacar» de ella, una vez flexibilizada, des-establecida. Y volver los ojos también a otros precedentes culturales, tan nuestros como el establecido, pero sofocados por él. La cultura española no es monolíticamente *una,* como hemos visto ya a propósito del castellanismo histórico-cultural, sino varia, diversa, múltiple. Han existido brotes culturales ahogados o marginados. En cuanto a la cultura religiosa, a la posible religión o religiosidad de los españoles, Unamuno, se comparta o no su confianza en la viabilidad, originalidad y creatividad de un «protestantismo español», percibió perspicazmente algunas de sus notas.

No, las culturas no mueren, como se afirmó hace decenios. Son sus mandarines quienes las estancan, desecan y esterilizan. Una cultura viva es aquélla en la que nadie se «instala» con la ilusión individual o colectiva de haber «llegado». La cultura, igual que, según hemos visto, ocurre con la ciencia, está en incesante evolución, cuando no revolución. Cabe, junto a la insensata voluntad de detenerla, la más verdadera determinación de —cansados, envejecidos— abandonar la partida, dejar a aquélla que siga y quedarnos nosotros, sin ánimos ya para seguir en la brecha, detenidos en el tiempo pasado, perdido (capítulo 12), sentados al borde del camino, a la espera de nuestro final.

Creo que en la presente recapitulación de la primera parte, en la que ha consistido esta segunda, sólo un capítulo me resta por recoger, el 41, sobre Antonio Marichalar. Muy en el centro de la cultura española establecida, en la época contemporánea de su mayor pujanza, terminó su existencia no, ciertamente, «excomulgado», como en vida otros españoles que citábamos y muchos más que hubiéramos podido citar, pero sí olvidado, injustamente olvidado. Su «rigor obstinado», su noble esfuerzo por enriquecer nuestra cultura con la más avanzada inglesa y francesa de entonces, unida a la fuerte fibra hispánica que, de Julián Romero al Duque de Osuna, según hizo ver, atraviesa su historia, nos entrega, aunque envuelto, es verdad, en esnobismo y conservadurismo, un testimonio de continuidad cultural.

Esta se mantiene por debajo de las evoluciones y aun de las revoluciones. Si no ocurriese así, ya no cabría hablar de «cultura española». Permítaseme que, según apunté, y para terminar, ilustre esta idea de la continuidad con una muy fina consideración de Sánchez Ferlosio (capítulos 48 y 49). Para que exista de verdad narración, nos dice, se necesita que se mantenga la circulación anafórica, es decir, la referencia a lo que seguirá y —lo que nos importa aquí— la referencia a lo que precedió. Si no queremos —y no queremos— que la cultura española se nos convierta en el cuento de la buena pipa, hemos de mantener, a todo trance, la referencia a su pasado. Pero a su pasado vivificado, constantemente sometido a revisión y nunca convertido en «texto», en *libro de texto,* otra manera, más gráfica, de denominar lo que desde el título de este libro hemos estado llamando la cultura establecida.

INDICE

Páginas

SEGUNDA PARTE

RECAPITULACION

ESTE LIBRO SE TERMINO DE IMPRIMIR,
SOBRE PAPEL DE TORRAS HOSTENCH, S. A.,
DE BARCELONA, EL DIA 6 DE NOVIEMBRE
DE 1975, EN LOS TALLERES
DE VELOGRAF, TRACIA, 17
MADRID-27

OTROS TITULOS DE LA COLECCION

ENSAYISTAS

1. Mircea Eliade: **Imágenes y símbolos.** 2.ª edición.
14. Jean-Yves Calvez: **El pensamiento de Carlos Marx.** 5.ª ed.
25. Enrique Tierno Galván: **Desde el espectáculo a la trivialización.**
27. Karl R. Popper: **La miseria del historicismo.**
29. Alphons Sibermann: **Estructura social de la música.**
30. Angel Alvarez de Miranda: **Ritos y juegos del toro.**
37. M. García Pelayo: **Mitos y símbolos políticos.**
39. Th. Viehweg: **Tópica y jurisprudencia.**
41. E. Kogon: **Sociología de los campos de concentración.**
43. Edgar Morin: **El espíritu del tiempo.**
44. Theodor W. Adorno y Max Horkheimer: **Sociologica.** 2.ª ed.
45. Victor Kraft: **El Círculo de Viena.**
47. Jean Duvignaud: **El actor.**
48. Bertrand Russell: **Lógica y conocimiento.**
50. Edgar Wind: **Arte y anarquía.**
51. Jean Paris: **El espacio y la mirada.**
52. Henri de Lubac: **El pensamiento religioso del Padre Teilhard de Chardin.**
58. Antoine Vergote: **Psicología religiosa.** 3.ª ed.
59. Herbert Marcuse: **Etica de la revolución.** 3.ª ed.
61. Theodor W. Adorno: **Tres estudios sobre Hegel.** 2.ª ed.
62. Bertrand Russell: **Análisis de la materia.**
63. Paul Ricoeur: **Finitud y culpabilidad.**
64. José Luis L. Aranguren: **Memorias y esperanzas españolas.**
65. Alois Müller: **El problema de la obediencia en la Iglesia.**
66. Claude Cuénot: **Nuevo léxico de Teilhard de Chardin.**
68. Ricardo Gullón: **Técnicas de Galdós.**
70. Juan Rof Carballo: **Rebelión y futuro.**
71. Maurice Merleau-Ponty: **La prosa del mundo.**

72. Enrique Moreno Báez: **Los cimientos de Europa.**
73. Aranguren, Bataillon, Gilman, Laín, Lapesa y otros: **Estudios sobre la obra de Américo Castro.**
74. Carlos Moya: **Teoría sociológica: una introducción crítica.**
75. Eugenio Trías: **La dispersión.**
76. Alexander Mitscherlich: **La idea de la paz y la agresividad humana.**
77. Herbert Butterfield: **Los orígenes de la ciencia moderna.** 2.ª ed.
78. Theodor W. Adorno: **La ideología como lenguaje.**
79. Elías Díaz: **Sociología y Filosofía del Derecho.** 2.ª ed.
80. Angela Selke: **Los chuetas y la Inquisición.**
81. George Edward Moore: **Defensa del sentido común.**
82. Harvey Cox: **Las fiestas de locos.**
83. E. M. Cioran: **Breviario de podredumbre.**
84. Georges Bataille: **Sobre Nietzsche.**
85. Fernando Savater: **La filosofía tachada.**
86. Gustavo Bueno: **Ensayos materialistas.**
87. Joseph Lortz: **Historia de la Reforma.** 2 vols.
88. Antonio Márquez: **Los alumbrados.**
89. **Presentación del lenguaje.** (Compilación de Francisco Gracia.)
90. Emmanuel Mounier: **Manifiesto al servicio del personalismo.** 3.ª ed.
91. Walter Benjamin: **Discursos interrumpidos.**
92. Georges Bataille: **La experiencia interior.**
93. E. Trías, F. Savater y otros: **En favor de Nietzsche.**
94. Kostas Axelos: **Hacia una ética problemática.**
95. José L. Aranguren: **Moralidades de hoy y de mañana.**
96. Roland H. Bainton: **Servet, el hereje perseguido.**
97. Charles Fourier: **La armonía pasional del nuevo mundo.**
98. E. M. Cioran: **La tentación de existir.**
99. Friedrich Nietzsche: **Inventario.**
100. Américo Castro: **Sobre el nombre y el quién de los españoles.**
101. Fernando Savater: **Apología del sofista.**
102. Stanislav Andreski: **Las ciencias sociales como forma de brujería.**
103. John Chadwick: **El enigma micénico.** 2.ª ed.
104. Giordano Bruno: **Mundo, magia, memoria.**
105. Georg Groddeck: **El libro del Ello.**
106. Hannah Arendt: **Crisis de la República.**
107. Ben Rekers: **Arias Montano.**

108. José Luis L. Aranguren: **El futuro de la Universidad y otras polémicas.**
109. Friedrich Nietzsche: **El libro del filósofo.**
110. Jean Baelen: **Flora Tristan: socialismo y feminismo en el siglo XIX.**
111. Marcelin Defourneaux: **Inquisición y censura de libros en la España del siglo XVIII.**
112. Martin Jay: **La imaginación dialéctica. (Una historia de la Escuela de Frankfurt.)**
113. Frances A. Yates: **El arte de la memoria.**
114. Víctor Gómez Pin: **El drama de la Ciudad Ideal.**
115. Julio Caro Baroja: **De la superstición al ateísmo. Meditaciones antropológicas.**
117. Georges Bataille: **El culpable.**
118. (Serie Maior) Emile Poulat: **La crisis modernista. (Historia, dogma y crítica.)**
119. (Serie Maior) Jean Pierre Faye: **Los lenguajes totalitarios.**
120. Walter Benjamin: **Haschisch.**
121. E. M. Cioran: **El aciago demiurgo.**
122. (Serie Maior) Hannah Arendt: **Los orígenes del totalitarismo.**
123. Pierre Teilhard de Chardin: **Las direcciones del porvenir.**
124. Clément Rosset: **La anti-naturaleza.**
125. Gilles Deleuze: **Presentación de Sacher-Masoch.**
126. Allan Janik y Stephen Toulmin: **La Viena de Wittgenstein.**
127. Jean Starobinski: **La relación crítica. (Psicoanálisis y literatura.)**
128. Klaus Dörner: **Ciudadanos y locos. (Historia social de la psiquiatría.)**
129. Alfred Schmidt: **Feuerbach o la sensualidad emancipada.**
130. Fernando Savater: **Ensayo sobre Cioran.**
131. Theodor Reik: **Variaciones psicoanalíticas sobre un tema de Mahler.**
132. Carmen Martín Gaite: **Macanaz, otro paciente de la Inquisición.** 2.ª ed.
133. Theodor W. Adorno: **Dialéctica negativa.**
134. Mircea Eliade: **Iniciaciones místicas.**
135. Carlos Castilla del Pino: **El humanismo «imposible»**, seguido de **Naturaleza del saber.**
136. Georges Bataille: **Teoría de la Religión.**